WRTH FY NAGRAU I

wrth fy nagrau i

Angharad Tomos

Diolch

Dymuna'r awdur ddiolch i'r Academi
am ddyfarnu Ysgoloriaeth i Awduron
er mwyn ysgrifennu'r nofel hon.

Argraffiad cyntaf: 2007

Mae'r cyhoeddwr yn cydnabod cefnogaeth ariannol
Cyngor Llyfrau Cymru.

Rhif Llyfr Safonol Rhyngwladol:
1-84527-152-1
978-1-84527-152-7

Clawr: Sian Parri

Argraffwyd a chyhoeddwyd gan Wasg Carreg Gwalch,
12 Iard yr Orsaf, Llanrwst, Dyffryn Conwy, LL26 0EH.
☎ 01492 642031
📠 01492 641502
✉ llyfrau@carreg-gwalch.co.uk
Lle ar y we: www.carreg-gwalch.co.uk

Er cof am fy nain,

Elizabeth Ann Williams

1882 – 1955

na ddaeth adre

Pennod 1

'Pam mae pobl yn lladd?' gofynnais iddi, gan dynnu'r gorchudd oedd ar ei gwely. 'Pam?'

Ddaru Bet ddim troi, dim ond smalio ei bod yn cysgu.

Wedi bod yn meddwl ac yn meddwl yr oeddwn ac roedd yn rhaid i mi gael gofyn i rywun. Hwn oedd y cwestiwn pwysicaf un. Beth oedd diben rhoi bod i fywyd os mai dim ond cael ei ddinistrio oedd o yn y pen draw? O gael ateb i hwn, byddai modd gwneud synnwyr o bethau. Newydd ddarllen yn y papur ro'n i am y niferoedd laddwyd mewn rhyfeloedd dan y llywodraeth bresennol, ac roedd y swm yn llawer uwch nag erioed o'r blaen. Doedd pethau ddim yn gwella, mynd yn waeth oeddan nhw. Ac os na fyddai neb yn poeni, gwaethygu fydden nhw.

'Pam, Bet?'

Mi ddylia Bet boeni, hi o bawb. Roedd hi'n wraig i weinidog. Ac oni bai 'mod i'n ennyn diddordeb Bet yn y broblem, fyddai gen i ddim gobaith efo'r gweddill ohonyn nhw.

Smalio cysgu oedd Bet, gwyddwn yn iawn. Er ei bod a'i chefn ataf, gwyddwn fod ei llygaid ar agor.

'Peidiwch â f'anwybyddu i, Bet.'

'Dydw i ddim.'

'Pam na 'tebwch chi fi, 'ta?'

Trodd i'm hwynebu a'i hwyneb yn llawn pryder.

Syllodd arnaf am eiliad neu ddwy.

'Am nad oes yna ateb i gwestiwn felly. Natur dyn ydi o.'

'Mae 'na ateb i bopeth os chwiliwn ni'n ddigon caled.'

Ysgydwodd ei phen.

'Dyna pam rydan ni yma, am na wyddwn ni'r atebion.'

Am ateb dwy a dimai, meddyliais a cherdded 'nôl i'm cornel yn siomedig. Weithiau, caem sgyrsiau difyr. Roedd Bet yn un o'r ychydig rai oedd yn meddwl yn y lle hwn. Ond dibynnai yn llwyr ar ein hwyliau, a doedd dim hwyliau ar Bet heddiw, roedd hynny'n amlwg. Edrychais arni, wedi ei lapio ei hunan yn y garthen, ac wedi troi ei chefn ar bawb a phopeth. Ofer oedd ceisio cyrraedd ati pan oedd yn y cyflwr hwn.

Eisteddais ar fy ngwely a'm cefn ar y gobennydd. Fyddwn i ddim yn mynd dan y cynfasau, achos dyna oedd pobl sâl yn ei wneud, a doeddwn i ddim yn sâl. Wedi dod yma i orffwyso oeddwn i. Bob bore, byddwn yn codi, yn gwneud y gwely yn dwt cyn eistedd arno. Hoffwn gynfasau cotwm gwyn glân, ac roedd yn biti eu crychu. Roedd y stafell yn llawn o welâu a gwragedd gwael ym mhob un. Roedd y rhai gwirioneddol wael yn orweddiog, rhai ar eu heistedd fel fi, ambell un yn ddigon da i godi ac eistedd yn y gadair ger y gwely. Pob un yn ei byd bach ei hun. Wyddwn i ddim pwy oedd eu hanner nhw.

Edrychais ar Monica a dyma ein llygaid yn cwrdd. Trois i edrych y ffordd arall. Ym mhen draw'r stafell roedd y wraig a chryndod arni yn pendwmpian. Drws nesa iddi roedd y ddynes fach gron, hithau'n swrth yn ei chadair, fel clustog di-siâp. Bet oedd rhyngddi hi a'r drws, a Sali yn y pen draw, diolch byth. Fedrwn i ddim goddef ei chael yn nes ataf, na Bet chwaith – doedd ryfedd ein bod yn mynd yn wirion yma. Doedd dim i'n difyrru, dim i fynd â'n meddwl, dim ond llond stafell o wragedd gwael oedd ddim eisiau bod efo'i gilydd. Preifatrwydd oedd rhywun ei angen ar adeg fel hyn, er y byddwn yn mynd o'm cof mewn ystafell wag. Roedd y gwelâu i gyd yr un fath, dim ond lliw y gorchudd oedd yn wahanol. Daliai llygaid Monica i rythu arnaf. Syllais ar fy nwylo, ar y crychau a'r creithiau cyfarwydd, ac ar fy modrwy briodas. Mi fydden nhw'n arfer tynnu modrwyau oddi ar ferched mewn sefydliadau fel hyn.

'Dydach chi ddim yn ffrindia heddiw?' gofynnodd Sali.

'Pwy?'

'Bet a chi.'

'Be barodd i chi feddwl hynny?'

'Dydi hi ddim yn siarad efo chi.'

'Ddim yn gwybod yr ateb oedd hi.'

'Ateb i be?'

'Hitiwch chi befo, Sali.'

Pan nad oedd Monica yn syllu arnaf, roedd Sali yn cadw llygad arnaf, ac yn gwrando ar bob sill a ddywedwn.

'Dydi hi'n gwybod dim, 'chi.'

'Pwy?'

'Bet Jones. Smalio bod yn wybodus mae hi.'

'Mae ganddi fwy yn ei phen na chi.'

'Hynny fawr o gamp.'

Amhosib oedd brifo Sali. Mi fyddwn i'n trio'n galed, bob diwrnod bron, ond ni fyddai dim yn gallu trywanu'r croen crocodeil oedd ganddi. Dario, roedd hi'n nesáu at fy ngwely.

'Be oeddech chi eisiau ei wybod gan Bet Jones?'

Dyma sut fyddai hi rŵan, fel deryn yn taro malwen ar garreg. Taro, taro, taro nes byddwn i'n torri. Haws oedd dweud yn syth a chael ei wared.

'Eisiau gwybod pam oedd pobl yn lladd ei gilydd oeddwn i.'

'Pam dach chi eisiau gwybod hynny?'

'Mae o'n gwestiwn reit bwysig, 'tydi?'

'Braidd yn amlwg . . . Fyddwch chi ddim yn teimlo fel lladd weithiau?'

Y funud honno, tase gen i gyllell yn fy llaw, mi fyddwn i wedi ei chael hi'n rhwydd iawn i daro rhywun, ond ddeudais i ddim.

'Mi fydda i'n teimlo fel lladd lot fawr o bobl . . . ac mae eu hanner nhw yn y stafell yma.'

'Ewch o'ma, Sali.'

Trodd ar ei sawdl, aros, ac yna troi i edrych i fyw fy llygaid.

'Oes arnoch chi fy ofn i?'

'Nag oes, dim ond blino arnoch chi ydw i.'

Cerddodd yn ôl at ei gwely. Nid oedd Monica wedi tynnu ei llygaid oddi arnaf.

Mi wnes i fy ngorau i beidio dod yma. Doedd Dafydd ddim o blaid, a doeddwn innau ddim ar dân. Rydwi'n ceisio datgymalu'r llinynnau cordeddog ddaru fy arwain at fan hyn. Sut llwyddodd y dynion mewn cotiau gwyn i'm cael i yma? Sut mae rhywun yn torri?

Torri fy hun ddaru mi. Doedd hynny ddim yn beth call i'w wneud. Ond roedd pob dim yn gylch, ac un peth yn arwain at un arall. Hi torrodd fi gyntaf. Ac am iddi wneud cymaint llanast ohonof, dyma fi'n cwblhau'r dasg, ac yn torri fy hunan. Rhyfedd i mi ei chwenychu gymaint, ac yna troi 'nghefn. Ond onid er mwyn hynny rydan ni ferched yn bod? Dyna'n diben ni. Dyna pam y cawsom ein creu. Dyna pam y gwaedwn. Os na allwn ni gael rhywun arall i ddod allan ohonom ni cyn i'n hamser ddod i ben, rydan ni'n fethiant. A does neb yn lecio methu.

'Ydi hi'n amser te eto?'

Edrychais ar y cloc. Y ddynes fach dew oedd wedi dod i holi. Roedd yn byw o un pryd i'r llall. Bwytai gymaint o gacenni fel iddi fynd i edrych fel un, a'r cap bach tebot ar ei phen yn union fel ceiriosen.

'Ydach chi'n meddwl go iawn ei bod hi'n amser te?' gofynnais.

'Newydd ddeffro ydw i.'

'Mae 'na awr arall cyn amser te.'

'O,' medda hi, fel petawn wedi datgelu gwirionedd mawr. 'Gwirion ydw i, mi af yn ôl i aros,' a chamodd i gyfeiriad y drws.

'Ffordd arall mae eich gwely chi,' meddwn, a throdd ataf, gwenu, a cherdded i'r cyfeiriad arall.

Erbyn i mi ei dilyn efo fy llygaid yn ôl at ei lle, ro'n i wedi colli rhediad fy meddwl, ac wedi anghofio am beth ro'n i'n myfyrio.

Ymhen hir a hwyr yr oedd hi'n amser te, a dyma ni i gyd – 'blaw Monica – yn ymlwybro i'r Cantîn. Roedd yna edrych ymlaen garw at bob amser bwyd. Dyna yr unig beth oedd yn torri ar ddiflastod y lle yma. Gwaeddai'r nyrs ein henwau, a byddai pob un ohonom yn codi i nôl ei hambwrdd. Byddai Bet a minnau yn arfer eistedd efo'n gilydd, ond doedd Bet ddim yn ddigon da y diwrnod hwnnw. Y drefn oedd ein bod yn archebu ein bwyd y diwrnod cynt, ond erbyn i'r bwyd gyrraedd byddwn wedi anghofio yr hyn yr oeddwn wedi ei ofyn amdano. Codais y caead fel un yn agor caead cist. Rhyw 'sgodyn a dipyn o saws drosto efo llysiau oedd oddi tano, a chwstard a phwdin sbwnj. Bwytaodd pawb mewn tawelwch. Wedi inni orffen, byddai pawb yn mynd â'r hambwrdd a'r caead yn ôl i'r tu blaen i rywun eu casglu.

Roedd hi'n hanner awr wedi pump. Fyddai dim oll yn digwydd rŵan tan fory. Dim oll. Pump awr arall nes y byddai yn amser cysgu. Ac roedd dim ond meddwl am yr oriau meithion yn fy mlino, a theimlwn eu dyfod fel carthen fawr fyglyd.

Pennod 2

Daeth dau ohonynt draw, un gŵr ifanc ac un wraig – hithau reit ifanc, ac yn feichiog, felly fedrwn i ddim dweud llawer. Doeddwn i ddim eisiau codi ofn arni.

Rydw i'n cofio'r prynhawn yn glir; cofiaf y tywydd, yr haul yn dod trwy'r ffenest, Lora yn ei chrud, a'r ddau ddieithryn ar yr aelwyd. Yn fwy na dim, cofiaf yr awyrgylch. Bob tro arall, roedd pobl wedi ymweld ar fy ngwahoddiad i. Roedden nhw'n dod am 'mod i eisiau cwrdd â nhw, am 'mod i'n eu nabod neu eisiau dod i'w nabod. Ond daeth y rhain yn ddiwahoddiad, ac roedden nhw eisiau gwybod popeth amdanaf. Yn waeth na dim, roedden nhw'n iau na mi, a fedrwn i ddim peidio â theimlo eu bod ar goll braidd. Ac roedd popeth mor berffaith. Roedd hi'n ddiwrnod heulog, y tŷ wedi ei llnau yn lân, a Lora yn cysgu'n dawel yn ei chrud. Roedd o'n bictiwr o dangnefedd.

'Fedrwch chi ddweud wrthon ni sut ydach chi'n teimlo?'

Dyna oedd y drwg. Fedrwn i ddim, neu doeddwn i ddim yn dewis. Ar yr wyneb, doedd dim yn bod. Cefais yr hyn roeddwn i'n ei chwenychu a dyma'r canlyniad. Gŵr, tŷ, babi. Peth fel hyn oedd o. Ro'n i'n llnau'r tŷ, yn caru'r gŵr, ac yn bwydo'r babi. Oedd disgwyl i mi wneud rhagor?

'Mae hi'n anodd i chi, dwi'n gwybod.'

Fy nrwg i ydi na fedra i gadw'n dawel; gwaddol fy mam yw hynny. Fedra i ddim dioddef saib yn y sgwrs. Dechreuais siarad am y tywydd, amdanynt hwy, paratoi paned, ac o fewn ugain munud roeddwn i'n gwybod dipyn go lew amdanynt. Ond wydden nhw ddim amdanaf i.

'Y drwg ydi eich bod chi wedi cael marciau uchel efo'r ffurflen,' meddai'r dyn, yn trio dod yn ôl at y pwynt. Doedd y ferch yn dweud dim. Efallai mai ar brofiad gwaith oedd hi.

Cofiwn lenwi'r ffurflen. Rhoddodd yr ymwelydd iechyd hi i mi, fel mater o drefn.

'Rydan ni wedi canfod fod nifer o famau newydd yn teimlo'n reit isel,' meddai, fel tase hynny'n beth od. 'Felly mae'n rhaid i bawb lenwi ffurflen. Dydi o ddim yn anodd, chymrwch chi ddim dau funud . . . '

Roedd hi'n iawn, doedd y cwestiynau ddim yn anodd. Chymrodd hi ddim chwinciad i mi eu hateb, ond rhoddais yr atebion anghywir. Dywedais y gwir, 'mod i'n teimlo yn reit ddagreuol, 'mod i'n teimlo yn anobeithiol, 'mod i'n ffansïo'r syniad o farw. Mae unrhyw un sy'n gofalu am fabi newydd yn teimlo hynny. Mae cael eich deffro seithgwaith a mwy mewn noson yn ffurf gydnabyddedig o artaith.

Petawn i ond yn gwybod, doeddech chi ddim i fod cweit mor onest, ac roedd mamau eraill fel tasen nhw'n gwybod hyn. Os byddwch chi'n gwbl onest, bydd y dynion mewn cotiau gwyn yn dod i'ch tŷ, ac a'ch helpo wedyn. A dyna ddigwyddodd. Roedden nhw'n iawn.

'Ydach chi'n cofio'r ffurflen?'

'Ydw.'

'Dach chi wedi cael sgôr reit uchel, a dyna pam mae eich enw chi ar Y Rhestr.'

Ro'n i'n meddwl mai'r holl bwynt oedd cael marciau

uchel. Dyna'r rheol gyda phob prawf ac arholiad a gefais o'r blaen. Marciau uchel yn cadw pawb yn hapus. Marciau uchel yn gwneud Hogan Beniog. Pawb yn lecio marciau uchel.

'A wedyn, mae'n orfodol inni ddod allan a gweld pawb sydd ar Y Rhestr, i gael sgwrs efo nhw, a gwneud yn siŵr fod pob dim yn iawn.'

Distawrwydd.

'Ydi popeth yn iawn?'

'Ydi.'

Mae'n siŵr fod hwnna'n ateb anghywir. Gwyddwn cyn gynted ag y'i dywedais. Ond ni sylwodd y dyn wrth lwc, ac roedd o'n reit hapus ei fod o wedi ymweld ag un arall ar ei restr. Diolchodd y ddau yn fanesol a chau'r drws.

Ac wedi i'r drws gau, steddais yn fy unfan yn hir, yn gwylio'r haul yn dod drwy'r ffenest, yn ymwybodol o anadlu bodlon Lora, yn gwybod fod diwrnod rhydd o'm blaen, ac yn teimlo dim byd o gwbl. Erstalwm, byddwn wedi teimlo rhyddhad, byddwn wedi ei ystyried yn foethusrwydd cael eistedd, yn cael seibiant, a byddai fy mhen yn llawn syniadau. Ond y bore hwnnw, doedd gen i ddim i'w wneud, ac roedd fy mhen – a'm calon – yn gwbl, gwbl wag. Dyna oedd o'i le, ond fasa'r dyn yn y gôt wen byth wedi deall hynny.

* * *

Rywbryd ynghanol nos, cefais fy neffro gan ddwndwr yn y coridor, rhyw glepian drysau dychrynllyd, a gwely troli yn cael ei wthio i mewn.

'There we are, you'll be all right. We've put you in bed, you can sleep tight . . . '

'Is she conscious?'

'Don't think so.'
'What have they given her?'
'Dunno, but she's out of it.'
'Attempted suicide?'
'Yeap. She's been in Intensive Care.'
'Why the burn marks?'
'Her home was on fire – she was there at the time.'
'Was that the suicide attempt?'
'Dunno. I'm clocking off now. See you in the mornin'.'

A bu tawelwch. Doeddan nhw'n deud dim wrthych chi yn y lle yma, dim hyd yn oed os oeddech chi'n gofyn iddynt. Roedd pob dim yn *highly confidential* er ei fod o'n digwydd dan eich trwyn. Roeddech chi'n gweld popeth ond yn deall dim, ac roedd hyn yn arwain at lot fawr o ddryswch. Felly, be oeddwn i'n ei wneud oedd cadw'n effro yn y nos, ac ro'n i'n cael clywed llawer iawn mwy. Ro'n i fel tylluan fechan yn swatio dan y cynfasau, ac yn dod yn dylluan fach ddoeth iawn yn ffyrdd yr hen le 'ma. A bellach, roedd rhywun – neu rywbeth – yn y gwely ar y chwith i mi, tu ôl i'r cyrtans. Edrychais ar y cloc. Roedd hi'n dri o'r gloch y bore. Tybed sut wyneb oedd gan y person 'rochr arall i'r cyrtan?

* * *

Daethant yn eu holau, y bobl swyddogol mewn cotiau gwyn. Dydw i ddim yn cofio yn hollol pam, ond daethant drachefn yn ddiwahoddiad. Falle bod wnelo fo â'r ffaith 'mod i wedi torri fy hun. Beth bynnag oedd o, doeddan nhw ddim yn ei lecio, a dyma ganfod nad oedd gan rywun hawl i wneud yr hyn a fynnai o fewn terfynau ei chartref ei hun. Cyn hynny, mi fûm yn cael ymweliadau gan Noreen, rhyw swyddog seiciatrig o'r Gwasanaethau Cymdeithasol. Roedd Noreen yn hen ddynas iawn, ond roedd ganddi fwy o drafferthion na mi, gr'adures. Mi fyddai'n galw bob wythnos i gael sgwrs efo mi.

'*Come in, Noreen.*'

Ambell waith byddwn yn edrych ymlaen at ymweliadau Noreen. Roedd pawb arall wedi rhoi'r gorau i alw, ond doedd gan Noreen ddim ofn curo ar y drws. Am hynny roedd hi'n cael ei thalu, felly wrth gwrs nad oedd ots ganddi. Roedd hi wedi cael ei hyfforddi i siarad â phobl ddigalon. Roedd hi'n fam ei hun – yn fam i dri o blant oedd wedi tyfu bellach. Mi fyddwn yn gwneud paned iddi, ond fyddai hi byth yn cymryd dim i'w fwyta. '*Watching my figure, you know,*' meddai hi bob tro, ac roedd andros o lot ohono i'w wylio.

Byddai Noreen yn siarad am bob dim dan haul. Roedd hi'n fwy o giamstar na'r llanc alwodd draw gyntaf. Roedd hon fel tase ganddi ddiddordeb gwirioneddol ynof, ac roedd hi'n ddynes joli. Mi fydde rhaid i rywun yn ei swydd hi fod, debyg. Dywedai'n aml fod llawer mewn cyflwr gwaeth na mi. Dan amgylchiadau gwahanol, synnwn i ddim y gallai Noreen a minnau fod wedi bod yn ffrindiau da. Roedd croeso i mi ei ffonio unrhyw bryd, ond pan fyddwn i'n teimlo fel sgwrsio byddwn yn cofio mai job o waith ydoedd i Noreen, a diau ei bod yn brysur iawn yn ymweld â'r holl bobl hynny oedd yn waeth na mi, felly fyddwn i byth yn ei ffonio.

Ond wrth i'r misoedd fynd heibio deuthum i ymddiried mwy a mwy ynddi, a meddwl weithiau ei bod yn deall peth ar fy mhicil. Yn aml iawn, byddai yn fy ngweld yn fy nagrau, a fedr neb gario 'mlaen i smalio am hir yn y sefyllfa honno. Sawl gwaith, canfyddais fy hun yn ceisio dal ati nes y byddai diwrnod Noreen yn dod, a byddwn yn cyfri'r oriau. 'Mond teirawr, dwy awr, awr, hanner awr fydd yn rhaid i mi gario 'mlaen, ac wedyn mi ddaw Noreen, a chael gwared ar y boen i gyd. Byddwn yn siarad am bopeth dan haul efo hi, a phan fyddwn yn tawelu, mi fyddai Noreen yn dweud,

'*It's the depression talking*,' fel tase hwnnw'n rhyw berson go iawn, oedd yn rhoi geiriau yn fy ngheg.

Wrth i'r misoedd fynd rhagddynt, deallais mai dyma oedd llinell Noreen pan na fyddai ganddi ddim oll i'w ddweud, pan oedd wedi dihysbyddu ei hadnoddau naturiol yn gyfangwbl, pan oedd y paneidiau wedi eu hyfed, ac roedd chwarter awr o'r ymweliad yn dal ar ôl. Byddai hi'n sylwi mwy ar yr amser na mi. Fyddwn i ddim eisiau i'r cwmni fynd, ond byddai'n rhaid iddi ddod â phethau i ben ar ôl awr a dweud,

'*It's time for me to go now. Will the same time next week be fine?*'

A byddwn innau'n cau 'ngheg, a byddai Noreen yn gadael, ac yn cau'r drws ar ei hôl.

Gwyddwn fod gan Noreen lond bagaid o ofalon, a bag reit fawr oedd o, achos un o hoff gemau Lora oedd cropian at y bag ac archwilio ei gynnwys. Chwarae teg i Noreen, fyddai hi ddim yn protestio, oni bai fod Lora yn canfod ei ffôn, ac yn dechrau chwarae efo hwnnw. Gwnawn fy ngorau i amseru'r ymweliadau pan oedd Lora yn cael ei chwsg prynhawnol, achos os byddai'r fechan o gwmpas, doedd fawr o siarad. Byddwn yn rhy brysur yn cadw llygaid arni.

Un diwrnod, pan oedd Lora'n cysgu, a Noreen a minnau yn y gegin yn mynd trwy ein pethau, canodd ffôn Noreen. Doedd hi ddim i fod i'w ateb ar ymweliadau, ond fe'i cadwai wrth law rhag ofn fod argyfwng. Wyddwn i ddim beth oedd argyfwng nes iddi ateb y ffôn un waith. Un o'i chleifion oedd yno, a phryderai sut oedd wedi cael gafael ar ei rhif ffôn personol.

'*That isn't supposed to happen*,' meddai. Dyna ydi

bywyd, meddyliais, cyfres o ddigwyddiadau ddylai ddim digwydd, ond digwydd maen nhw.

Rhoddodd y ffôn i lawr, a chanodd hwnnw eto – ddwywaith. Roedd yn rhaid iddi ei ateb rhag ofn i rywbeth peryglus ddigwydd. Yn y diwedd, mi wnaeth.

'He's saying that he's going to kill me. I'd better go.'

Y diwrnod hwnnw, gwyddwn fod gan Noreen fwy o broblemau na mi. Gadawodd mewn brys, a chau'r drws ar ei hôl. Hyd yn oed os oedd hi'n cael cyflog da, roedd yn well gen i – hyd yn oed efo 'mhroblemau – fod yn fy esgidiau fy hun.

Pennod 3

Y bore wedyn, roedd y cyrtan ar y chwith i mi wedi ei dynnu, a doedd neb yno. Roedd yn union fel petai Hwdîni wedi dod i gysgu'r nos, ac wedi gadael mor ddisymwth ag y daeth. Ond y noson ganlynol, a'r cyrtan ynghau, clywais 'styrbans eto, a gallwn glywed sŵn, sŵn ochneidio. Gorweddais am hir yn gwrando arni, yn ceisio dychmygu sut berson ydoedd, oedd hi'n ifanc, yn ganol oed, yn hen? Beth oedd achos ei gofid, sut un oedd hi o ran pryd a gwedd, fydden ni'n cyd-dynnu, a ddeuem yn ffrindiau? Roedd merched yn dod i adnabod ei gilydd yn dda iawn mewn byr o amser yn y lle 'ma.

Yn sydyn, clywais sŵn dieithr a bûm am dipyn cyn sylweddoli mai sŵn ffôn symudol ydoedd. Ond wedi ysbaid, nid oedd sŵn neb yn siarad, dim ond sŵn tapio deialu eto. Pwy allai fod yn ffonio yr adeg honno o'r nos? Roedd hi 'mhell wedi hanner nos. Gobeithio na fyddai hyn yn digwydd yn gyson. Ac o nabod rhywun yn ddigon da i'w galw gefn trymedd nos, pam na fyddai'r person arall yn ateb? Sŵn deialu eto. Saib. Deialu. Saib. Doedd bosib nad oedd y geiniog wedi disgyn bellach a'i bod yn deall nad oedd y person yr ochr arall yn mynd i ateb?

Falle mai ffonio pobl wahanol oedd hi. Efallai ei bod yn ffonio pawb oedd hi'n ei adnabod, pawb oedd hi wedi ei adnabod erioed, dim ond rhag ofn y câi ateb. Roedd sŵn deialu mor drist â sŵn ffôn yn canu mewn stafell wag. Arwydd o ddisgwylgarwch, ac yna siom wrth i neb ymateb. Syrthiais i gysgu cyn gwybod a gafodd hi ateb gan rywun.

Y bore wedyn, roedd y cyrtan wedi'i gau, ond doedd dim smic i'w glywed yr ochr arall. Yn sydyn, dyma benderfynu y cawn sbec arni, cyn Medication, cyn i neb fy ngweld. Mentrais o'm gwely gan wingo wrth deimlo oerfel y leino dan draed. Agorais y cyrtan, a dyna lle roedd hi, gr'adures, ei phen golau tlws ar obennydd. Roedd hi mor ifanc! Doedd hi fawr mwy na phlentyn. 'Blaw am y creithiau ar ei hwyneb, gallai fod yn dylwyth teg mewn llyfr chwedlau. Doedd bosib ei bod yn hŷn na dwy ar bymtheg, deunaw . . . I be oedd eisiau dod â phlentyn i'r fath le? Mi wêl bethau a'i gwnaiff yn wallgof. Am ei garddynau roedd hanner dwsin o freichledau bach wedi eu nyddu. Yn ei llaw roedd y ffôn symudol, a gafaelai ynddo fel plentyn yn gafael yn ei drysor pennaf. Yn sydyn, crychodd ei hwyneb a dechreuodd grio yn ei chwsg. Mewn chwinciad, roedd Sali wedi codi ac am gael gwybod beth oedd yn bod.

'Meindiwch eich busnes, Sali,' medda fi wrthi, a'i hanfon yn ôl i'w chornel. Euthum at y ferch ifanc, eistedd ar y gwely a dechrau mwytho'i phen i geisio cynnig rhywfaint o gysur iddi. Dan ei choban ysgafn, sylwais ei bod wedi ei lapio mewn bandejis. Ochneidiodd yn uwch a dechrau dyrnu'r matres. Roedd y bandej am ei garddwn wedi dechrau dod yn rhydd, a cheisais ei glymu. Pan welais ei chroen, bu bron i mi lewygu. Roedd o'n gig noeth tywyll ac yn grachod briwedig. Beth yn y byd ddigwyddodd iddi? Gorchuddiais hi â'r blanced, a thawelodd.

Ond erbyn hynny, roedd Sali wedi mynd i nôl rhywun o'r staff, ac roedd y rheiny wedi fy hel i o'no a'm siarsio rhag busnesu. Diawch, erbyn iddyn nhw gymryd diddordeb ynom, gallai unrhyw beth ddigwydd.

Heledd oedd ei henw, cawsom wybod cymaint â hynny, ond diflannodd yn syth wedyn am tua deuddydd. Pan ddychwelodd, ni thrafferthodd neb i ddweud wrthym sut oedd hi. Roedden ni'n ddigon da i rannu stafell efo hi, ond ddim yn ddigon da i gael gwybod ei hynt a'i helynt. Mae'n siŵr fod celu'r wybodaeth rhagom yn eu rhoi mewn sefyllfa o rym.

Fyddwn i ddim yn brolio'r staff yma rhyw lawer. Joban o waith ydoedd iddynt, a fedrai neb honni ei fod yn waith rhamantaidd iawn. Doeddan nhw ddim yn cael diolch fel staff wardiau eraill yr ysbyty, dim ond gorfod wynebu un argyfwng ar ôl y llall. Pam dewis y fath le i weithio ynddo, wn i ddim. Roedd eisiau chwilio'u pennau.

Mi fyddwn i'n dod yma i ddechrau i weld Dr Keswick, fo oedd fy noctor i, a fan hyn oedd ei swyddfa. Pan aeth hi i'r pen efo Noreen, hi'n methu gwneud rhagor i'm helpu, a minnau wedi torri fy hun yn rhubanau, cefais fy anfon at Dr Keswick yn Rhydderch. Am ryw reswm anesboniadwy, roeddan nhw wedi galw'r lle ar ôl un o lawysgrifau enwocaf yr iaith Gymraeg, ond ni fedrai Saeson ei ynganu, felly 'Rudheck' fydden nhw yn ei ddweud, oedd yn ddigon i ferwino clustiau rhywun.

Roedd fy nghyfarfyddiad cyntaf â Dr Keswick fel dau ddiwylliant yn taro yn erbyn ei gilydd yn go hegar. Doedd ganddo fo ddim syniad o'm cefndir i, a doedd gen innau ddim clem o'i wreiddiau o a'i ardal enedigol. 'Dyn dŵad' oedd o, ac roedd gen i lond sach o ragfarnau yn erbyn bodau felly, a diau fod ganddo fo ei ragfarnau yn erbyn y 'locals'.

'So you speak Welsh as a natural language?'

'*As naturally as you speak yours.*'

'*I am sorry that I cannot speak it. I tell myself often I should do something about it,*' meddai, fel tase hwn yn syniad gwreiddiol.

Doedd dim byd ofnadwy yn bod arno, dim ond ei fod yn anwybodus. Taswn i wedi cael un sgwrs efo fo, mae'n siŵr y byddwn wedi ei ystyried yn ddyn digon clên, ond wrth i'r wythnosau a'r misoedd fynd heibio, dechreuodd fynd ar fy nerfau. Roedd yn fy nharo fel dyn cysglyd, a doedd o naill ai ddim yn fy neall yn siarad, neu wedi diflasu efo problemau pawb, ond doedd hi ddim yn hawdd siarad efo hwn ac yntau fel tase fo ar fin syrthio i gysgu bob munud.

Nid 'mod i eisiau dweud cymaint â hynny wrtho. Ro'n i'n dal i feddwl ar y dechrau fod gen i hawl i ronyn o breifatrwydd. Ond roedd o eisiau gwybod pob dim, man fy ngeni, manylion am fy rhieni, y modd y magwyd fi, pa fath o blentyn oeddwn i, faint o chwiorydd a brodyr oedd gen i, pa addysg a gefais, pa swyddi fûm i ynddyn nhw, pam 'mod i eisiau lladd fy hun a beth oedd lliw fy sanau. Canfyddais innau fy hun yn creu rhyw ddarlun oedd yn gwbl wahanol i mi fy hun, ond ni fedrai ddarllen rhwng y llinellau, felly doedd o ddim callach.

Rhoddodd amrywiaeth eang o gyffuriau i mi, ond roedd pob cyflenwad yn waeth na'r un blaenorol. Cysgu drwy'r amser oeddwn i efo'r lot cyntaf, cysgu tan un ar ddeg y bore, a methu'n glir â chodi. Byddwn yn syrthio i gysgu ym mhob man, mewn car, mewn siop, ar fy nhraed, ar fy eistedd. Cosi oeddwn i efo math arall, cosi a chrafu nes fod fy nghroen yn gignoeth. Roeddwn i'n dal i grio efo pob math, a dyna oedd waethaf. Roedd crio yn arwydd o wendid. Medrwch guddio lot o gyflyrau oddi wrth y byd, ond os ydych chi'n crio yn ddi-stop, maen nhw'n gwybod fod rhywbeth yn bod . . .

'It would make it so much easier if you came here to stay at Rudheck.'

'I don't want to.'

'Everyone has his own idea of what it's like inside, but it could be quite pleasant.'

'In what way?'

'You would have a rest, you could look at it like a break. There'd be no pressures on you, no demands. Your meals would be prepared for you. There'd be nothing for you to worry about.'

* * *

Doedd Dafydd ddim am i mi fynd o gwbl. Roedd o wedi gweld perthnasau iddo yn mynd i 'sbytai meddwl, a doeddan nhw ddim 'run fath yn dod allan. Os rhywbeth, roedd ganddynt fwy o broblemau. Ond rhyw ddydd, a minnau wedi dod i'r pen, dywedais wrth Dafydd 'mod i eisiau 'mynd i mewn'. Wedi'r cyfan, os oeddwn i'n fodlon rhoi diwedd arnaf fy hun, siawns na fedrwn i alw heibio Rhydderch ar y ffordd.

Anghofia i byth mo'r daith yno – chefais i rioed daith mor hir a distaw. Roedd Lora yn y sedd yng nghefn y car, ond, diolch byth, roedd hi'n cysgu. Doedd Dafydd a fi ddim wedi ffraeo, dim ond nad oedd dim i'w ddweud, ac eto roedd o'n teimlo fel tasen ni wedi ffraeo.

Un o'r pethau mwya annifyr am gael apwyntiad oedd gorfod disgwyl am hydoedd o flaen drws yr ystafell. Rhaid nad oedd Dr Keswick yn un da am gadw amser, achos roedd hanner awr yn arhosiad arferol. Mi fyddai Lora efo mi, a hanner y strach oedd ei chadw hi'n ddiddig. Bob tro yr âi rhywun heibio, byddent yn dotio ati, a fyddai hynny 'mond yn gwneud i mi deimlo'n waeth – na fedrwn i werthfawrogi'r cyfoeth aruthrol roeddwn i wedi ei gael. Tase rhyw nam ar Lora, tase hi

24

wedi bod drwy andros o lot, byddai'n haws gan bobl ddeall, ond roedd Lora'n berffaith – ym mhob ffordd.

Y plentyn bach arall oedd yr un heb fod yn berffaith, ond wyddai neb amdano fo. Fel 'fo' y meddyliwn amdano, er na wyddem hynny hyd yn oed. Fo oedd y wyrth go iawn, yr un a barodd i mi wirioni'n lân, a phrofi hapusrwydd na wyddwn oedd yn bodoli. Mewn dim, roedd ganddo gorff ac wyneb, roedd ganddo enw a llygaid, ac ro'n i'n siarad ag o bob awr o'r dydd. Wyddai neb hyn, dim hyd yn oed Dafydd, ond roedd ganddo syniad o eithafrwydd fy hapusrwydd.

Y munud y canfyddais ei fod yno, rhuthrodd yr holl gynlluniau i'm pen. Roedd cymaint i'w baratoi, a mwy i'w wneud yn feddyliol nag yn ymarferol. Cofiaf Dafydd a minnau yn eistedd ar y soffa i geisio dod i delerau â'r newyddion a'r ddau ohonom yn ymateb yn wahanol. Enw oedd y peth pwysicaf i mi, enwau ar fabis a delweddau o ddillad bach, bach a stafell a chrud. Darn o bapur oedd gan Dafydd ar ei lin, a'r peth cyntaf a wnaeth oedd rhestr o'r jobsys oedd angen eu gwneud cyn dyfodiad y person bach. Roedd yr haul yn tywynnu'n danbaid a dyma fi'n deud yn sydyn, 'Wfft i hyn i gyd, tyrd i lan y môr.'

Dyna'r atgof sydd gen i o'r diwrnod hwnnw bellach, fi yn fy ngwisg nofio yn eistedd ar y tywod, a'r môr yn cosi 'nhraed. Ro'n i wedi cael mynegi 'ngorfoledd yn gorfforol drwy sblashio yn y dŵr; rŵan, roeddwn i eisiau teimlo'r haul yn sychu 'nghroen hallt a meddwl am y peth Mawr, Enfawr hwn oedd am ddigwydd i mi. Roedd o'n ffaith, roedd o'n wir, ac ni châi neb ei ddwyn oddi arnaf. Neu felly y tybiwn ar y pryd.

* * *

'Dr Keswick yn barod i'ch gweld chi.'

Hogan ddigon clên oedd wrth y Dderbynfa, Cymraes joli, lond ei chroen. Mae'n rhaid iddi fod yn go g'lonnog i weithio yn y fath le. Tybed beth oedd Dr Keswick yn ei wneud ohoni? Aelod arall o'r werin, debyg, oedd yn gwasanaethu, tra oeddan nhw, ddoctoriaid, ychydig is na'r angylion.

'*Sit down,*' medda fo, fel bob tro arall. '*Now, when did we see each other last?*'

Tra bûm i hefo fo, chynigiodd o rioed baned i mi. Roedd hyn yn od, achos reit drws nesa i'r gadair ro'n i'n eistedd arni roedd bwrdd efo cwpanau, llwyau a phot o goffi – a thecell, coeliwch neu beidio. Wn i ddim am faint y bûm yn syllu ar y rhain yn dyheu am baned. Mae'n siŵr ei fod o'n yfed paneidiau ei hun, neu fydda'r holl stwff ddim yno. Falle mai rhwng gweld pobl y câi ei goffi, falle ei fod ar frys, falle nad oedd ganddo lefrith, neu falle nad oedd y tecell yn gweithio. Bûm yn ystyried yr holl resymau pam na chawn i gynnig paned, ac yn y diwedd deuthum i'r casgliad symlaf un. Diffyg cwrteisi a dim arall ydoedd.

Chwiliodd ymysg y pentwr ffeiliau am f'un i. Roedd o'n amlwg yn meddwl mai ymweliad arferol oedd hwn. Byddai wastad yn cymryd oes i ddod o hyd i'm ffeil. Doedd o ddim yn ddyn taclus iawn.

'*I've come here to stay,*' meddwn.

Yn syth wedi i mi ei hynganu, meddyliais pa mor wirion oedd y frawddeg. Yn union fel taswn i wedi dod ar fy ngwyliau.

'*You're going to be admitted?*' gofynnodd gan godi ei aeliau.

'*Admitted*' oedd y gair, siŵr iawn. Pam na faswn i wedi cofio? Dwi'n siŵr y byddai ei farn ohonof yn uwch taswn i'n dysgu siarad ei iaith o'n iawn.

'Yes. I told Noreen – she said she would let you know.'

Rhaid fod Noreen druan wedi anghofio. Neu bod ei chlient wedi llwyddo yn ei ymgais i'w lladd. Noreen druan.

'Now, let's just see if we have a bed for you . . . ' meddai, a throi at ei gyfrifiadur.

Ddeallais i rioed pam oedd o mor awyddus i 'nghael i i ddod i aros i'r lle.

Doedd a wnelo salwch meddwl ddim oll â gwely. Ond ei ddadl o oedd ei bod yn gymaint haws cadw llygad ar berson os oedd yn aros yno. Os nad oedd y cyffuriau yn gweithio, gellid rhoi cynnig ar rai eraill yn syth, heb ddisgwyl pythefnos a dioddef sgileffeithiau anffodus.

Wrthi'n taro'r botymau ar y cyfrifiadur ydoedd a chwilota'r sgrin pan glywodd y ddau ohonom waedd anghyffredin. Anodd oedd dweud p'un ai person neu anifail ydoedd. Nid gwaedd o boen ydoedd, ond griddfan isel, griddfan rhywun na wyddai ble na phwy ydoedd. Doedd dim posib ei anwybyddu.

'Bit noisy on the wards today I'm afraid,' meddai, fel petai'n ymddiheuro am safon ei westy. *'Yes, here we are. There is a bed available on Peniarth Ward . . . that could be made available to you today. Have you brought your things with you?'*

Dyna pryd clywsom y sŵn gwahanol. Sgrech uchel fain, ac yna rhywun yn rhwygo mewn gwylltineb. Sŵn traed yn rhedeg, sŵn drysau'n cau, sŵn rhywbeth trwm metal yn cael ei hyrddio ar draws stafell, a'r gweiddi crio yn dechrau. Edrychais ar fy mag llaw, edrychais ar Dr Keswick.

'I don't think I can go there,' meddwn.

'It's nothing to worry about. It's not usually as rowdy.'

Doedd y sgrechian ddim yn stopio. Cyn i mi sylweddoli, ro'n innau'n crynu ac yn crio'n afreolus.

27

Syllodd Dr Keswick mewn penbleth arnaf.

'*The thing is, we really need you to be admitted if we're going to sort these drugs out. It's for the best.*'

Gwyddwn nad oedd ganddo'r amgyffrediad lleiaf o faint fy ofn.

'*I want to go home,*' meddwn, fel hogan deirblwydd.

'*It's your decision,*' meddai'n swta. '*We'll make another appointment in a week's time.*'

Codais, heibio'r bwrdd coffi, ac allan.

Pennod 4

Bu raid i bethau waethygu cryn dipyn cyn i mi fynd yn ôl ar ofyn Keswick. Wedi prynhawn y nadu, addewais i mi fy hun a Dafydd a Lora na fyddwn i byth byth yn mynd i aros yno. Ond yn y diwedd, mynd yn waeth ac yn waeth ddaru pethau nes i mi eu gadael a mynd i fyw ar fy mhen fy hun. Hyd y gallwn weld, dyna oedd yr unig ateb, byw ar wahân iddynt, a chael gafael unwaith eto ar y tawelwch meddwl oedd mor hanfodol i mi. Yn fwy na dim, ro'n i'n chwilio am ffordd o sychu'r dagrau.

'Ydi gwraig y pregethwr am regi heddiw?'

Yr un cyfarchiad bob bore.

'Be sydd haru chi, ddynas? Gadwch lonydd i Bet, da chi,' meddwn wrth Sali.

Waeth pa mor galed y ceisiwn, fedrwn i mo'i hanwybyddu. Ac os oedd hi'n fy nghythruddo i i'r fath raddau, wyddwn i ddim sut oedd nerfau Bet.

'Nyrs, gyrrwch Sali i'w gwely,' meddai Bet, a sgrialodd Sali i'w chornel, gan guddio dan y blancedi. Roedd yn union fel cael corrach bach ar y ward na wyddai pryd i roi'r gorau i bryfocio. Doedd dim golwg o'r nyrs, a mentrodd Sali allan eto, gan gadw un llygad ar y drws, a'r llall ar wely Bet.

'Sali . . . ' rhybuddiais hi. Pam na fedrwn i adael llonydd iddi?

'A phwy ydych chi erbyn hyn – Matron?' meddai Sali

29

yn hy, gan ddod at droed fy ngwely i. 'Dydych chi ddim gwell na'r un ohonon ninnau, wyddoch chi, waeth faint o *airs and graces* sydd gynnoch chi.'

'Rhowch y gorau i blagio Bet druan. Mae'n ddigon drwg ein bod yma o gwbl heb sôn am gael hen *witch* fatha chi o gwmpas.'

Dyna fi wedi ei gwneud hi rŵan. Edrychodd Sali arnaf a dechrau chwerthin yn aflywodraethus. Chwerthin cras, aflednais yn union fel – yn union fel gwrach. Lluchiodd ei phen yn ôl a chwerthin yn harti, a gallwn weld ei dannedd anwastad fel cerrig beddi yn ei phen. Roedd rhywbeth gwirioneddol ddrwg ynglŷn â hi. Nesaodd at wely Bet.

'Glywsoch chi be galwodd hi fi? *Witch*! Bobl bach! Fedrwn ni ddim cael pobl yn siarad fel 'na. Mae hynny'n waeth na gwraig pregethwr yn rhegi! Fasach chi byth yn fy ngalw yn *witch*, na fasach chi, Bet Jones? Mi gawsoch chi well magwraeth, do? Mi wyddoch chi beth yw *manners*. *Witch* o beth uffarn.' A throdd ataf a thynnu stumiau. Roedd Bet yn rhy ddiniwed, neu'n rhy ofnus i ateb.

Codais a thynnu'r cyrtan o amgylch fy ngwely. Dyna'r unig beth fedrwn i ei wneud i gael dipyn o ddistawrwydd. Eisteddais yn dawel, yn mwynhau bod yn fy nyth bach fy hun, heb orfod goddef y lleill yn edrych arnaf. Dylwn wneud hyn yn amlach, meddyliais. Doedd o ddim yn beth anghwrtais i'w wneud. Fydden nhw ddim wedi rhoi cyrtans oni bai eu bod yn cael eu defnyddio. Cyrtans glas unffurf oedden nhw, efo logo'r Ymddiriedolaeth Iechyd – fel petai rhywun eisiau eu dwyn oddi yma.

Codais lyfr oddi ar y cwpwrdd a gwneud ymdrech i ddarllen. Yr un llyfr fu gen i ers dod yma, a minnau'n arfer llowcio llyfrau. Doedd yr awyrgylch ddim yn ei

30

gwneud yn hawdd iawn i ddarllen a doedd hi ddim yn
nofel gystal â hynny. Hiraethwn am gael ymgolli mewn
stori dda. Ro'n i wedi darllen tudalen neu ddwy pan
ddois yn ymwybodol fod rhywun yn fy ngwylio. Codais
fy mhen, ond fedrwn i weld neb. Falle bod y nyrs wedi
galw heibio i wneud yn siŵr lle roeddwn. Wrth geisio
canfod fy lle ar y ddalen, synhwyrais lygaid yn edrych
arnaf eto. A dyna lle roedd hi, Sali, yn syllu arnaf rhwng
y llenni fel tase rhywun wedi ei dienyddio a gosod ei
phen o'm blaen i'm pryfocio. Doedd hi'n dweud dim
byd, dim ond syllu, a gwên wirion ar ei gwep. Ei
hanwybyddu oedd y tacteg gorau, ond fedrwn i ddim.
Fedrwn i ddim canolbwyntio ar ddarllen o gwbl, a
hithau'n rhythu arnaf. Pa hawl oedd ganddi i darfu arna
i fel hyn?

'Sali . . . Ewch o'ma, da chi.'

'Dim Sali ydw i – *witch* ydw i.'

'Waeth gen i beth ydych chi, does 'na neb eich eisiau
chi. Rŵan, ewch!'

Diflannodd y wên. Ro'n i'n amlwg wedi cyffwrdd
nerf. Syllodd arnaf yn hyll iawn, am amser hir. Syllodd a
syllodd nes i mi deimlo'n wironeddol ei bod am fy
witsio. Mewn rhwystredigaeth lwyr, gwnes yr unig beth
a fedrwn. Lluchiais y llyfr ati, a'i tharo'n reit hegar.
Caeodd y cyrtan, a diflannodd yr ellyll.

* * *

Doedd y garafán ddim yn syniad da, ddim yn syniad da
o gwbl. Ond ar y pryd, meddyliais amdani fel noddfa, lle
i encilio iddo. Carafán wrth y môr oedd hi, a gallwn
ddychmygu fy hun fel sipsi fach yn mynd am dro boreol
ar y traeth, ac yn dychwelyd i weld y machlud.

Jest nad oedd hi'n ddim byd tebyg i garafán sipsi, ond

yn garafán statig ddeunaw troedfedd, a doedd dim traeth ar y Gorad, jest tir corsiog digalon. Ond, pan fyddwch chi'n fodlon cysgu mewn cwt mochyn i gael dihangfa, mae carafán yn swnio 'run fath â phalas. Roedd y telerau yn ddigon derbyniol.

Petai hi'n haf, neu hyd yn oed yn hydref, efallai y byddai'r arbrawf wedi bod yn fwy llwyddiannus. Ond roedd hi'n ganol Tachwedd, ac roedd hi'n tywyllu cyn pump. Roedd y garafán braidd yn foel, ac roedd twll dan y carped yn y gegin, ond nid hynny oedd y broblem fwyaf ar y pryd. Doedd dim bwyd yno, a dyma ganfod fod yn rhaid i mi ddechrau o ddim, cael hanfodion fel olew coginio, halen, stoc, siwgr, sebon golchi, llian sychu llestri, papur lle chwech, y pethau hynny rydach chi'n eu cymryd yn ganiataol. Dim ond i wneud paned, mae angen te neu goffi a mwg a llefrith, a doedd gen i mo'r rheiny hyd yn oed. Wrth lwc, roedd yna sosbenni a llestri, ond welwn i fawr o ddiben coginio i un. Y drafferth oedd, os nad oeddwn yn paratoi bwyd, doedd dim i'w wneud. Doedd yna ddim gwaith llnau, na dim i'w glirio. Roedd pethau bach yn fy 'styrbio hefyd, pethau na ddylai gyfrif o gwbl. Doedd gen i mo fy hoff fwg i gael fy mhaned boreol ynddi, doedd gen i mo fy hoff gadair yn y tŷ i eistedd arni. Dwi'n lecio cadw neges a rhoi trefn ar fy nghegin. Dwi'n lecio mynd i'r ardd i roi dillad ar lein. Randros, doedd gen i ddim sinc yn fan hyn i olchi dillad, heb sôn am lein. Dychwelais adre i nôl dillad gwely a'm dillad fy hun, ond anghofiais fy nghoban ac roedd rhaid mynd yn ôl i nôl honna. Eistedd ar y soffa oedd Dafydd efo Lora, a golwg ddigalon arnynt. Gofynnodd a gâi ddod i'm gweld ac mi atebais os mai eisiau 'ngweld i oedd o, doedd fawr o ddiben i mi symud yn y lle cynta. Roedd yn rhaid i mi ddychwelyd i ddefnyddio'r peiriant golchi, a doedd hynny ddim yn fy ngwneud yn annibynnol iawn. Roedd yr holl arbrawf yn frith o rwystrau ymarferol. Pan glywch chi am bobl yn gadael eu cartrefi, does 'na neb yn holi lle maen nhw'n golchi eu dillad.

Ddaru bod yn y garafán ddim stopio'r crio. Unrhyw adeg o'r dydd, gallai gychwyn heb unrhyw reswm. Crio wnawn i'r peth cynta ar ôl deffro, a chrio oedd y peth dwytha a wnawn i cyn cysgu. Felly, fel ymgais i stopio crio, roedd o'n gwbl bathetig.

O edrych yn ôl, mae'r bennod i gyd yn gwbl bathetig. Felly dyma ffonio Rhydderch a dweud 'mod i'n mynd i mewn. Doedd hyd yn oed hynny ddim yn syml. Fy syniad i oedd 'mod i'n ildio'n llwyr ac y byddai'r dynion cotia gwyn yn dod i fy nôl ar frys mewn ambiwlans, ond nid felly yr oedd hi o gwbl. Y niwsans mwyaf yn y garafán oedd diffyg ffôn, a chan nad oedd gen i un o'r tacla symudol, roedd yn rhaid mynd lawr y lôn i'r ciosg i ffonio. Pan ffoniais yr ysbyty, doedd 'na ddim gwely i mi tan y diwrnod wedyn, a gwawriodd arnaf y byddai'n rhaid symud allan o'r garafán os nad oeddwn i am dalu drwy 'nhrwyn am statig ddeunaw troedfedd fel wardrob i gadw 'nillad.

Y niwsans arall, oedd yn niwsans eitha mawr, oedd ei bod hi'n agosáu at Dolig, oedd yn golygu prynu presantau. Taswn i wedi torri 'nghoes, mi fydda pawb yn deall ac yn fy esgusodi am y flwyddyn honno, ond gan 'mod i yn fy ngwaith yn ceisio argyhoeddi pobl 'mod i'n iawn ac yn normal, rhaid oedd ymddwyn yn normal a gwneud y defodau normal, ac ar ddechrau Rhagfyr golygai hynny brynu llond gwlad o bresantau. Ddalltais i rioed y gymhariaeth rhwng torri coes ag iselder. Honno oedd un o hoff ddadleuon Noreen, 'Petaech chi wedi torri eich coes, fydda neb yn gweld dim byd yn od yn hynny, ac mi fyddech chi'n mynd i'r ysbyty i wella, ac yn cael gorffwys. 'Run fath ydi iselder; mae 'na rywbeth tu mewn i chi wedi torri, ac mae'ch corff chi angen amser i wella, a thriniaeth.' Ond doedd o ddim 'run peth o gwbl. Mae 'na resymeg i dorri coes, mae rhywbeth yn digwydd ac mae'r goes yn torri. Mater syml – cwbl ddealladwy – ydi rhoi'r goes mewn plaster, a gadael i'r asgwrn asio. Efo iselder, ŵyr neb beth sydd wedi torri. Mae'r person yn berffaith iawn un funud, ac yna mae o'n nadu y munud nesa. Neu mae o'n ymddangos yn iawn, a mwya sydyn, mae o neu hi yn dweud rhywbeth cwbl ddisynnwyr. Gan na ŵyr neb yn iawn beth sydd wedi torri, mae'n anodd ei drwsio. Y cwbl fedr rhywun ei wneud ydi chwarae o gwmpas efo cyffuriau. Ond jest 'run fath â'r ansicrwydd fod rhywbeth yn bod arnoch chi, mae 'na ansicrwydd pryd fyddwch chi'n well. Mae 'na hen amheuaeth yno fod rhywun sy'n dechrau 'mynd yn rhyfedd' yn rhyfedd am byth. Unwaith dach chi wedi torri, does dim gwellhad. Dyna pam ei fod o'n gwbl wahanol i dorri coes.

Mi gymrodd ddiwrnod cyfan i symud y 'nialwch o'r garafán, a chefais gymaint o lond bol yn y diwedd fel i mi roi hanner y pethau yn y bin. Wedi cadw'r gweddill, sylweddolais fod rhaid i'r sipsi fach bacio unwaith yn rhagor, achos ei bod hi'n symud yn ei blaen. Felly, mi estynnais 'chydig o fagiau plastig a gwthio rhyw fân bethau ynddo. Dyna wylltiodd Dafydd.

'Edrych arnat ti dy hun, ti'n trio edrych 'fatha *bag lady*?' meddai.

'A sut mae rhywun i fod i edrych wrth fynd i mewn i Ysbyty Meddwl?'

Y ffaith amdani ydi 'mod i'n mynd i lot o lefydd efo bag plastig. Mae o'n beth handi iawn. Ond gan 'mod i'n mynd i Seilam, dyma fi'n gwagio'r bagiau plastig i gyd, nôl y cês dillad o dop y wardrob, a dechrau gosod fy nillad ynddo. Dim ond wrth ei gau y sylwais ar y tag papur a'r un gair arno, 'Yr Eidal' a rhif yr awyren. A dyna pryd y dechreuais feichio crio.

Ar y dechrau, pan o'n i'n cael y ffitiau crio 'ma, deuai Dafydd ataf, rhoi ei fraich amdanaf ac ymateb fel y byddai unrhyw ŵr cariadus yn ei wneud. Ond, wedi dros flwyddyn o ymddygiad o'r fath, roedd Dafydd wedi cael llond bol, ac roedd fy ngweld yn fy nagrau yn ei yrru i ben y craitsh. Tro 'ma, ddaru o ddim gwylltio, dim ond eistedd ar y soffa yn syllu arnaf. Roedd Lora wedi bod yn rhy brysur yn chwarae i gymryd sylw, ond rŵan roedd hithau wedi troi i edrych arnaf. Eisteddais yno, a gadael i'r dagrau lifo. Ro'n i wedi blino'n racs, a wyddwn i ddim pa fath o wely fyddwn i'n cysgu ynddo'r noson honno.

'Ti'n siŵr dy fod eisiau mynd?' gofynnodd Dafydd ar ôl dipyn.

'Dydw i ddim eisiau mynd o gwbl, siŵr iawn,' meddwn, 'ond dydw i ddim yn aros fan hyn.'

'Dy ddewis di ydi o.'

Dyna oedd y frawddeg oedd yn fy ngwylltio i fwyaf, a doedd Dafydd ddim wedi deall hynny. Neu roedd o'n deall yn iawn ac yn dal i'w dweud hi. Fy newis i oedd priodi, fy newis i oedd byw fel roedden ni'n byw. Fy newis i oedd cael plentyn. Fy newis i oedd cael iselder. Fy newis i oedd mynd i garafán. Fy newis i oedd mynd i 'sbyty.

'Dwi'n mynd,' meddwn, yn gobeithio 'mod i'n edrych yn llai o *bag lady* ac i ffwrdd â fi. Dechreuodd Lora grio, ac yn sŵn ei dagrau hi y cerddais at y car. Câi Dafydd sychu ei dagrau.

Pennod 5

Erbyn i mi gael fy hun yn barod, gwagio un cartref, pacio drachefn, gwneud ymdrech i edrych fel roedd y gŵr am i mi edrych, roedd hi'n bump o'r gloch arnaf yn cyrraedd yr ysbyty. Wel, nid yr ysbyty ydi o. Maen nhw hyd yn oed wedi codi Rhydderch fel adeilad ar wahân i weddill yr ysbyty. Efallai eu bod nhw am roi'r argraff nad ydyw yn ysbyty go iawn (am nad ydych chi'n sâl go iawn) ond nid dyna sut mae'n gweithio o gwbl. Rydach chi'n teimlo dipyn bach fel gwahanglwyf, a bod yr ysbyty hyd yn oed ddim eisiau eich cynnwys. Mae 'na faes parcio arbennig, ond does yna byth le ynddo, felly mae'n rhaid i chi barcio tua milltir i ffwrdd yn y maes parcio arferol, a cherdded yr holl ffordd yn ôl. Felly, os nad oeddech chi'n wallgof yn dod i mewn, maen nhw wedi gwneud yn siŵr eich bod yn wallgof erbyn cyrraedd y ward.

Gwelodd yr hogan wrth y Dderbynfa fi'n dod efo cês.

'Dwi 'di dod i aros,' meddwn, 'gan 'mod i'n lecio'r lle 'ma gymaint.'

Jôc oedd hi i fod, a dwi'n siŵr y buasai'r hogan wedi chwerthin tase hi'n cael. Mae'n siŵr ei bod yn gweld a chlywed pethau mor rhyfedd bob dydd fel ei bod wedi dysgu cadw wyneb syth, waeth beth oedd yn cael ei ddweud.

'Mae Dr Keswick wedi mynd adre, mae gen i ofn.'

'Nesh i ffonio ddoe, a ddeudson nhw fasa 'na le i mi heddiw.'

'Efo pwy ddaru chi siarad?'

'Wn i ddim.'

Ro'n i'n amlwg yn creu problemau iddi, ond fedrwn i ddim cynnig mynd adre, a dod yn ôl y diwrnod wedyn. Nid fel hyn mae pethau yn digwydd mewn llyfrau.

'Ddeudson nhw ym mha ward roedden nhw am eich rhoi chi?'

'Naddo – neu os ddaru nhw, dydw i ddim yn cofio.'

'Y peth ydi, dwi'n gorffen rŵan, a mae rhywun arall i fod i ddod yn fy lle i.'

'Mae hi'n iawn, mi ddisgwylia i.'

A disgwyl ddaru mi. Dyna'r drwg efo fi, dwi'n rhy neis. Mi fydda hi wedi bod yn hawdd iawn i mi gerdded allan, a pheidio dod yn ôl. Efallai mai dyna oeddan nhw eisiau i mi ei wneud. Llai o gleifion, llai o drafferth.

Ddaru mi ddim sylwi ar y goeden Dolig nes i mi eistedd i lawr. Daria, ro'n i wedi gobeithio y byddwn i'n cael osgoi Dolig drwy ddod yma. Mae o'n cyrraedd y llefydd mwya diarffordd. Pwy sydd eisiau Dolig mewn lle fel hyn? Mae Dolig yn peri mwy o ddigalondid ac iselder na dim. Ddylia fo ddim cael ei ganiatáu. Holl bwynt Dolig ydi gwneud pobl yn hapus. Os ydach chi'n dioddef o iselder, mae Dolig yn gwbl anghymwys.

Oeddwn i eisiau bod yn hapus? Wyddwn i ddim. Nid mater o fod yn hapus neu yn anhapus oedd o. Faswn i reit fodlon taswn i ond yn gallu dioddef byw. Doeddwn i ddim eisiau bod yn ofnadwy o hapus. Ro'n i jest eisiau stopio crio.

Roedd lot o fynd a dod yn y Dderbynfa. Pobl yn crwydro ar eu pennau eu hunain yn ddi-glem, pobl eraill yn gwybod yn iawn lle roeddan nhw'n mynd. Dyna sut oedd gwahanu y normals oddi wrth y nytars, debyg. Pobl normal yn gwybod lle roeddan nhw'n mynd. Doedd dim ots gan y nytars. Ond mwya'n y byd o'n i'n syllu ar y rhai a âi heibio, anodda yn y byd oedd gwahaniaethu. Roedd person oedd yn edrych yn gwbl normal yn cerdded at y drws, ac yna roedd rhywun yn rhedeg ar ei ôl a'i dywys yn ôl drwy ddrysau'r ward. Tybed sut le oedd ar y ward? Dim ond y Dderbynfa a stafell Dr Keswick oeddwn i wedi bod ynddyn nhw o'r blaen. Sgwn i sut bobl oedd yn y gwelâu? Falle nad mewn gwelâu fasan nhw. Falle mai mewn stafell fawr fyddan nhw. Be oedd y bobl 'ma'n ei wneud trwy'r dydd, bob dydd?

Daeth hen wreigen drwy'r drws, a gwraig iau efo hi.

'Steddwch chi i lawr yn fan hyn,' meddai'r ferch, 'ac mi af i i weld be sy'n digwydd.'

'Wedi dod â Mrs Prichard i mewn.'

'Ydi'i ffurflenni hi gyda chi?'

'Dyma nhw.'

'Margaret Jane Prichard . . . Pwy ydi'i doctor hi?'

'Dr Keswick.'

'Iawn. Deudwch wrthi am aros yno. Mi ddaw rhywun ati yn fuan.'

'Mae arna i ofn fod yn rhaid i mi fynd.'

'Popeth yn iawn. Hwyl.'

'Ddaw yna rhywun atoch chi rŵan, Mrs Prichard.'

'Pwy?'

Roedd hi mewn dipyn o oedran.

'Wn i ddim, ond mi edrychan nhw ar eich hôl chi. Does dim eisiau i chi boeni. Ta-ta.'

Ac mi adawodd hi, mor rhwydd â hynny. Mae'n rhaid mai ar y staff oedd hi, neu nyrs gymunedol, neu beth bynnag maen nhw'n galw pobl cotiau gwyn y dyddia yma.

Bûm yn gwylio'r hen wreigen. Roedd ganddi het fach fflat hen ffasiwn, dillad du a chôt efo coler ffwr. Roedd hi'n edrych fel rhywbeth o amgueddfa, a braidd yn dlodaidd. Dan yr het roedd ganddi drwyn main, a llygaid treiddgar na allwn i weld eu pen draw. Dynes ddigon esgyrnog ydoedd, a tase hi'n diosg ei chôt fawr, fyddwn i ddim wedi synnu gweld sgerbwd. Tynnodd ei menig a'u rhoi yn ôl, yna bu'n chwarae efo nhw am hydoedd, gan fwmial canu,

Y Gŵr a fu gynt o dan hoelion
    Dros ddyn pechadurus fel fi,
A yfodd y cwpan i'r gwaelod
    Ei hunan ar ben Calfari.

Gobeithio na fyddwn i'n landio yn yr un ward â hon. Doedd gen i ddim mynedd efo *religious mania* o unrhyw fath. Cododd ei phen ac edrych arnaf.

'*Do you speak Welsh*?' gofynnodd, mewn acen Gymraeg gref.

'Ydw.'

'Fyddwch chi byth yn gwybod dyddia hyn. Sgynnoch chi ddim bathodyn?'

'Does dim rhaid i bawb sy'n siarad Cymraeg wisgo un.'

Trodd ei sylw yn ôl at y menig gan siarad efo hi ei hun. Prin y gallwn wneud pen na chynffon o'i geiriau.

'Taflyd y garrag ddaru ei gneud hi'n diwadd . . . ddylia neb daflu cerrig . . . 'nenwedig at Rheinws . . . C'nafon sy'n lluchio cerrig . . . Dyna g'nath hi'n diwadd, yn sicr i chi . . .

'Dyna pam daeth Moto Siop Gornal a Tad Wil Bach Plisman a Tad Dewi hefo ni. Ond doeddan nhw ddim yn gas . . . ddim yn gas hefo mi . . . 'mond 'ngadael i'n fan hyn – hebot ti . . . '

Yn sydyn, roedd hi'n ôl yn y byd hwn.

'Dach chi'n byw yma?' gofynnodd.

'Trio 'ngorau . . . Maen nhw'n trio ffendio gwely i mi.'

'Sgynnoch chi ddim gwely?' gofynnodd mewn syndod, a'i hwyneb yn llawn tosturi.

'Mi ddown nhw o hyd i rywbeth – gobeithio.'

'Dydw i rioed wedi bod yn fan hyn o'r blaen. Ydi'r bwyd yn dda?'

'Wn i ddim.'

'Tydach chi ddim yn byw yma, felly?'

'Os down nhw o hyd i le i mi.'

'Dydi o ddim 'run fath â Wyrcws o gwbl, nac ydi?'

'Nac ydi, ddim o gwbl.'

* * *

'O lle dach chi'n dod?' gofynnais, ymhen hir a hwyr.

'O Bethesda. Dach chi'n nabod rhywun yno?'

'Nac ydw.'

'Biti . . . Paned fasa'n dda.'

'Fasa unrhyw fath o sylw yn dda,' meddwn i, a mynd at y ddynes yn y Dderbynfa i holi unwaith yn rhagor.

'Mae 'na wely i chi – yn Ward Peniarth. Dach chi'n disgwyl ers meitin?'

'Bron i awr.'

'Well i chi fynd, fyddwch chi wedi colli swper.'

'Mynd i lle?'

Trodd y ferch at ddyn wrth ei hymyl.

'Derek, can you take this one to Peniarth? She doesn't know the way.'

'Beth am y gr'adures yna, oes bosib iddi gael paned o de?'

'Gawn ni weld. Cerwch chi efo Derek rŵan . . . '

A mynd efo Derek ddaru mi, gan adael yr hen wreigen i ganu emynau. Chwarae teg i Derek, dangosodd i mi lle roedd bob dim, y toilets, y Recreation Room, y gegin, a'r Reception Area ar gyfer Peniarth. Yna, fe'm trosglwyddodd i un o'r nyrsys. O'r diwedd, ro'n i yng ngofal rhywun arall heblaw fi fy hun. Biti na fyddwn i wedi dod yma flwyddyn ynghynt.

Tu allan i lle roeddan ni'n cysgu roedd lle cymdeithasu, neu'r Lle Eistedd. Doedd o fawr o le, dim ond dwy set o gadeiriau yn wynebu'i gilydd. Roedd ffenestri gwydr dwbl yn edrych allan ar yr ardd, gardd gron a oedd yn arwain at ddrysau'r wardiau eraill. O edrych arno fel cloc, roedden ni ar chwech o'r gloch. Gyferbyn â'r ffenestri neu'r drysau gwydr, roedd Y Swyddfa. Fe'n gwaharddwyd rhag mynd yno. Dim ond pobl gall fatha staff gâi fynd yno; dyna oedd eu noddfa. Fan'no roedden nhw'n ymgynnull, ac roedd ffenestri gwydr yno lle gallech edrych arnyn nhw. Roedd sawl ffôn a chyfrifiadur yno, cwpwrdd, silffoedd, a lot fawr fawr o bapur. Dyna'r lle y cadwai y staff eu cotiau, eu nodiadau, eu bisgedi a'u tecell; doedden nhw ddim yn rhannu dim o'n pethau ni. Roedd o'n lle bywiog, fan'no roedd popeth yn digwydd. Fan'no oedd yr un lle lle roedd popeth yn Normal. Tuag at y stad yna o normalrwydd yr oedden ni i gyd yn amcanu tuag ato – wel, y rhan fwyaf ohonom, p'run bynnag. Ar y dde i'r Swyddfa roedd ein lle cysgu ni, ar y chwith roedd y stafell fwyta. Drws nesaf i'r stafell fwyta roedd y gegin. Yno roedd sinc, cwpwrdd llestri, te a choffi, oergell a bin. Doedd dim tecell yno, ond roedd dŵr poeth wastad ar gael i wneud paned. Roedd bwyd yn yr oergell, a gallech gael eich bwyd eich hun yma. Roedd y lle ymhell o fod yn lân. Lawr y coridor wedi'r gegin roedd y stafelloedd molchi a'r toiledau. Dros y ffordd i'r llefydd molchi roedd stafell fyw, oedd yn wag ran amlaf, ar wahân i'r adeg y câi'r teledu ei wylio. Lawr y coridor wedyn roedd y stafelloedd i gael cyfarfodydd efo'r meddygon. Hyd y gwn i, roedd y tair ward arall ar yr un cynllun.

Euthum allan i'r Lle Eistedd i ymddangos yn fwy cymdeithasol. Pwy oedd yn eistedd yno ond yr hen wraig welais i yn y Dderbynfa.

'Fan hyn maen nhw wedi eich rhoi chi?' gofynnais.

Ddaru hi ddim symud. Mi gymrais i ei bod yn drwm ei chlyw a chodais fy llais ryw gymaint.

'Fi sydd 'ma – welais i chi yn y Reception, roeddan ni'n dwy yn eistedd efo'n gilydd.' Ddaru hi ddim troi ei phen i edrych arnaf. Roedd yn union fel petai wedi cael ei throi yn ddelw garreg, 'blaw ei bod yn ddelw a fedrai siarad.

'Dyna oedd ganddo fo 'radeg honno, siŵr, yr hen berfadd, "nid ni sy'n eu gyrru nhw o'u coua, nhw sy'n mynd . . . nhw sy'n mynd . . . " – dyna ddeudodd o . . . I fa'ma maen nhw'n mynd, siŵr iawn, i fa'ma . . . '

Trois at un o'r nyrsys a dweud wrthi. Roedd gan honno eglurhad syml.

'Un fel 'na ydi Mrs Prichard.'

'Ond roedd hi'n siarad yn iawn efo mi o'r blaen.'

'Effaith y drygs, siŵr o fod. Maen nhw'n ei thawelu hi.'

Syllais ar Mrs Prichard mewn syndod. Oedd angen ei thawelu? Nid dyna'r argraff gefais i . . . ond dyna fo, doeddwn i ddim yn ddoctor. Fyddwn i ddim yn gwybod sut i wella'r fath bobl.

Pennod 6

Am naw o'r gloch y nos, roedd dynes y drygs yn dod i mewn ac yn mynd o amgylch pawb i roi eu 'medication' iddynt. Troli anferth oedd ganddi, a chant a mil o boteli bach yn llawn tabledi. Roedd ganddi jwg a'r ffiol leiaf un i bobl gael yfed er mwyn gallu llyncu'r tabledi. Roedd rhaid eu llyncu yng ngŵydd y Nyrs Dabledi, iddi arwyddo fod y stwff wedi mynd i'n cyfansoddiad. Dyna oedd holl ddiben bod yma.

Hyd yn oed cyn dod yma, roeddwn yn weddol gyfarwydd â llawer o'r cyffuriau. Roedd Dr Keswick wedi rhoi pob coctel posib i mi. Cyn hynny, roeddwn yn gyndyn iawn o gymryd asprin rhag llygru fy nhu mewn; roedd hynny'n peri gwên i mi bellach. Pan euthum i weld fy noctor fy hun, cefais rwbath o'r enw Prothieden, ond ddaru mi ddim ymateb o gwbl iddo. Cofiaf gael y tabledi coch am y tro cyntaf a'u dal ar gledr fy llaw, gan ofni beth fyddai'n digwydd i mi taswn i'n eu llyncu. Ofnwn droi yn berson gwahanol, ofnwn ffrwydro yn y fan a'r lle. Fy ofn mwyaf oedd y byddwn i'n troi yn rhywun arall, ac y byddwn yn colli gafael ar fy anian i fy hun . . . yn peidio bod yr hyn oeddwn i. Dyna fy ofn mwyaf i efo nefoedd. Byddai fy Nhad yn dweud na welai ef fawr o swyn yn y nefoedd oni bai ei fod yn cael mynd â'i hunaniaeth efo fo, sy'n gwneud synnwyr. Does dim pwynt mewn anfarwoldeb oni bai eich bod yn cael bod yn chi eich hun.

Mi fyddwn i'n dadlau nad ni'n hunain fydden ni, gan ein bod yn rhydd o bechod, a bod ein pechod yn rhan ohonon ni ar y ddaear. Câi 'Nhad hon yn ddadl anodd i'w hateb, fel tase fo reit ffond o'i hanner pechadurus, fod hwnnw hefyd yn rhan hanfodol ohono fo, fel mae o inni gyd. Fasan ni ddim yn bobl hanner mor neis oni bai am ein hanner pechadurus. Dyna a'n gwna yn ddiddorol. Fy ofn i oedd y byddem – fel angylion – yn bobl ddychrynllyd o ddiflas a hunangyfiawn pe baem wedi ein glanhau o bob pechod.

Ond pan lyncais y Prothieden yn y diwedd, y siom fawr oedd na ddigwyddodd dim byd, dim byd o gwbl. Os mai ei ddiben oedd codi'r ysbryd, fasa waeth i mi lyncu Smarties ddim. Pan gafodd Dr Keswick afael arnaf, rhoddodd Reboxetine i mi yn ei le. Maen nhw'n eich cychwyn ar ddos fechan, ac yna ei chynyddu yn raddol os ydi o'n cyd-fynd â chi. Does yr un cyffur heb ei sgileffeithiau. Un o'r rhai mwyaf cyffredin yw cael gwared o'ch poer nes bod eich ceg mor sych â chesail arth. Dydi hwn ddim yn swnio'n ddifrifol, ond mae o'n andros o deimlad annifyr, a weithiau, fedrwch chi ddim cael eich geiriau allan, ac mae eich tafod yn troi yn un lwmp sych. Am ryw reswm, tra oedd y cyffur hwn yn sychu fy ngheg, roedd o'n gwlychu fy nghorff, ac roedd hynny'n ofnadwy o anghyfforddus. Yn y nos oedd o waethaf; byddwn yn deffro yn laddar o chwys, ac roedd rhaid newid y dillad gwely yn ddyddiol. Hyd yn oed ar y dyddiau oeraf, byddwn yn cyffwrdd fy nghefn a byddai'n gwbl damp. Teimlwn fel sgodyn, neu forlo yn ceisio bod yn fod dynol, ond yn gwybod 'mod i'n perthyn i rywogaeth arall. Mi newidiodd Keswick hwnnw a rhoi Sertaline i mi. Yn sydyn, digwyddais grybwyll 'mod i'n dal i fwydo Lora o'r fron, ac mi fuo bron iddo gael ffit. Roedd y rhain yn gyffuriau cryf i'w rhoi i oedolyn; doedd wybod beth fyddai eu heffaith ar fabi naw mis. Bu raid i mi roi'r gorau i'w bwydo yn syth, a bu honno'n ergyd enbyd i mi. Cefais gymaint o strach yn bwydo Lora o'r fron, ac wedi i mi lwyddo roedd yn rhaid i mi roi'r gorau iddi am 'mod i ar gyffuriau. Does 'na fawr o fethiannau gwaeth na methu bwydo eich babi eich hun. Ro'n i'n ei gwneud yn agored i bob math o afiechydon ac anhwylderau.

Rhwng y geg sych, y chwysu a rhoi'r gorau i fwydo, collais ffydd yn y cyffuriau yn gyfangwbl. Gan 'mod i'n dal i grio, teimlwn y byddai'n well i mi barhau i wneud hynny heb wely gwlyb bob nos, a gyda 'ngheg yn gweithio unwaith eto.

Doedd Keswick ddim yn hapus o gwbl, ond ro'n i'n dechrau colli ffydd yn ei broffesiwn. Un waith, daeth draw i'm cartref – fo a Noreen – ar 'home visit'. Y creisis yr adeg honno oedd 'mod i'n crafu 'nghroen nes ro'n i'n gwbl gignoeth – rydw i wedi anghofio bellach pa felltith roedd o wedi ei rhoi arnaf bryd hynny. Fe'i cofiaf yn eistedd yn y gegin gefn, a'r Beibl Cyffuriau o'i flaen a fynta'n gysglyd droi'r dalennau yn ceisio rhyw fath o waredigaeth.

'*I'm not sure what to give you,*' medda fo, yn gwbl ddi-glem.

Fasa waeth iddo fod yn ddyn deud ffortiwn ddim. Ro'n i'n ymddiried fy iechyd corfforol a meddyliol i hwn, ac roedd o'n deud yn gwbl blaen nad oedd ganddo syniad beth i'w wneud. Er mwyn arbed embaras, rhoddodd fi ar ddos o Maprotiline. Y bore wedyn cysgais tan un ar ddeg y bore, a chefais lond bol. Doeddwn i ddim ffit i yrru, a deuthum oddi arno yn syth. Rai cyffuriau yn ddiweddarach, Venlafaxine a Clomipramine, a wnâi imi chwysu mwy, penderfynais mai'r cyffur peryclaf ro'n i'n ymhél ag o oedd Keswick ei hun. Roedd yn rhaid i mi gael gwared ohono. Yn y diwedd, cefais ddigon o hyder i ofyn iddo am ddoctor Cymraeg. Siawns nad oedd un yn llechu yn rhywle. Byddwn yn fodlon teithio i'r pen arall o Gymru i weld y fo neu hi – neu ymhellach, os oedd angen. Efallai nad oedd Keswick wedi deall gair ro'n i wedi ei ddweud ers blwyddyn, a'i fod yn fy nhrin am gyflwr cwbl wahanol. Aeth Keswick ar ei wyliau, ond ni ddaeth neb yn ei le. Ro'n i'n styc efo fo, a doedd dim dianc.

Falle mai dyna ddiffyg mwyaf y Gwasanaeth Iechyd Cenedlaethol – nad oedd modd dianc oddi wrtho unwaith roeddech chi wedi eich canfod eich hun yn ei grafangau. Roedd yr Ymwelydd Iechyd wedi fy anfon at Noreen, roedd Noreen wedi fy anfon at Keswick, ac roeddech chi fel sosej ar beiriant prosesu yn cael eich anfon o'r naill i'r llall. Os nad oedd Keswick yn gallu gwneud dim â mi, wyddwn i ddim lle arall i droi. Ro'n i'n eitha balch, beth bynnag, nad oeddent am fy ngorfodi i fynd i'r ysbyty. Byddai Keswick yn anfon nodiadau maith am ein cyfarfodydd i'm meddyg lleol, ac yn anfon copïau at Noreen a minnau. Teimlad rhyfedd oedd darllen yr adroddiadau hyn, fel taswn i'n darllen am hynt person cwbl wahanol i mi fy hun. Un diwrnod, darllenais y frawddeg hon yn ei lythyr,

'*I still feel that the use of the Mental Health Act is currently inappopriate.*'

Roedd hynny'n gysur mawr – am dipyn, beth bynnag oedd y Mental Health Act.

Dyna oedd y drwg efo'r adroddiadau, os oedden nhw i fod o fudd i mi, fedrwn i mo'i deall, a dwi'm yn meddwl y gallai unrhyw un lleyg wneud, waeth pa mor beniog ydoedd o neu hi. Ro'n i'n gallu dyfalu ystyr *anhedonia*, ond beth ar wyneb y ddaear oedd *cognitive distortions* neu *negative cognitions*? Beth oedd y *SSRI supplement . . . high*

46

dosage tricyclics . . . significant diurnal mood variation? Weithau ro'n i'n ymddangos yn *dysthymic* – oedd hynna'n beth drwg? Yr hyn oedd yn fy ngwylltio oedd nodi nad oedd gen i *infanticidal thoughts*. Gwyddwn beth oedd ystyr hynny'n iawn, ac roedd o'n brifo. Fel taswn i'n gwneud unrhyw beth i niweidio Lora.

Ond roedd brawddegau eraill yn yr adroddiadau yr oeddwn yn eu deall yn iawn, jest am bod nhw mor anhygoel o amlwg. Roedd y rhain yn peri i mi feddwl a oedd diben i'r holl sgyrsiau roedden ni'n eu cael, os oedd o'n deall cyn lleied ar y diwedd. Y peth mwyaf ro'n i'n ei deimlo efo'r iselder oedd diffyg mwynhad, ac mae hwnnw'n andros o beth anodd i roi eich bys arno, yn enwedig pan nad ydych chi prin yn ymwybodol ei fod yn ddiffyg. Yn fy Saesneg carbwl, dyma fi'n trio mynegi cymaint o obaith oedd dyfodiad y gwanwyn yn ei roi i mi bob blwyddyn, ond nad oeddwn wedi profi hynny eleni. Tase fo'n Gymro, mi allwn i fod wedi dyfynnu un o sonedau Williams Parry iddo, ond fasa gan hwn ddim clem. Y frawddeg ymddangosodd yn y llythyr yn crynhoi'r sgwrs oedd, '*She has been unable to enjoy the daffodils this spring which are normally a great joy for her*'. Wel ia, roedd hynny'n wir – ac mor affwysol o amlwg, ond roedd y broblem gymaint mwy. Doeddwn i ddim eisiau triniaeth am nad oeddwn i'n gallu gwerthfawrogi daffodils. Roedd hi'n broblem ddyfnach.

Roedd yna ddyfyniad arall ddaeth â gwên i'm bryd. Fydda Keswick yn gofyn weithiau,

'*What usually makes you smile?*'

'*Reading your reports,*' fydda'r ateb agosaf at y gwir, ond ddaru mi ddim dweud hynny rhag ofn iddo ei gymryd o chwith. Fyddai pobl weithiau ddim yn deall fy hiwmor. Ond un o'r brawddegau mwyaf twp a ysgrifennodd erioed oedd,

'She was tearful when describing her thoughts about being dead.' Wel, wel, pwy feddylia? Oedd hynny'n fy ngwneud yn abnormal iawn? Ddaru o studio am dair blynedd a mwy am radd er mwyn gallu dadansoddi hynny mewn person?

* * *

Mi barodd dyfodiad Heledd i'r ward i bethau fod yn llawer mwy swnllyd yn ystod y nos, ond doedd y nos ddim yn amser tawel iawn ar y gorau. Ar fy noson gyntaf, cefais drafferth mawr i gysgu yn y gwely dieithr a dod i delerau efo'r synau dieithr o'm cwmpas. Yn sydyn, cefais fy neffro gan rywun yn fflachio golau cryf ar fy wyneb. Rhoddais naid a gweiddi i holi pwy oedd 'na.

'Nyrs ydw i,' medda honno, yn gwbl ddigyffro.

'Beth sydd wedi digwydd?' gofynnais mewn panig.

'Dim byd, gwneud *night-check* ydw i.'

'Fedrwn i ddim credu fy nghlustiau.

'Be? Dach chi wedi 'neffro i, jest i ffendio os ydw i'n cysgu yn fy ngwely?'

'Dydych chi ddim i fod i ddeffro.'

'Be ydych chi'n ddisgwyl i rywun wneud pan dach chi'n anelu lamp gref fel yna i'w wyneb?'

'Os nad oes gen i olau, fedra i mo'ch gweld,' meddai, gan gau'r cyrtan a mynd yn ei blaen. 'Ewch yn ôl i gysgu rŵan, mae popeth yn iawn.'

Ewch yn ôl i gysgu, myn coblyn. Ond rywsut neu'i gilydd mi lwyddais nes i'r un ddrama gael ei hailadrodd ddwy awr yn ddiweddarach.

'Faint o weithiau dach chi'n mynd i neud hyn?' gofynnais yn sarrug.

'Bob dwy awr – dyna ydi'r Regulations. Er mwyn eich diogelwch CHI mae o.'

'Sut hynny?'

'Rhag ofn bod rhywun yn trio comitio siwisaid.'

'Fydda i wedi lladd fy hun yn diwedd jest er mwyn cael 'chydig o lonydd,' meddwn innau, ond fy anwybyddu i wnaeth hi. Mae'n siŵr fod hynny'n rhan o'r Regulations hefyd.

Fel pe na bai hynny'n ddigon, penderfynodd Heledd fod yn well gwdihŵ na mi. Byddai'n treulio rhan helaeth o'r dydd yn ei gwely, ond roedd hi'n rêl meriman wedi i'r haul fachludo. Well, falle nad dyna'r disgrifiad gorau. Beth bynnag oedd wedi digwydd i'r gr'adures, roedd o'n rhywbeth dychrynllyd, a fedrai hi ddim gorffwyso. Cawn fy neffro yng nghefn trymedd nos efo sgrech annaearol, a weithiau, bydda'r staff yn dewis ei chlywed a dod i edrych. Fydden nhw ddim yn ceisio gwneud hynny'n dawel er mwyn y gweddill ohonom. Na, byddent yn cynnau'r golau, yn agor y llenni, ac mi fydde'r howdidŵ mwya ofnadwy. Ond, droeon eraill, ni fydde'r staff yn trafferthu. Cawn fy neffro efo rhyw ubain distaw, dychrynllyd o drist, a sŵn cerdded yn droednoeth. Heledd fyddai yno, fe wyddwn, yn cerdded ac yn sibrwd am yr erchylltra a fu. Os oedd diben o gwbl i'r staff fynd o gwmpas y wardiau gyda'r nos, yna ddylen nhw fod yn helpu rhywun fel Heledd. Ond doedd neb yn gwneud. Petai gen i'r nerth, byddwn yn ceisio ei helpu fy hun. Ond, wedi'r cwbl, nid y fi oedd yn cael fy nhalu am wneud.

Pennod 7

Wna i byth anghofio deffro'r bore cyntaf wedi dod i Rhydderch. Roedd yn ddigon drwg deffro dan effaith cyffuriau p'run bynnag, ond cofiaf fod rhwng cwsg ac effro yn ceisio dyfalu lle ddiawch oeddwn i. Gwelais fy ngwely wedi ei amgylchynu â llenni, a daeth y cwbl yn ôl i mi. Roeddwn wedi landio yn yr ysbyty. Wel, doedd ond gobeithio y byddai gwyrth yn digwydd. Gorweddais am hir, yn mwynhau diogelwch y gwely. Am rŵan, doedd dim rhaid meddwl beth i'w wneud a sut i beidio crio. Roedd hi'n hanner awr wedi chwech y bore ac ro'n i'n swatio yn y gwely. Roedd hynny'n beth cwbl normal i'w wneud.

'Nuuuurse!' gwaeddodd rhywun, a chodais ar fy eistedd. Dyna lle roedd dynes gwbl ddieithr yn ei choban yn ei llusgo ei hun ar y llawr. Bobl bach, sut fath o le oedd hwn?

'Nyrs!' gwaeddais innau, ac ymhen dipyn ymddangosodd nyrs a dechrau agor y cyrtans o gwmpas y gwelâu eraill.

'Dydach chi ddim yn meddwl fod honna angen help?' gofynnais, yn casáu gorfod tynnu sylw at beth mor amlwg.

'Duwch, fel 'na mae Alison drwy'r amser.'

O, felly roedd llusgo ar lawr fel rhyw falwen anferth flodeuog yn ymddygiad cwbl dderbyniol yma?

'Yn Ward Nannau mae hi i fod.'

'Wel, dydw i ddim eisiau hi'n fan hyn,' meddais.

'Alison, you'd better move, you're upsetting other patients,' medda'r nyrs heb unrhyw frwdfrydedd.

'Nuuurse!'

Ond ni symudodd Alison, ac wrth gwrs pan ddeffrodd Bet, bu bron iddi gael ffit binc. Euthum ati a cheisio'i chysuro. Roedd Bet mewn côt wely, ac roedd ganddi fag molchi yn ei llaw.

'Rhaid i mi fynd i lle chwech,' meddai'n bryderus, 'o brensiach, be wna i?'

'Fydd rhaid mynd heibio iddi.'

'Fedra i ddim. Mae gen i'i hofn hi.'

'Ydach chi wedi'i gweld hi o'r blaen?'

'Do, un bowld iawn ydi hi. Does gan y staff ddim rheolaeth arni,' meddai'n bryderus.

'Dydyn nhw ddim yn trio yn galed iawn, os dach chi'n gofyn i mi.'

'Ddowch chi efo mi i'r ystafell molchi? Faswn i'n falch o gael cwmni.'

Ac wrth dywys Bet heibio i'r fadfell orweiddiog, roedd o'n deimlad mor braf 'mod i'n gallu bod o help i rywun. Dydw i ddim yn cofio pryd y gellais helpu rywun ddwytha. Dim ond baich ro'n i wedi bod i bawb ers misoedd.

'Ddylian ni ddim cael ein rhoi mewn ward efo pobl fel 'na, wyddoch chi,' meddai Bet, fel tase hi'n rhannu rhyw gyfrinach fawr.

'Ddim yn ein ward ni mae hi i fod.'

'Mae 'na rai yma ddylia gael eu cloi tu ôl i ddrysau.'

Hm. Tueddwn i gytuno efo hi wedi'r hyn welais i bore 'ma, ond mae'n siŵr na fyddai hynny'n gydnaws â'r Mental Health Act. Polisi drws agored oedd hi ym mhob man rŵan – mewn ysgolion, mewn swyddfeydd, mewn carchardai ac ysbytai. Roedd gosod unrhyw wahanfur rhwng pobl yn sathru ar hawliau dynol.

Affliw o ots am hawliau'r mwyafrif, ond doedd wiw sathru ar hawliau ambell leiafrif fan hyn a fan draw. A lleiafrifoedd etholedig iawn oeddynt. Fyddwn i byth yn perthyn i'r lleiafrif iawn.

Wedi molchi, euthum yn ôl i'r gwely, yn diolch fod y fadfell wedi canfod ei gwâl. Eisteddais yno am hydoedd, a synnu fod y ward yn wag. Yn y diwedd, daeth un o'r staff i mewn a gwaredu 'mod i yn fy ngwely.

'Be dach chi'n da yn fan'na?'

'Disgwyl fy mrecwast.'

Parodd hyn iddi chwerthin yn harti, am reswm na ddeallwn yn iawn. Ro'n i mewn ysbyty, ro'n i wedi deffro a molchi, a doedd o ddim yn afresymol disgwyl rhyw damaid ben bore.

'Fasa mei ledi yn mendio mynd i'r gegin i'w nôl o?' gofynnodd, yn dal i chwerthin.

Teimlwn yn rêl lemon.

'Sorri chwerthin ar eich pen chi, ond oeddech chi'n edrych mor ddel yn fan'na, yn eistedd i fyny, ac yn disgwyl eich tendans.'

'Ddeudodd 'na neb wrtha i,' meddwn yn ddagreuol. 'Does neb yn egluro dim yn fan hyn.'

'Duwch, hitiwch befo. Dowch rŵan, mae'n siŵr fod yna rwbath ar ôl i chi. 'Dan ni'n gwneud ein gorau yn dod â bwyd i chi, jest nad ydan ni'n gwneud *bed service*.'

Wrth gwrs, doedden ni ddim yn sâl go iawn, nag oedden, felly pam fasan nhw'n rhoi bwyd inni yn ein gwelâu? Doedden ni ddim mewn ysbyty go iawn, felly ofer oedd disgwyl gwasanaeth ysbyty. Daeth y nyrs efo mi i'r gegin.

'Uwd yn fan hyn, powlenni a llwyau drwodd, llefrith yn y *fridge*. Bara menyn 'rochr draw, a fedrwch chi helpu eich hun i baned. Golchwch y llestri ar eich ôl. Ddylen nhw fod wedi dweud hyn wrth i chi ddod i mewn.' Ac i ffwrdd â hi, yn dal i biffian chwerthin.

Eisteddais wrth y bwrdd. Efallai eu bod wedi egluro wrthyf. Mae'n siŵr mai fy mai fi ydoedd. Sylweddolais, wedi'r strach yna i gyd, nad oedd gen i bellach unrhyw awydd brecwast.

* * *

Mae yna ben draw i ba mor hir fedr rywun eistedd i lawr yn gwneud dim. Cofiwn addewidion Keswick, gymaint o encil oedd Rhydderch, mor dawel fyddai hi yno . . . dim cyfrifoldebau . . . gallwn ganolbwyntio ar wella . . . fyddai 'na ddim pwysau, dim straen . . . Fi oedd ar fai am greu darlun cwbl ramantaidd o ysbyty meddwl. Gwn fod llawer wedi newid ers dyddiau'r Seilam yn Ninbych; bellach roedd afiechyd meddwl yn cael ei dderbyn gan bobl, nid oedd stigma yn perthyn iddo (dim cymaint, ta beth), yr oedd cymaint gwell dealltwriaeth o'r pwnc yn awr.

Dychmygais noddfa debyg i leiandy yma. Byddai nyrsys tawel, serchog yn cerdded o gwmpas ar flaenau eu traed, a byddai'r ystafelloedd yn rhai eang, golau gyda digon o awyr iach a golygfeydd fyddai'n falm i'r enaid. Byddwn mewn gwely efo cynfasau claerwyn, byddai cerddoriaeth dawel i'w chlywed yn y cefndir, a dan yr amodau hyn byddwn innau yn canfod fy hen hunan eto, ac yn blodeuo yn wraig hardd. Byddwn yn dysgu fod pwrpas i fywyd eto, ond wrth ffarwelio â'r nyrsys a'r dolydd gleision, byddwn yn teimlo rhyw hiraeth rhyfedd wrth eu gadael.

Mor wahanol y gall realiti fod. Roedd y gwahaniaeth rhwng rhith a ffaith yn gomig, yn hyll o ddigri. Gan 'mod

53

i wedi syrffedu eistedd ar fy ngwely, meddyliais y byddwn yn mynd i'r Lle Eistedd i gymdeithasu tipyn, ac i ddod i adnabod fy nghyd-gleifion. Eisteddai Mrs Prichard ger y ffenest, ei chefn yn syth a'i llygaid ynghau. Doedd hi'n amlwg ddim eisiau sgwrsio. A dweud y gwir, er fod y lle yn weddol lawn, doedd neb yn siarad â'r naill a'r llall. Syllais ar y ferch agosaf ataf, merch ifanc gyda gwallt hir tywyll. Edrychai'n hollol ddigalon, a chwaraeai gyda chudyn o'i gwallt. Cododd ei phen a syllu arnaf am amser maith,

'*I'm so sorry,*' meddai wrthyf, o waelod ei chalon.

'*For what?*'

'*For killing you.*'

Doeddwn i erioed wedi cael sgwrs fel hyn o'r blaen.

'*You haven't killed me,*' meddwn, yn gwrando ar y frawddeg ac yn meddwl pa mor hurt y swniai.

'*Yes, I have,*' taerodd. '*I killed you in the shopping centre in Manchester.*'

'*I've never seen you before, and I've never been to Manchester either. You must be thinking of someone else.*'

'*I really am sorry,*' roedd hon yn ddadl gwbl hurt.

'*Look, I'm alive and well. You didn't do it. You haven't done anything.*'

'*I haven't?*'

'*No,*' meddwn, yn frwd iawn bellach, gan obeithio y gallai fy mrwdfrydedd gael gwared o'i baich dychrynllyd o euogrwydd.

'*I'm so sorry, however.*'

'*Are you?*'

'*I am sorry that I killed you.*'

'*It's all right,*' meddwn yn glên, '*don't worry about it. It's quite all right.*'

Peidio cychwyn sgwrs oedd y peth gorau yng nghanol criw fel hyn. Cadw 'mhen i lawr a pheidio ceisio dod i'w 'nabod. Roedd hynny'n straen. Estynnais am gopi o'r *Daily Post* a'i ddarllen yn drylwyr iawn. Wedi i mi ei ddarllen o glawr i glawr, dim ond deg o'r gloch oedd hi o hyd.

Penderfynais geisio creu fy nhrefn fy hun i'r diwrnod, a chadw ati. Byddai hynny'n rhoi rhyw fath o fframwaith i'r diwrnod, ac yn ei rannu. Paned ddeg amdani felly, a ffwrdd â mi i'r gegin.

Pennod 8

Wna i byth anghofio'r diwrnod hwnnw pan o'n i ar y
traeth, newydd ganfod 'mod i'n feichiog, ac yn gwybod
ei fod o'n wir ac na châi neb ddwyn y gwirionedd
hwnnw oddi arnaf. Wel, ro'n i'n rong.

Pharodd y gwirionedd ddim yn hir . . . sawl wythnos,
saith? Ac am y pythefnos gyntaf, wyddwn i ddim. Felly
'chydig dros fis oedd o go iawn, ond mae'n syndod faint
o obaith fedrwch chi ei wthio i mewn i fis, faint o
gynllunio, faint o freuddwydio. Hwn oedd y peth mwyaf
oedd wedi digwydd i mi – erioed. Doedd o'n ddim llai na
gwyrth; roedd gweddi wedi ei hateb. A wyddai neb, neb,
ar wahân i Dafydd a minnau a'r meddyg. Ein cyfrinach ni
oedd hi. Filgwaith mewn dydd, byddwn yn blasu'r
gyfrinach fel petai'n ddarn o daffi twym dan fy nhafod.
Roedd hi'n freuddwyd felys felys, ac yn un a fyddai'n
para am byth. Roedd mawredd y peth yn anghredadwy.
Am bum wythnos, bûm yn cerdded rhyw fyd hud, yn
methu credu y gallai bywyd fod cystal.

Yna, yn gwbl ebrwydd, heb unrhyw rybudd, darfu.
Canfyddais fy hun yn gwaedu, euthum yn syth at y
meddyg, a chael fy hebrwng i'r ysbyty. Cofiaf y noson yn
berffaith: cofiaf y dillad a wisgwn, cofiaf bob manylyn.
Cefais archwiliad, a dywedodd y nyrs fod popeth yn ei le,
er fod lle i boeni. A chadwyd fi i mewn dros nos.
Roeddwn mor sicr fod popeth yn iawn fel y mynnais fod

Dafydd yn mynd adre ac i'w waith, a byddwn yn cysylltu ag o yn hwyrach drannoeth. Byddwn allan mewn chwinc. Teimlwn yn iawn. Doedd dim byd yn bod.

Yn yr ysbyty hwn y digwyddodd, ddaru'r peth mo 'nharo i tan rŵan. Dafliad carreg o fan hyn yr oeddwn i. Dywedodd y nyrs wrthyf am fynd am sgan, a chefais fy nghludo yno mewn cadair olwyn. Wedi'r sgan, wnaeth y nyrs ddim hyd yn oed edrych arnaf. Gwylio'r sgrin oedd hi, ac meddai,

'*There's nothing there.*'

Dyna sut y cefais wybod. Fel ro'n i'n ceisio dirnad ystyr ei geiriau gofynnodd,

'*Are you sure you were pregnant?*'

Defnyddiodd yr amser gorffennol, a chwalodd fy myd yn racs.

'*Yes,*' meddwn. '*Yes, I'm certain I was.*' Nid breuddwyd ydoedd, nid arbrawf gyda'r canlyniad anghywir. Do, bûm at y doctor a ddaru o gadarnhau. Roeddwn i'n bendant yn feichiog. Roeddwn . . .

Doeddwn i ddim mwyach, roedd hynny'n amlwg.

'*I'm sorry,*' meddai'r nyrs gan ddiffodd y sgrin. '*Was it a planned pregnancy?*'

'*Yes, yes, it was.*'

Oedd, roedd, wedi bod . . .

Wrth iddi ddiffodd y sgrin, gwyddwn nad oedd diben holi. Am eiliad, meddyliais y gallwn ddatod rhywbeth yn y peiriant a chanfod y babi, ond syniad cwbl hurt oedd hynny. Doedd dim byd yno, roedd fy mhlentyn wedi mynd. A ddaru nhw ddim nôl cadair olwyn i mi, doedd dim i fod yn ofalus ohono, dim i'w warchod. Cerddais, mewn llesmair, yn ôl tua'r ward. Prin y gallwn roi un droed o flaen y llall.

'*Are you all right?*' gofynnodd nyrs i mi wrth gerdded tuag ataf.

Eglurais 'mod i newydd gael sgan ac nad oedd dim byd yno.

'*Come here,*' meddai, a rhoi ei braich amdanaf. '*You poor, poor thing.*' Dyna pryd y cychwynnodd y dagrau.

Ni ddaru'r dagrau – na'r gwaed – beidio am dros bythefnos. Daeth Dafydd i'm nôl o'r ysbyty, a threuliais rai dyddiau yn y gwely neu ar soffa efo potel ddŵr poeth. Ond doedd dim i'm rhwystro'n gorfforol rhag bod o gwmpas y tŷ wedyn yn ailgydio yn fy nyletswyddau. Dim ond fod diben, bob pwrpas yn y byd wedi mynd. Byddwn yn aros nes bod Dafydd wedi mynd i'r gwaith, yna byddwn yn gorwedd ar y gwely a gadael i'r dagrau lifo. Wyddai neb arall ddim byd, fy nhrasiedi fach bersonol i ydoedd, a doedd y ffaith fod un o bob pum gwraig yn colli ei babi cyntaf ddim yn gysur o gwbl. Maen nhw yma yn ein plith ni yn crio yn dawel, bob un yn Rhiannon yn cario ei baich ei hunan. Does dim corff i alaru drosto, ddigwyddodd o ddim yng ngŵydd eraill, felly ofer disgwyl iddynt ddeall. Y peth gwaethaf ydi'r teimlad affwysol o fethiant. Os na fedrwch chi hyd yn oed gario eich babi eich hun . . . os na fedrwch chi gadw gafael ar greadur mor frau a bychan, pa fath o fam ydych chi? Wel, dydych chi ddim yn fam, dyna'r gwir amdani, rydych chi wedi colli eich gwobr.

* * *

'Ew, rydych chi mhell i ffwrdd,' meddai'r nyrs wrthyf.

'Be dach chi'n da yn fan hyn ar eich pen eich hun?'

Ro'n i yn ôl mewn ysbyty.

'Fasach chi ddim yn lecio mynd drwodd i chi gael dipyn o gwmni? Neith o ddim lles i chi fod ar ben eich hun ormod, wyddoch chi.'

'O'r gorau,' meddwn, ac allan â mi i wneud paned.

Pan euthum i'r gegin, synhwyrais fod rhywun arall yno, a chlywais sŵn ger y bin sbwriel. Pan drois fy mhen, roedd rhywun yn eistedd yno, ar ei chwrcwd.

'Dach chi'n iawn?' gofynnais, ond wnaeth hi ddim ateb. Roedd yn dal yn ei choban, a'i gwallt dros ei dannedd. Roedd hi'n bwyta rhyw fisgeden, a gadael iddi oedd y peth gorau. Fe'i gwelais yno'n aml ar ôl hynny, a gadael lonydd iddi wnâi pawb arall hefyd.

Wedi tridiau yn y ward, roedd yn rhaid i mi gael awyr iach. Roeddwn i'n mynd i'r ardd weithiau, ond doedd dim pleser bod yno, a doedd edrych ar waliau pob ward arall ddim yn olygfa i'ch cynhyrfu. Felly, un diwrnod ar ôl brecwast, cerddais drwy ddrysau'r ward, a chyrraedd y Dderbynfa. Edrychai fel byd cwbl wahanol. Roedd yno ddigon o brysurdeb a lot o fynd a dod. Gwelodd nyrs fi yn edrych yn ddi-glem a holodd a oeddwn i'n iawn.

'Jest meddwl y byddwn i'n picio lawr i'r Dre oeddwn i,' meddwn, yn ceisio ymddangos fel tawn i o gwmpas fy mhethau.

'Yn eich slipars?' gofynnodd hithau. Edrychais ar fy nhraed ac wfftio.

'Cerwch i nôl rywbeth i roi ar eich traed, del – a gwisgwch eich côt.'

Pam oedden nhw i gyd yn siarad fel tasen nhw'n athrawon meithrin? Erbyn i mi fynd yn ôl i'r ward, roeddwn wedi colli'r awydd i fynd allan. I ble 'raethwn? Doedd gen i unman i fynd, doedd gen i ddim achos i fynd allan.

Roedd canfod rhywbeth i'w wneud yn Rhydderch yn affwysol o anodd. Hon oedd y broblem fwyaf un. Byddai rhai pobl yn smalio bod yn brysur. Roedd un ar ein ward ni, wyddwn i mo'i henw, Saesnes dal, heglog efo sbectol. Bydda hi bob amser efo papurach a llyfrau, a byddai hi'n gadael y ward yn gyson. Dyna a'i gwnâi'n wahanol.

Ddeallais i rioed ar ba berwyl, ond roedd ganddi broblemau rif y gwlith, a bob bore byddai'n cychwyn fel rhyw Don Quixote heb ei geffyl i goncro gwahanol sefyllfaoedd. Y drwg oedd ei bod yn mynnu adrodd ei helyntion wedi dod adre. Cyrhaeddai yn ôl a'i gwynt yn ei dwrn, a chyhoeddi i'r byd a'r betws,

'*You'll never believe what I've been through,*' cyn rhestru'r galwadau ffôn a wnaethai, diffygion y Cyngor Sir, anwadalwch ei phlant, pechodau'r Wladwriaeth a diymadferthedd dyn. O'r hyn a gasglwn, roedd hi'n colli gafael ar ei thŷ, a phoenai na fyddai ganddi le i fyw wedi gadael yr ysbyty. Ond chymrais i, na neb arall, ddigon o ddiddordeb ynddi i ddeall yn iawn; felly gadael iddi fwydro fel rhyw oracl wedi mynd yn sownd a wnaem.

Y diwrnod dan sylw, beth bynnag, roedd sedd wag drws nesaf i mi yn y Lle Eistedd, ac mi sodrodd Yr Oracl ei hun drws nesaf i mi a dechrau parablu. Meddyliais y gwnawn yr un tric â Mrs Prichard a rhoi 'mhen yn ôl a chau fy llygaid, ond mi wylltiodd hyn hi yn ofnadwy.

'*Are you listening to me or what*?' arthiodd, ac wedi hynny roedd rhaid i mi geisio canolbwyntio. Dyna ddiffyg arall y Lle Eistedd; roedd o'n lle rhy gyfleus o'r hanner i bobl eraill gael arllwys eu gofidiau arnoch chi. Fel pe na bai gennych hen ddigon eich hun.

Efallai fod hynny'n wendid go sylfaenol, eu bod wedi codi ysbyty meddwl ar wahân a rhoi'r nytars i gyd efo'i gilydd. Oni fyddai'n well petaent wedi eu rhannu i wahanol adrannau o'r ysbyty? Byddai hynny'n golygu wedyn y byddech yng nghanol pobl yn cwyno am eu calonnau, diffygion cluniau newydd, ymysgaroedd ffaeledig, ond o leiaf byddent yn eu iawn bwyll. Byddai'n hunllef i'w weinyddu, ond byddai'n llawer gwell i gleifion sâl eu meddwl. Y peth gwaethaf all ddigwydd i rywun efo gwendid meddyliol ydi 'i fod o'n cael ei osod efo llond ward o fodau cyffelyb. Synnais nad oedd Freud neu rywun wedi gwneud hon yn rheol sanctaidd. Dydi Nytars ddim yn gwerthfawrogi cwmni nytars eraill.

Yn y bôn, does neb yn gwerthfawrogi cwmni nytars. Gwell eu lluchio i gyd i ryw fasged sbwriel enfawr a gadael iddynt fwydro'i gilydd. Dyna roddodd fod i'r Seilam.

Tra o'n i ar ganol cael y meddyliau mawr 'ma, daeth un o'r nyrsys ataf a dweud fod Dr Keswick am fy ngweld i'r diwrnod canlynol.

Pennod 9

Byddai'n ymdrech go iawn i Bet godi yn y boreau. Byddai'n eistedd am amser maith ar y gwely, gan duchan,

'Fedra i ddim, fedra i ddim. O nyrs bach, helpwch fi.' Dim ond rhyw fath o Ave Maria oedd y frawddeg ola achos fydda'r nyrsys byth yn cymryd mymryn o sylw ohoni, felly roedd hi wedi dechrau ei sibrwd.

''Dydych chi ddim yn dda heddiw, Bet?'

'Ddim hanner da, 'chi. Dydyn nhw ddim yn rhoi'r tabledi iawn i mi (sibrwd hyn fydda hi hefyd am ryw reswm). O, mam bach, wn i ddim be wna i.'

'Beth sy'n bod, Bet?'

'Methu cael fy ngwynt ydw i.' Roedd hyn yn swnio'n go ddifrifol.

'Well i chi ddeud wrth y nyrsys.'

'Dwi wedi deud droeon, does 'na neb eisiau gwybod.'

'Mi af i i ddeud,' meddwn mewn ffit o dymer, a chodais o'r gwely.

Byddai'r Swyddfa'n agored ddydd a nos, a dwi'n credu'r mai'r egwyddor oedd fod y drws i fod yn agored, ond weithiau mi fydden nhw'n cael llond bol, ac yn ei gau er mwyn cael llonydd. Dydw i ddim yn eu beio. Roedd rhywun yno'n dragwyddol yn cwyno am rywbeth neu'i gilydd.

Ar gau oedd y drws pan euthum yno, 'chydig wedi

chwech y bore; roedden nhw'n newid shifft am saith.
Curais y drws. Sgwrsio oedd y ddwy nyrs, a ddaru nhw
ddim codi'u pennau, dim ond parhau i siarad. Curais eto
a chododd un ei phen, gweld wyneb anghyfarwydd, a
chydsynio i agor y drws.

'Ia?'

'Fedrwch chi neud rywbeth efo Bet, tydi hi ddim
hanner da.'

'Be sy'n bod?'

'Dwi'm yn gwybod. Newydd ddod yma ydw i.'

'Gawn ni olwg arni mewn dipyn.'

Er 'mod i'n newydd yma, ro'n i wedi dysgu mai
ffordd neis o gael gwared ohonoch chi oedd y frawddeg
honno.

'Dwi'n meddwl ei bod angen help rŵan, fedar hi
ddim cael ei gwynt.'

Ddaru'r nyrs arall ddim troi i edrych arnaf, dim ond
deud.

'Fel 'na mae Bet drwy'r amser.'

'Gadael pethau i fod ydi'r gora,' medda'r nyrs arall, ac
arwyddo ei bod eisiau cau'r drws.

'Ond mae hi mewn gwewyr go iawn.'

'*Meddwl* ei bod hi'n colli'i gwynt mae hi. Dydi ddim
go iawn,' meddai'r nyrs oedd a'i chefn ataf, fel petai'n
datgelu rhyw wirionedd mawr.

'Hitiwch befo bod o ddim yn go iawn – jest cerwch
ati,' meddwn, wedi colli fy limpyn go iawn. 'Radeg
honno y cydsyniodd yr ail nyrs i droi ataf,

'Ac ers pryd ydych chi'n rhedeg y lle 'ma ac yn rhoi
ordors i ni?'

Chwarddodd ei chyfeilles.

'Rydan ni yma ers blynyddoedd, a 'dan ni'n nabod y
rhain i gyd. Ni sy'n penderfynu pan mae rhywun eisiau
help neu beidio, rŵan – ewch.'

Roedd gan y nyrs wrth y drws fwy o biti drostof.

'Mae hi wedi bod yn noson hir,' eglurodd. 'Fydd Bet yn iawn, wyddoch chi.'

Euthum yn ôl i'r stafell, a'm crib wedi'i dorri.

'Be ddeudson nhw?' gofynnodd Bet.

'Deud eich bod chi'n iawn ac mai fel 'na ydych chi drwy'r amser,' meddwn, gan eistedd ar ei gwely efo hi.

'Ddeudish i, do?'

'Do. Fi oedd yn methu credu 'u bod nhw mor galon-galed.'

'Dyna be mae'r doctor yn ei ddeud hefyd. Deud nad ydw i'n sâl go iawn. Ond os ydw i'n teimlo'n sâl, 'run fath ydi o, 'te?'

'Yn hollol, Bet. Wn i ddim be 'dan ni'n da yma.'

'Mi gytunais i ddod am fod Gruff am i mi wella. Ond dydw i ddim yn well. Mae o'n meddwl 'mod i'n gwella, ond dydw i ddim. Fydda i ddim yn deud wrtho fo sut dwi'n teimlo, rhag ofn iddo boeni mwy.'

Gwenais, rêl Bet.

'Dwi i fod i weld y doctoriaid heddiw,' meddwn.

'Dydi o ddim yn brofiad braf. Mae llwyth ohonyn nhw yna, ac yn eich holi chi'n dwll. A'r niwsans ydi, mae o i gyd yn Saesneg. Fedra i ddim mynegi fy hun yn Saesneg.'

'Na finnau chwaith.'

'Mae rhai o'r nyrsys yna, a maen nhw'n Gymraeg, ond maen nhwtha'n siarad Saesneg er mwyn i bawb gael deall.'

Roedd o'n swnio'n batrwm cyfarwydd iawn.

'Ydych chi yma ers stalwm, Bet?'

'Mae o'n teimlo fel hanner canrif . . . Colli fy ffydd ddaru mi,' meddai, gan ddechrau sibrwd eto, fel tase hi'n cyfaddef pechod gwaethaf dynolryw. 'Dyna i chi beth sobor i wraig gweinidog, 'te?'

'Pam, Bet?'

'Wel, mae pawb yn disgwyl safon gwell gan wraig gweinidog, 'tydi? Dyna pam mae Sali yn fy mhlagio cymaint. Taswn i'n wraig i *watchmaker*, faswn i'n cael lot mwy o lonydd ganddi.'

'Eich bai chi'n deud eich busnes wrth Sali.'

Gwenodd Bet; roedd ganddi wyneb tlws pan wenai.

'Ylwch, pan mae eich gŵr yn cerdded i mewn yn gwisgo coler gron, does dim angen i chi ddeud eich busnes wrth neb!'

Chwarddodd y ddwy ohonom fel genod ysgol. Edrychais o'm cwmpas rhag ofn ein bod yn tarfu ar rhywun, ond doedd neb arall wedi deffro, neb ond Monica. Fydda honno byth yn cysgu, dim ond eistedd fel sffincs a'i llygaid gena goeg yn eich dilyn i bob man. Roedd ei phen yn gwbl lonydd, ond symudai ei llygaid yn sydyn heb golli dim.

'Mae gennych chi berffaith hawl i golli'ch ffydd, Bet, gymaint o hawl â neb arall.'

'Dach chi'n meddwl hynny?'

'Ydw. Dim ond priodi'r dyn ydych chi, dydych chi ddim yn priodi'i broffesiwn.'

'Dwi'n cofio deud hynny wrth ffrind i mi unwaith – "priodi Gruff wnes i, ddim priodi gweinidog". Ond mae'r ddau beth yn cael ei gymysgu, 'tydi? Bob tro roedd Gruff yn cael galwad i eglwys newydd, roedd yn rhaid i minnau ei ddilyn, 'toedd? Ac mae bod yn Wraig Gweinidog yn joban llawn amser ynddi ei hun.'

'Ddylia hynny ddim bod.'

'Ond felly mae hi. A phan mae Gwraig Gweinidog yn colli ei ffydd, mae 'na andros o le.'

'A dach chi'n cael eich gyrru i Seilam.'

'Do'n i ddim yn ffit i unman arall.'

'Peidiwch â chosbi eich hun i'r fath radda'. Mae 'na

ddigon o bobl eraill i'ch fflangellu chi, heb i chi wneud hynny mor frwd eich hun.'

'Dwi'm yn falch 'mod i wedi colli fy ffydd. Feddyliais i rioed y bydda fo'n digwydd. Ydych chi'n credu yn Nuw?'

'Mi oeddwn i – nes i minna dorri'n racs.'

'Dach chithau'n cael trafferth credu?' gofynnodd, fel petai'n trafod clwyf gwenerol.

'Yn y lle yma, dwi'n meddwl fod pawb,' meddwn.

'Gawsoch chi'ch magu yn y capel?'

'Do.'

'Erstalwm, mi fyddai crefydd yn golygu sicrwydd, cariad. Waeth pa mor ddrwg oedd yr hen fyd 'ma, roedd yna gysur i'w gael o wybod fod yna Dduw hollalluog yn gofalu amdanom, ac yn ein caru. Y cysur yna sydd wedi mynd. Wrth i mi fynd yn hŷn, fedra i ddim credu fod Duw yn rheoli'r byd 'ma. Mae'r holl greulondeb sydd ynddo fo yn gwbl groes i Dduw cariad. Mae O wedi ei adael i ryw ffawd greulon.'

Amen.

'Dyna i chi emynau wedyn. Ro'n i'n arfer cael cymaint o bleser yn eu canu. Ond rŵan, maen nhw'n wag. Mae eu canu nhw mewn byd mor ddychrynllyd fel tasa fo'n gneud sbort ar ein pennau.'

'Haws gen i ganu geiriau Parry-Williams,

Tristach na holl ddinodedd dyn
Yw chwerthin y cnawd ar ei ben ei hun . . .
Sobrach na syn sefydlogrwydd y sêr
Yw anwadalwch ei fywyd blêr . . . '

'Dwi innau'n lecio Parry-Williams hefyd. Mae gan Gruff a minnau griw o ffrindiau ac un o'n hoff bleserau fyddai adrodd barddoniaeth i'n gilydd. Fy ffefryn ydi'r un amdano'n wylo ar obennydd. Ydych chi'n ei gwybod hi?'

Daeth y geiriau'n rhwydd i mi,

'Wylais unwaith ar obennydd
   Na bu dagrau arno erioed,
Wylo dafnau angerddoldeb
   Bywyd llanc a meddal oed.'

Daeth rhyw olau newydd i lygaid Bet wrth glywed y geiriau a chydadroddodd y bennill olaf gyda mi,

'Duw a ŵyr beth oedd fy nagrau,
   Ef Ei Hun oedd biau'r lli;
Wylwn am fod rhaid i'r Duwdod
   Wrth fy nagrau i.'

Tarfwyd ar y seiat wrth i nyrs roi ei phen rownd y drws a dweud fod Dr Keswick am fy ngweld.

Bob tro yr oeddwn i wedi gweld Dr Keswick o'r blaen, ro'n i wedi 'i weld fwy neu lai ar ei ben ei hun. Yn aml, byddai cyw fyfyriwr o barthau Dwyreiniol y byd yn eistedd yn yr ystafell hefyd ar brofiad gwaith, ond ni fyddai hwnnw neu honno byth yn yngan gair. Ond y tro hwn, pan agorais y drws, roedd tua wyth o bobl yn fy wynebu – Dr Keswick yn y canol, un o nyrsys y ward, y person ar brofiad gwaith, ac er iddo gyflwyno'r lleill i gyd i mi doedd gen i ddim clem pwy oedden nhw, na beth oedden nhw'n da yma.

Rhoddodd Dr Keswick adroddiad byr o'm bywyd a'm trafferthion, gan orffen yn daclus drwy ddweud 'mod i wedi cytuno i ddod i Rhydderch a'm bod i gychwyn cwrs newydd o gyffuriau fyddai, gobeithio, yn arwain at adferiad iechyd. Roedd pawb yn ddychrynllyd o boléit, ond fedrwn i ddim llai na theimlo 'mod i'n peri trafferth dychrynllyd i'r rhain i gyd. Pam oedd angen cymaint i'm mendio?

'*Could you start by telling us how you feel?*' medda Dr Keswick.

Wyddwn i ddim lle i ddechrau, felly ddeudais i 'run gair. Doeddwn i ddim am iddyn nhw feddwl 'mod i'n hollol dwp chwaith, felly roedd yn rhaid i mi ddeud rhywbeth.

'*It is rather difficult,*' dechreuais, yn gwbl ymwybodol fod gen i Saesneg tas wair o'm cymharu â nhw.

'*Would you like to start by telling us how have you settled in?*'

'*Fine,*' meddwn. Celwydd.

'*Any complaints?*'

'*No.*' Celwydd rhif dau.

'*So, you're reasonably comfortable here?*'

'*Yes.*' Celwydd rhif tri. Fûm i erioed yn teimlo mor anghyffordddus.

Eisteddodd pawb yn rhythu arnaf, a minnau'n teimlo fel anifail mewn syrcas yn methu cofio beth oedd y perfformiad nesaf.

'*Do you want to say what you've been doing today?*' gofynnodd rhywun.

Roedd yn rhaid i mi ganfod rhywbeth i'w ddweud, neu byddent yn fy llenwi â chyffuriau hollol anaddas.

'*. . . What were you doing just now – when the nurse came to fetch you?*'

'*I was talking to a woman on the ward. We were discussing a poem. We both found we liked the same poet.*'

'*That's good,*' meddai Dr Keswick. '*I've explained to my colleagues that you're interested in books.*'

Wel, mi fyddwn i byddwn, a minnau'n llyfrgellydd.

'*It's good that you've found someone with common interests.*'

Distawrwydd.

Pesychodd yr un drws nesaf i Dr Keswick.

*'Maybe you'd like to share with us what the poem was about
. . .'*

*'The title is "*Rhaid*", er . . . you'd translate it as "Must". . .
maybe . . . it doesn't quite sound the same. It's a poem about
crying.'*

'Interesting,' meddai'r dyn. Roedd rhaid i mi
ymdrechu'n galetach.

'Who is crying in the poem?' gofynnodd rhyw feddyg
Asiaidd.

'The poet.'

'Why is he crying?'

*'He is crying about . . . He is crying on his pillow, but he is
not sure why . . . He thinks that God knows, that Godness must
have his tears.'*

Roedd pawb yn dal i edrych arnaf yn ddisgwylgar, a
dipyn bach yn ddryslyd.

'It doesn't sound the same in English,' meddwn.

'Was it a Welsh poem?'

'Yes.'

Eglurodd Dr Keswick yn frysiog.

*'Maybe I should explain to my colleagues that for you
reading Welsh is perfectly natural, and that you actually read
Welsh novels, don't you, and Welsh poetry?'*

'Yes.'

'Was the poem a help to you?'

*'Well, I was just reciting it to the other woman, she was
trying to remember it.'*

*'I know, but, looking back, does the poet capture some of the
emotions that you yourself have experienced recently?'*

Trio fy nghael i i siarad oeddan nhw. Faswn i wedi
lecio ateb nad oedd gan Parry-Williams, er ei fod o'n
adnabod y Felan, y syniad lleiaf o'r hyn y bûm drwyddo.

Gallem fod wedi cael trafodaeth ddifyr ar y gwahaniaeth rhwng profiadau gwrywaidd a benywaidd, ond i ba ddiben efo'r rhain?

'*Yes, I suppose he has,*' meddwn. Celwydd rhif pedwar.

Roedd yna eironi amlwg yn yr holl sefyllfa. Grŵp o bobl broffesiynol, wedi eu trwytho mewn seicoleg, efo wyddor o raddau rhyngddynt, yn ysu am gael deall rhediad fy meddwl, ac eto heb obaith caneri. Tasa 'na un Cymro neu Gymraes yn eu mysg, neu unrhyw un efo rhithyn o wybodaeth am T.H. Parry-Williams, mi fydde 'na siawns o gael deialog. Ond doedd 'na ddim, felly ofer oedd inni geisio deall ein gilydd.

'*We'll start you on a course of Imipramine today, to see how you react to it. You can start on a low dosage, and if there is no adverse reaction, we can gradually increase the dosage daily, under strict supervision, and then proceed from there. Thank you.*'

Roedden nhw'n dda iawn am drafod y pethau oedd yn bwysig iddyn nhw.

'*Thank you as well,*' meddwn innau yn fy Saesneg gorau. Hyd yn oed os o'n i'n swnio felly, doeddwn i ddim am iddynt gael yr argraff 'mod i wedi fy magu mewn cwt mochyn.

70

Pennod 10

Mae 'na rywbeth yn digwydd i chi wedi colli babi. Mi ddigwyddodd o i mi, a dydw i ddim yn credu 'mod i'n eithriad. Mae yna rymoedd eraill yn llywio eich bywyd, rhai cwbl tu hwnt i'ch rheolaeth chi, a fedrwch chi wneud dim ond ufuddhau. Un peth, ac un peth yn unig sy'n cyfrif, a beichiogi drachefn ydi hwnnw.

Pan ddeuthum yn ôl wedi bod yn ymweld â'r meddyg, dywedodd y byddai'n rhaid i mi aros dau fis wedi i'r gwaed beidio cyn ceisio am fabi arall. Roedd dau fis yn ymddangos yn oes, ac wylais yr holl ffordd adre. 'Hyd yn oed wedyn,' meddai'r meddyg, 'mi fedr gymryd amser maith. Does dim gwadu fod eich corff chi wedi cael sgeg go fawr.' Yna mi ddywedodd, 'A pheidiwch bod yn rhy siomedig os na fydd yn digwydd eto. Does gan yr un ohonom hawl iddo, rhodd ydyw.'

Fo oedd yn iawn, debyg. Fi a'm cenhedlaeth oedd wedi ein magu i oes hollwybodus, hollalluog lle gallai popeth fod yn berffaith. Doedd dim byd y tu hwnt inni, hyd yn oed creu bodau dynol. Ac roedd hynny wedi magu rhyw feddylfryd y gallen ni gael unrhyw beth, dim ond inni allu talu'r pris amdano. Dyna'n unig oedd y meddyg yn ceisio ei ddweud.

Ond, am fy 'mod i mewn cyflwr brau, cymerais y cyfan o chwith. Torri'r newydd cas i mi ydoedd na fyddwn i byth, byth yn feichiog eto. Cneuen wag oeddwn i, a doedd dim y gallai neb ei wneud i wella hynny. Lluchiais fy hun ar y gwely, ac wylo'n hidil. Un llun oedd yna yn fy meddwl. Na chawn i fyth deimlo llaw fechan yn fy llaw i. I mi, roedd y llaw honno yn cynrychioli popeth. Ro'n i eisiau cymryd gofal, eisiau gwarchod, eisiau profi greddf mam. I'r diben yna y gwnaed fy nghorff, dyna sut ro'n i wedi fy rhaglennu. Ers y misglwyf cyntaf, gwyddwn mai dyna fyddai yn digwydd i'm corff. Bob mis, byddai fy nghroth yn gwaredu'r leinin – nes, NES y byddai had plentyn yn cael ei blannu ynof, ac yna byddai'r gwaed yn peidio. Dyna fyddai'r maeth i'r bywyd newydd, i'w besgi nes y byddai'n barod i'w eni. Er mor anhygoel y swniai, gallwn ei dderbyn. Dyna oedd y drefn. Gneud babis oedd merched i fod.

Roedd colli'r hedyn bywyd hwnnw yn rhywbeth cwbl groes i natur. Doedd dim diben iddo, dim ystyr. Doedd o ddim yn gwneud synnwyr. A doedd yr euogrwydd dychrynllyd a'i dilynai ddim yn gwneud unrhyw synnwyr chwaith. Ond yr unig beth fyddai'n fy nglanhau o'r euogrwydd hwnnw, yn fy ngwaredu rhagddo, fyddai beichiogi eilwaith. Byddai hynny'n gwneud iawn amdano, a byddai trefn natur wedi ei hadfer. Byddwn yn rhoi bod i fabi nobl iach, a byddai cymdeithas yn gweld mai da iawn oedd. Dyna pam roedd gwers y meddyg yn un mor anodd i'w llyncu.

Mae'n siŵr fod miloedd yr un fath â mi dros y byd – ar bob cyfandir. Yn cyfri'r dyddiau, yn croesi'n bysedd, yn mesur ein tymheredd, yn astudio'r calendar a thro'r llanw fel pe baem yn wrachod. Am flwyddyn a hanner yn fy achos i, trodd yn wyddor gyfrinachol na ddeallai neb ond fi ei harwyddocad. A phob mis, byddai fy nghorff yn wylo gwaed, a byddai'r cyfan yn mynd yn gwbl, gwbl ofer.

Weithiau byddwn yn ei hystyried yn gêm, yn rhyw

ffurf ar rwlét. Dim ond i mi golli chwe gwaith, naw gwaith, ddeng waith, a byddwn yn lwcus y tro nesaf. Bob tro y peidiai'r gwaed, byddwn yn cael cerdyn gwag, yn cyfri'r dyddiau, ac yn ailddechrau chwarae. Doedd dim pall ar y gobaith. Ond wedi deuddeg mis, a dim enillion, dechreuais anobeithio. Doedd y ffaith 'mod i wedi ceisio mor galed am flwyddyn yn golygu dim. Ro'n i'n ôl yn sgwâr un. Fel y dywedodd y nyrs, doedd dim byd yno.

Ond un diwrnod, daeth tro ar fyd, a ddaru mi ddim gwaedu. Bob awr o'r dydd, ro'n i'n disgwyl amdano, yn gwybod y deuai ac y cawn fy siomi eto. Dysgais feddwl fel sinig. Ond doedd y boen ddim yn dod, y rhwygiadau hynny oedd yn carthu'r groth, ac yn gwaredu pob gobaith gwan. A pho hwyaf yr arhosai, mwyaf y byddwn innau'n gobeithio. Wedi pum niwrnod, roeddwn i'n meiddio teimlo'n gynhyrfus. Gallwn ddechrau gwaedu chwe diwrnod yn hwyr, ond roedd sail cryf i obaith. Wn i ddim sut y bûm i fyw drwy'r chweched dydd, roedd o'n ddiwrnod mor hir, ond ar y seithfed dydd gwelais mai da iawn oedd. Doeddwn i erioed wedi peidio gwaedu gyhyd â hyn. Mentrais brynu pecyn prawf, ac roedd hwnnw'n bositif. Ond chefais i mo'r sicrwydd llwyr nes ymweld â'r meddyg. Trodd hwnnw ataf, ac ni fedrai atal ei wên.

'Bingo,' meddai'n siriol, 'rydych chi wedi 'i neud o!'

Roeddwn wedi ennill.

Ond y tro hwn, doedd yr un hyder powld ddim yno, y sicrwydd llwyr y gallwn gario hwn i ben y daith. Drwy'r naw mis bûm ar bigau drain, yn hanner disgwyl i bethau fynd o chwith. Gwyddwn erbyn hynny mor frau oedd bywyd.

Gwyddwn hefyd nad oedd unrhyw warant yn y busnes. Roedd rhai yn eu cludo'n ddiogel i gychwyn y daith, roedd un o bob pump yn eu colli. Nid mater o ragluniaeth ydoedd, dim ond lwc. A doedd y ffaith 'mod i wedi bod yn anlwcus y tro dwytha ddim yn gwarantu lwc y tro hwn. Clywais am ferched oedd wedi colli pump neu chwech o fabanod.

Y peth gwaethaf oedd methu gwneud dim byd. Medrwn wneud y pethau amlwg: gorffwyso, bwyta'r pethau cywir, gwrthod alcohol, peidio smygu, llyncu fitaminau, ond dyna'r cyfan. Pe gallwn i ddioddef i'r eithaf dros y babi hwn, byddwn yn gwneud hynny. Ond nid mater o ddioddef ydoedd chwaith. Fel unrhyw farwolaeth, gallai daro unrhyw un, mewn unrhyw fodd, unrhyw amser.

Dyna pam y methais ymlacio'n llwyr. Ro'n i'n gaeth i'r ofn hwn am naw mis, fel carcharor yn disgwyl dydd ei brawf.

* * *

Un diwrnod, doedd fawr o neb arall yn y ward ar wahân i mi a Monica. O bawb yn y ward, efo Monica yr oeddwn wedi gwneud leiaf. Fe'i cawn yn wraig bell, oeraidd – ffroenuchel, bron â bod. Doedd gen i ddim sail i hynny, doeddwn i erioed wedi torri gair â'r ddynes, ond doedd hithau erioed wedi dangos diddordeb ynof. Yn wahanol i lawer o'r lleill, nid oedd wedi dangos unrhyw angen help gan feidrolyn arall. Hi, a hi yn unig oedd yn bod.

Synnwn i fawr iddi fod yn ddynes smart unwaith. Roedd siâp ei hwyneb, toriad ei gwallt, yn dangos un a wyddai sut i dorri cyt. Ond bellach, roedd ei gwallt golau cyrliog wedi tyfu'n ffrws dros ei hwyneb, ac wedi colli ei steil. Roedd yn dal i wisgo mascara, ond ni châi fawr o hwyl ar ei roi, neu ni fyddai byth yn ei lanhau, a rhoddai hyn gysgodion tywyll dan ei llygaid. Doedd gen i ddim syniad faint oedd ei hoed.

74

Sylwodd arnaf yn syllu, a theimlais reidrwydd i dorri'r distawrwydd anghyfforddus yn y stafell.

'Ers pryd ydych chi yma?'

Cyn gynted ag y siaradais, gwyddwn 'mod i wedi gofyn y cwestiwn anghywir. Cyndyn ar y gorau oedd pobl i ddatgelu gwybodaeth amdanynt ei hunain. Roedd yn ddigon o faich ei adrodd wrth bob biwrocrat a ddeuai drwy'r drws heb sôn am wirfoddoli ei roi i bobl hollol ddieithr. Edrychodd arnaf yn hir.

'Mae'n ddrwg gen i, doeddwn i ddim yn bwriadu tarfu arnoch chi . . . ' meddwn, cyn ychwanegu, 'dim ond trio creu sgwrs, 'te.'

'I be?' gofynnodd a chefais sioc ei bod wedi siarad.

'I be?' chwarddais yn nerfus. 'Wn i ddim, hen arferiad 'te, pan mae rhai mewn cwmni yn dawel.'

'Dyna sy'n braf am fan hyn.'

'Y tawelwch?'

'Y ffaith nad oes raid inni ymddwyn yn ôl rheolau cymdeithas.'

'Dydi'r ffaith ein bod yma ddim yn golygu fod yn rhaid inni ymddwyn yn anwaraidd,' atebais innau'n reit siarp, wedi gwylltio.

'Ydi peidio siarad yn ymddygiad anwaraidd?' gofynnodd Monica.

'Dyna sut ces i fy magu.'

'Ond does dim ots, nac oes? Os ydach chi'n dawel eich meddwl a minnau'n gyfforddus, dydi o ddim ots nad ydan ni'n siarad. Does 'na ddim gwaeth na gorfod trio gwneud sgwrs.'

'Falle fod gen i rywbeth diddorol i'w ddweud,' meddwn yn fentrus.

'Deudwch o 'ta,' atebodd Monica yn ddisgwylgar.

Roedd hyn yn gamgymeriad ar fy rhan. Doedd yr un syniad diddorol wedi mynd drwy mhen ers chwe mis a mwy.

'Rhyfeddu oeddwn i mor wahanol ydan ni i gyd yma,' meddwn, 'cymaint o fywyd sydd wedi ei wasgu o fewn waliau un stafell, a phob gofid yn ofid gwahanol, fel y nododd Tolstoy neu rywun.'

'Fydda i ddim yn cymryd sylw o neb arall.'

'Na fyddwch? Ro'n i dan yr argraff eich bod yn cymryd popeth i mewn, tra ydych chi'n gorwedd yn dawel yn fan'na.'

'Does gen i ddim tamaid o ddiddordeb ynddyn nhw. Pobl sâl ydan ni i gyd, yn digwydd bod efo'n gilydd am ran fechan iawn o'n bywydau.'

'Ond tra ydan ni yma, fedrwn ni fod yn gefn i'n gilydd.'

'Petaen ni'n iach. Ond waeth heb i bobl sâl geisio helpu'i gilydd. 'Mond drysu bywydau fasan ni wedyn.'

Gofynnais gwestiwn fu'n fy mlino ers i mi gyrraedd, 'Beth fydd yn mynd drwy eich pen chi wrth orwedd yn fan'na ddydd ar ôl dydd?'

'Mor affwysol o annheg fu fy mywyd,' atebodd yn gwbl onest. 'Cymaint o gam gefais i, mor annifyr fu pobl tuag ataf, cymaint ddaru nhw gamddeall.'

Mewn cymhariaeth â hon, ro'n i'n ymddangos yn optimist. 'Siawns nad oes rhywbeth da wedi digwydd i chi?'

Chwarddodd Monica, chwarddiad oedd yn crafu ar fy nerfau.

'Rydych chi'n swnio fel un o'r shrincs 'ma,' meddai. 'Os ydych chi wedi cael bywyd llawn llanast, beth ydi'r pwynt smalio?'

'Ydi'ch bywyd chi wedi bod yn ffasiwn lanast?'

'Wn i ddim be wnewch chi ohono. Cefndir tlawd. Mam efo TB a finna, fel y ferch hynaf, yn gorfod tendiad arni . . . Trio helpu 'Nhad yn ei siop . . . gwneud y gwaith tŷ . . . crafu byw . . . blinder . . . mam yn marw . . . ydych chi am i mi gario mlaen?'

'Rydw i'n un dda am wrando, roedd o'n un o'm 'chydig gryfderau.'

'Mynd yn waeth mae o,' rhybuddiodd.

'Fedr o?'

'Medr. Doedd gen i ddim ffrindiau, dim cariadon. Doeddwn i ddim yn troi yn y cylchoedd fyddai'n gwneud hyn yn bosibl.'

'Chawsoch chi rioed gariad?' Fedrwn i ddim credu ei stori drist a'i dull diemosiwn o'i hadrodd.

'Ges i fy nhreisio unwaith. Dydi hwnnw ddim yn brofiad sy'n peri i chi fod eisiau closio at ddynion. Daeth fy chwaer – oedd ddeng mlynedd yn iau na mi – adref efo'i chariad, ac mi gymrodd hwnnw ataf . . . '

Doedd pethau ddim yn swnio'n addawol. Doeddwn i ddim yn siŵr a oeddwn eisiau clywed y stori i gyd.

'Mi fuo 'na lot o helbul, a'm dewis i wnaeth o yn y diwedd, a doedd fy nheulu ddim eisiau dim i'w wneud â mi wedi hynny. Priododd y ddau ohonom mewn swyddfa a symud oddi cartref i fyw.'

'Ddoth priodas â hapusrwydd i chi?'

Chwarddodd eto, yr un chwerthiniad chwerw.

'Ydych chi wedi cwrdd ag unrhyw wraig fedr ateb y cwestiwn hwnnw yn onest?'

Wyddwn i ddim beth i'w ddweud. Yn waeth na hynny, teimlais fy hun yn cochi.

Mae pob gwraig yn fflyrtio efo'r cwestiwn, ond doedd neb wedi ei roi mor blaen i mi.

'Wel?'

'Mae'n siŵr fod yna rai . . . ' meddwn.

'Nac oes, dyna'r gwir amdani. Does 'na ddim. Mae gwraig yn meddwl fod pob merch arall ar wahân iddi hi ei hun yn hapus mewn priodas ac yn ymdrechu at y ddelwedd honno, ond rhith ydyw. Jest nad oes neb yn fodlon cyfaddef.'

'Pam mae pobl yn priodi, 'ta?' gofynnais.

'Pam ddaru chi?'

'Meddwl mai dyna ddylwn i. Am mai dyna'r peth i'w wneud os oeddech chi am gyd-fyw . . . am 'mod i'n meddwl mai dyna fasa'n dod â hapusrwydd . . . '

'A ddaru o?'

'Radeg honno, aeth Monica'n rhy bell. Gwyddwn na fyddwn i yn yr ysbyty o gwbl pe bawn yn hapus yn fy mhriodas.

Pennod 11

Y siom fwyaf wedi dod yma oedd na pheidiodd y dagrau. Dyna'r un peth a barai i mi feddwl fod rhywbeth yn bod. Roedd bywyd ganwaith anos wedi cael babi, roedd o'n gwbl annioddefol, a cheisiwn ddod i delerau ag o. Roeddwn wedi ymdopi â thrafferthion a chaledi o'r blaen, ond roedd hyn yn wahanol. A'r arwydd allanol nad oedd pethau'n iawn oedd y crio.

Anodd cofio'n iawn pryd cychwynnodd o. Clywais fod pob mam yn ddagreuol wedi geni, ond roedd yna rai misoedd wedi dyfodiad Lora pan oeddwn i'n berffaith normal. Cofiaf grio ambell waith pan oeddwn yn bwydo, ond mater syml o unigrwydd oedd hynny, ac mae pob mam newydd yn unig. Mae'r blinder yn ddigon, heb sôn am hormonau yn dod 'nôl i drefn, baich y cyfrifoldeb ac ofn y dyfodol.

Dechreuodd Dafydd amau nad oedd pethau'n iawn pan ddechreuais boeni tu hwnt i bob rheswm am arian. Roedd pethau'n dynnach, yn naturiol, ond doedd dim lle i boeni. Aeth drwy'r syms efo mi, yn gwbl ymarferol a dangos fod digon yn dod i mewn i gadw'r blaidd o'r drws. Ond am y tro cyntaf doeddwn i ddim yn gweithio, doeddwn i ddim yn ennill arian, a hynny ar yr union adeg pan oedd rhywun newydd yn ddibynnol arnaf. Roedd llai o arian yn dod i mewn, a cheg arall i'w bwydo. Doedd o ddim yn gwneud synnwyr, a pharai bryder dychrynllyd i mi. Dyna oedd achos y dagrau cyntaf.

Yna, dechreuodd y dagrau lifo'n rhwyddach. Hyd yn oed pan gawn i noson weddol dda o gwsg, ro'n i'n deffro, a'r peth cyntaf a wnawn oedd crio. Eisteddwn ar y gwely yn wylo'n hidil, a mynnai Dafydd gael gwybod beth oedd yn bod. Fedrwn i ddim rhoi ateb iddo. Wyddwn i ddim, a pharai hyn iddo wylltio tu hwnt i bob rheswm. Roedd yn amau 'mod i'n cuddio rhywbeth rhagddo ac yn gwrthod rhannu. Ofnai fy mod yn sâl ac mewn poen. Crefodd am eglurhad, a dyna'r un peth na allwn roi iddo. Doedd gen i 'run syniad lleiaf pam oeddwn i'n crio.

Ar wahân i'r rheswm fod popeth, popeth wedi newid, roedd fy holl fywyd wedi ei newid yn llwyr, a fydda fo byth, byth yn dod yn ôl. Wedi crefu am fabi gyhyd, gwyddwn yn nyfnder fy mod imi wneud camgymeriad mwyaf fy mywyd. Ac am unwaith, doedd dim modd dad-wneud pethau. Roedd o wedi digwydd, roedd o'n ffaith. Cedwais hyn yn gyfrinach am wythnosau. Prin y gallwn ei gydnabod i mi fy hun. Ond mae gan ofid ei ffordd arbennig o'i fynegi ei hun, ac os na allwn i ei fynegi, canfu ei ffordd allan ohonof ar ffurf dagrau.

Rhiannon ddeuai i'm meddwl. Cofiwn y chwedl, chwedl erchyll amdani yn colli'i baban ac yn deffro i ganfod gwaed dros ddillad y gwely. Roedd y morynion drwg wedi canfod colli'r babi yn y nos, ac wedi lladd cenawon bach a thaenu eu gwaed dros wyneb Rhiannon a dillad y gwely. Stori ddychrynllyd i'w hadrodd wrth bobl, heb sôn am blant. Ond dim ond gwragedd a sylweddolai ei gwir erchylltra. Hwy yn unig allai roddi eu hunain yn esgidiau Rhiannon. Fel pe na bai hynny ynddo'i hun yn ddigon o hunllef, cosbwyd Rhiannon ymhellach. Fe'i gorfodwyd i eistedd wrth borth y plas ac adrodd ei throsedd wrth bawb a ddeuai i'r llys. Ac wedi adrodd y stori, roedd yn rhaid iddi gynnig cario'r ymwelwyr ar ei chefn at y ddôr. Dyna oedd y tro athrylithgar. Gwyddai'r storïwr pa mor ddychrynllyd ydyw i wraig gyfaddef iddi golli babi. Ac mae baich yr euogrwydd yn gyfystyr â chludo person o faint llawn ar eich cefn am gryn bellter. Mae'n bwysau sy'n eich llethu.

Ymhen amser, dysgais fyw efo'r dagrau. Roedd yn rhan o'm bywyd dyddiol. O ben bore tan y machlud, byddwn yn crio'n rheolaidd. Ac yn fuan, rhoddais y gorau i geisio'u hatal – hyd yn oed er mwyn Dafydd a Lora. Roedd yr ymdrech i'w celu yn ormod. Bob tro y deuai'r awydd i grio, stopiwn yr hyn a wnawn, eisteddwn, a gadael i'r gofid ddod. Ofer oedd ceisio gwneud dim arall, roedd y tristwch yn dwyn fy egni i gyd.

Beth âi drwy fy meddwl yn ystod y cyfnodau maith o grio? Nid peth dieithr oedd i sesiwn bara am gyhyd â dwyawr. Galaru am fywyd a ddarfu oeddwn i, ac na ddeuai byth yn ei ôl. Crio am fod bywyd bellach yn wybyddus, roedd yr elfen o ddirgelwch wedi mynd, a doedd dim newydd-deb, dim cynnwyrf i ddod mwyach. Fe'i gwelwn yn ymledu o'm blaen yn un llwybr diflas du i ebargofiant. Ond doedd dim rhaid iddo fod yn ebargofiant. Roedd yna farwolaeth a allai atal y cyfan, a allai roi diwedd ar y dioddef.

A dyna pam yr estynnais am y gyllell.

* * *

Pam euthum i'r Lle Eistedd un bore, roedd merch newydd yno, merch ifanc mewn gwisg laes frown, a gwallt brown wedi ei dynnu yn ôl o'i hwyneb. Teimlwn i mi fod yn yr ysbyty gyhyd fel y gallwn gyfarch wynebau newydd.

'Rydych chi'n newydd yma.'

Goleuodd wyneb y ferch.

'Cymraeg ydach chi?'

'Cymraeg ydi'r mwyafrif o'r cleifion, y "management" sy'n Saeson. Be ydi'ch enw chi?'

'Gwladys.'

'O lle dach chi'n dod?'

'Horeb ar y Rhos.'

'Mae'n siŵr na wyddoch chi ddim beth sy'n mynd ymlaen yma.'

'Na wn i.'

'Mi ddowch, yn y man. Peidiwch poeni.'

* * *

Pan euthum i'r garafán, fy ngobaith pennaf oedd y byddai'r crio yn stopio. Dim ond i mi gael seibiant o'r ffraeo dychrynllyd rhwng Dafydd a minnau, a'r straen o ofalu am Lora, a byddwn wedi canfod achos fy nhristwch. Ond ddaru mi ddim, ac roedd y crio cynddrwg ag erioed.

Holl ddiben gadael y garafán a dod i'r ysbyty oedd stopio crio. Wedi'r cyfweliad cyntaf, penderfynodd Dr Keswick a'i bwyllgor helaeth mai'r ffisig gorau i mi fyddai Imipramine, gan gychwyn efo dos fechan 25mg. Roedd ganddynt ofn yn eu calonnau i'm corff adweithio i gyffur arall unwaith eto. Bob yn ail diwrnod, cawn un tabled yn fwy nes 'mod i'n cymryd dau yn y bore a phedwar yn yr hwyr. Roedd honno'n ddos go sylweddol, ac roeddwn innau'n hynod o amyneddgar yn aros iddyn nhw gael unrhyw effaith. Ond ddaru nhw affliw o ddim i stopio'r crio. Byddwn yn mynd i'r ystafell fyw ben bore, yn eistedd i lawr, ac yn dechrau crio. Doedd o'n ddim mwy nag arferiad. Weithiau deuai rhai o'r nyrsys o hyd i mi, a byddent yn derbyn mai un ddagreuol oeddwn i.

Un tro, ro'n i'n eistedd ar y gwely, a thynnais un o gadachau Lora o'm poced. Y rhain oedd y cadachau y byddai'n rhaid iddi eu cael i'w chysuro. Dim ond iddi gael un, a byddai ei byd bach yn gyflawn eto. Mewn ymdrech i gael cyflenwad digonol, ro'n i wedi torri'r cadachau'n chwarteri ac wedi gwnïo hem arnynt. Pan ddois ar draws un yn fy mhoced, torrodd yr argae. Daeth nyrs ataf, rhoi ei braich amdanaf, a gofyn beth oedd yn bod.

'Un o gadachau fy mabi fi ydi o,' meddwn, fel petai hynny'n egluro popeth.

'Hiraeth amdani sydd gennych chi?'

Ysgydwais fy mhen yn nacaol.

'Crio am 'mod i'n fam mor wael ydw i.'

Doedd y nyrs ddim yn deall, ond doedd dim ots. Arhosodd gyda mi nes fod y pwl o grio wedi mynd heibio. Fe ddeuai i ben mor ebrwydd ag y daethai. Mwya sydyn, doeddwn i ddim yn crio, a theimlwn yn wirion.

'Hitiwch befo,' meddai'r nyrs, 'rydan ni i gyd yn teimlo'n wirion o bryd i'w gilydd.'

* * *

Hyn a âi drwy fy meddwl wrth i mi eistedd dros y ffordd i Gwladys. Er bod ei golwg mor ifanc, roedd ei hosgo rywsut yn hen. Crymai ei hysgwyddau, ac roedd yn fy atgoffa o lygoden fach frown wedi mentro allan o'i thwll.

'Ydych chi wedi gweld y doctor eto?'

'Do.'

'Maen nhw wedi eich rhoi ar dabledi, debyg.'

'Dwi ar dabledi ers pan fedra i gofio.'

'A chithau'n edrych mor ifanc.'

'Dwi'n ddeg ar hugain.'

'Tewch.'

'"Acute depression" alwodd y doctor o.'

'Ydach chi'n cytuno?'

'Syrffed fyddwn i'n ei alw. Dyma'r tro cyntaf i mi fod oddi cartref,' meddai Gwladys.

'Ydych chi'n briod?'

Edrychodd arnaf fel petawn wedi holi a oedd ar delerau da efo'r diafol.

'Fi? Nac ydw. Byw adre efo fy rhieni ydw i, yn y Tŷ Gweinidog.'

Gwenais.

'Nid un arall ohonoch chi!'

'Be dach chi'n ei feddwl?'

'Gŵr Bet – gwely 'gosa at y drws – gweinidog ydi o.'

'Pa enwad?'

'Rioed wedi meddwl gofyn.'

'Os mai'r Hen Gorff ydi o, falle y byddwn yn ei nabod.'

'Holwch hi, mae hi'n ddynes hawdd iawn sgwrsio efo hi.'

'Rown i wedi dychmygu y byddai pawb o'u coau yma.'

''Dan ni'n ei guddio fo gorau gallwn ni,' atebais, ond welodd hi mo'r eironi.

Ar fy ngwely y pnawn hwnnw, efo dim ond cadach Lora yn gwmni i mi, mi fûm yn synfyfyrio am hir nes penderfynu y byddwn i'n ceisio unwaith yn rhagor fynd drwy ddorau'r ward, a mynd am dro o amgylch yr ysbyty. Cofiais wisgo fy esgidiau a'm côt, ac euthum â'm bag llaw efo mi. Dywedais wrth y nyrs fy mod yn mynd am dro, a sgwennodd fy enw yn y llyfr. Ro'n i wedi mynd drwy'r sianelau cywir i gyd. Mi gofiais fy esgidiau hyd yn oed ac o'r herwydd mi weithiodd. Fuo 'na ddim ffwdan o gwbl.

Doeddwn i ddim eisiau mynd rownd a rownd

Rhydderch fel roedd eraill yn ei wneud. O fynd am dro, siawns nad oedd llefydd mwy diddorol ar dir yr ysbyty. Euthum i grwydro'r cefnau, lle nad oeddwn i erioed wedi ei weld o'r blaen, ac roedd y golygfeydd o'r mynyddoedd yn anhygoel, a hithau'n ddiwrnod clir, oer.

Fodd bynnag, pan welais ddrws ar agor, euthum drwyddo, a chanfod fy hun ar y coridor maith filltir o hyd oedd yn nodwedd go enwog o'r ysbyty. Rhaid fod y pensaer wedi cael diwrnod go wael pan gynlluniodd o hwn. Doedd 'na ddim cynllun mewn gwirionedd, y cwbl ddaru o oedd tynnu un llinell hir efo rwler, a sticio stafelloedd bob ochr.

O droi i'r chwith, canfyddais fy hun ar hyd llwybr cyfarwydd, ac ymhen dipyn deuthum at yr adran famolaeth. Doeddwn i ddim wedi bod yn agos at y fan honno ers i Lora gael ei geni. Rhyfeddais fod cymaint wedi digwydd ers y diwrnod hwnnw y cafodd ei lapio yn ei dillad ei hun am y tro cyntaf, a chael ei hebrwng gan aelod o'r staff at y car. Y munud y gosodwyd hi yn ei chadair, doedd gan yr ysbyty ddim cyfrifoldeb pellach amdani. Ni oedd yn gyfrifol bellach, a'n bai ni – nid bai yr ysbyty – ydoedd, pe digwyddai unrhyw beth iddi.

Yna, wrth weld y merched beichiog yn dod i mewn, cofiais gymaint o ofn oedd gan Dafydd a mi pan ddaru ni gyrraedd yma ar gyfer yr esgor. Doedd gan yr un ohonom y syniad lleiaf beth oedd o'n blaenau. Llawn gwell, neu byddem wedi rhedeg allan drwy'r drysau fel shot. Mae anwybodaeth yn fendith weithiau.

Mae'n dal fel ogof dywyll y mae gen i ofn mentro'n ôl iddi . . .

Beth yn y byd oeddwn i'n ei ddisgwyl? Roedd o hyd yn oed yn ein rhybuddio yn y Beibl mai mewn poen oedd gwraig yn esgor ac mai dyna oedd ei chosb am fod y gyntaf o'i rhywogaeth wedi derbyn afal gan neidr. Ond, fel cymaint o bethau eraill, mi gymerais mai chwedl oedd hon, ac nad oedd hi'n wir bellach. Roedd ein byd dewr newydd wedi concro pob gofid ac ofn.

Fy nhorri yn fy hanner ddaru nhw, un hanner i'w daflu i'r byd mawr, a'r hanner arall i'w gadw. Yn y modd hwn, ro'n i'n dal i allu teimlo'r boen. Rhaid i hyn fod er mwyn i'r hil barhau. Ond y boen, y fath boen . . . Nid dyma oedd i ddigwydd, roedd hi i fod yn ddefod sanctaidd. Ro'n i am alw'n dyner arno i ddod allan i'r byd mawr i chwarae, a rhywsut, rhywfodd, byddai'n llithro ohonof, yn cael ei lapio mewn siôl wen, ac yn gwenu'n angylaidd arnaf. Nid 'mod i wedi gweld geni go iawn, ond dyna sut yr ymddangosai mewn ffilmiau. Mewn ffilmiau, fydden nhw ddim yn dangos y gwaed, byddai'r sŵn yn rhyw waedd uchel, a dyna hi.

Ond roedd hyn wedi para ers hydoedd. Ro'n i wedi colli cyfrif ar yr oriau, ac roedd y cyfan wedi mynd yn ormod. Doedd dim nerth ar ôl yn fy nghorff. Dwi ar fy nghefn, ac mae llaw yn tyrchu i mewn i mi, yn ddyfnach, ddyfnach. Popeth oedd yn gyfrinach i mi erioed, mae hwn yn eu bodio, ac yn eu drysu. Mae'n cyrraedd rhyw ben draw a dwi'n griddfan fy mhoen. Maen nhw'n ceisio fy ngwthio dros y dibyn.

'Gwthiwch! Gwthiwch!' meddan nhw, ond does dim yn digwydd. Does dim byd i'w wthio. Rydw i'n trio fy ngorau ond dydi hynny ddim yn ddigon da.

Yn y diwedd, mae'r ymdrech yn ormod, a rydw innau eisiau gadael y corff hwn. Yn noeth, yn flinedig, yn llawn cyffuriau, rydw i'n ildio a gadael iddynt wneud fel a fynnont. Unrhyw beth, er mwyn i'r artaith ddod i ben yn gynt. Yn sydyn, mae'r seiren yn canu, mae pethau yn amlwg o chwith ac mae pawb yn prysuro. Dydyn nhw ddim mewn rheolaeth bellach, ac mae gen i ofn. Os na wyddan nhw beth i'w wneud, does fawr o obaith . . .

Does neb yn smalio mwyach, mae'r panig yn lledu'n gyflym. Mae'r olwynion oddi tanaf yn symud yn chwim, o'r golau, drwy ddrysau sy'n agor, troi, i'r chwith, i lawr ceubwll, troi, drwy ddrws arall, yn gynt a chynt. Ar fy nghefn, fedra i weld dim byd, dim ond y goleuadau ar y to. Mae'r olwynion yn peidio, ac rydw i dan olau llachar unwaith eto.

'Rydym am eich codi chi, gofalus rŵan . . . Rydan ni am roi pigiad i chi . . . bydd popeth yn iawn . . . ' Doeddwn i ddim eisiau pigiad, ond waeth befo. Nid fi sy'n rheoli'r corff 'ma mwyach. Mae o'n drwm a thu hwnt i'm rheolaeth.

'Triwch eistedd . . . inni roi pigiad yn eich cefn.' Does dim esgyrn yn fy nghorff i'm cynnal, ac rwy'n syrthio'n flêr i'r ochr arall. Dydw i'n ddim amgen na doli glwt.

'It's too much for her,' clywaf rhywun yn dweud. Daw breichiau o rywle i'm cynnal a theimlad o boen yng ngwaelod fy nghefn. Diffoddodd popeth a fedrwn i weld na chlywed dim. Gallu teimlo'n berffaith, teimlo symudiad yn fy ymysgaroedd. Roeddan nhw'n chwilio'n brysur am rywbeth ac yn methu ei ganfod. Dan fy arennau, uwchben fy asgwrn cefn, yn is na'm hasennau. Rhaid ei fod o'n rhywbeth pwysig iawn . . . Yn y diwedd, maent yn cael gafael arno, ac maent yn gadael llonydd i'm corff. Mae'r tyrchu a'r byseddu yn peidio. Cawsent yr hyn a geisent.

Llef a glywaf gyntaf, ond does dim corff i gynnwys y llais. Dim ond ei glywed ydw i – o bell, a fedra i ddim rhoi ffurf iddo. Aiff munudau heibio, ac mae'r boen a'r euogrwydd yn cynyddu. Beth aeth o'i le? Pwy aeth â fo? Pam na chaf i o? Wrth agor fy llygaid, gwelaf ddwylo sydd yn perthyn i mi yn crynu yn afreolus. Mae Dafydd yno, ac mae bwndel gwyn yn cael ei roi iddo fo. Mae o'n gwenu ac yn dangos y bwndel i mi.

'Dach chi wedi cael hogan,' meddan nhw.

A'r eiliad honno, fe wawriodd arnaf. Roedd y chwiw wedi mynd yn llawer rhy bell. Ro'n i wedi ei gwneud hi rŵan. Ro'n i wedi cael hogan.

Roedd gan y bwndel wyneb, wyneb babi a'r llygaid wedi eu gwasgu'n dynn.

'Oes ganddi lygaid?'

'Oes.'

'Dydi hi'm yn ddall?'

'Nac ydi . . . mae popeth yn iawn.'

Ochneidiais.

'Rho gusan iddi,' medda Dafydd, ac ufuddheais. Nid fel hyn oedd pethau i fod. Ro'n i wedi breuddwydio am deimlo cyffyrddiad ei chroen esmwyth ar fy mron noeth, am brofi cariad anfesuradwy yn dygyfor ohonof, am ei gweld yn sugno'n reddfol a theimlo'n gyflawn fel gwraig. Gadewais y stafell esgor wedi fy hollti'n ddau.

A dwy ran ydw i wedi bod ers hynny. 'Hanner a hanner heb ddim yn iawn', tydw i ddim y person oeddwn i, a fedr hi ddim gwneud hebof. Dydw i ddim yn fi'n hun yn gyflawn rŵan, a mae hi wastad yng nghefn fy meddwl. Neu reit yn y ffrynt, fel mae'n digwydd bod. Ddychmygais i erioed y byddai gofalu am blentyn yn gymaint o gyfrifoldeb.

'Pam na fyddech chi'n dweud?' gofynnais i fy mam. 'Pam na fyddech chi'n dweud mor erchyll oedd yr enedigaeth?'

'Mae'n wahanol i bawb,' oedd ateb Mam. Dyna ddywedodd ei mam hi wrthi, a dyna'r neges oedd hi'n ei phasio mlaen i'w merch.

'Rydw i am fod yn fwy gonest,' meddwn yn benderfynol. 'Dwi'n mynd i rybuddio pawb mor gwbl gyntefig ydi o.'

Ond ddaru mi ddim. Pan ddaeth cyfeilles feichiog ataf

a gofyn sut brofiad oedd o go iawn, gwenais yn glên a
dweud,

'Fyddi di'n iawn, wyddost ti, does dim angen poeni.'
Dyna sut mae'r celwydd yn parhau.

'Ydach chi'n disgwyl rhywun?' gofynnodd nyrs
wrthyf, gan dorri ar draws fy meddyliau.

'Nac ydw,' meddwn i, a chodi i fynd.

Pwy feddyliai y byddai un ward yn dod â myrdd o
atgofion yn ôl i mi? Ond wedi meddwl, claddwyd hanner
ohonof yno, felly does ryfedd ei fod yn golygu cymaint i
mi.

Pennod 12

'Ydi Carneddi yn bell o fan hyn?'

'Nac ydi, jest dros y mynydd.'

'Dwi bron â dal bỳs dri.'

Mrs Prichard oedd wrthi. Gadael iddi fwydro am fynd adra fyddwn i. Roedd yna gysur rhyfedd yn y peth, a chysondeb. Cyn belled â bod Mrs Prichard yn ei chornel yn mwydro am Fethesda, roedd popeth yn iawn yn y byd. O bryd i'w gilydd, roedd modd cael sgwrs efo hi. Sgwrs nytar wrth gwrs, ond roedd hynny'n well na 'run sgwrs o gwbl.

'Sut gwyddoch chi am C'neddi?' gofynnodd.

'Jest gwybod.'

'Ydych chi ar eich ffordd yno?'

'Dim heddiw.'

'Fasach chi'n nabod tad Jini Bach Pen Cae?'

'Ddim felly . . . ' meddwn, a wedyn fydda hi awê. Adroddai gofrestr maith o enwau oedd yn golygu rhywbeth iddi hi, hen gydnabod decinî, yn union fel tase hi'n adrodd salmau o lyfr ffôn Dyffryn Ogwan.

'Now Gwas Gorlan, Tad Wil Bach Plisman, Harri Bach Clocsia, Leusa Tŷ Top, Bob Car Llefrith, Cêt Rhesi Gwynion, Ffranc Bee Hive, Yncl Now Moi, Preis Sgŵl, Meri Eirin, Gruffudd Ifas Braich, John Morus Cerrig Bedda . . . '

Fydda 'na ddim stop arni, a byddwn i wedi mynd yn

angof. Roedd ei meddwl ar goll yn crwydro strydoedd Bethesda, yn curo drysau pobl oedd wedi eu hen anghofio neu wedi marw. Doedd gen i ddim clem pwy oeddan nhw ar y dechrau, ond roedd hi wedi adrodd eu henwau gymaint o weithiau, roeddwn wedi dod i'w nabod yn reit dda. Falla mai dyna sut y bydd y cof amdanynt yn parhau. Pan fyddai Mrs Pritchad yn marw ar ganol adrodd y Gofrestr, gallwn innau barhau i'w hadrodd . . .

Pan fyddwn wedi hen syrffedu ar ei phaldaruo, byddwn yn torri ar ei thraws.

"Dan ni ddim yn eu 'nabod nhw . . . '

Byddai hyn yn ddigon o sioc i'w hysgwyd o'i llesmair. Troi ataf gyda'i llygaid treiddgar ac edrych arnaf fel petawn yn wallgof.

'Dim un ohonyn nhw?'

'Dim un.'

'Ond mi fasach chi'n siŵr o nabod Gwen Allt Bryn?'

'Faswn i?'

'A Nel.'

'Dim obadeia, mae'n ddrwg gen i.'

'Chwaer Wil Bach Plisman ydi Nel. Efo Nel a Gwen fyddwn i'n gweithio. Nhw oedd morynion y Ficrej.'

Doedd ganddi 'run sgriw yn sownd. Pan fyddwn i'n colli diddordeb ynddi, byddai'n dechrau canu emynau, a byddai hynny'n mynd ar fy nerfau yn fwy na dim.

Clywais y drws yn agor ac olwynion y troli yn dod i mewn. Tase hi'n unrhyw ward arall, fasan nhw'n dod i mewn efo paned pnawn, ond doedd y fath wasanaeth ddim i'w gael yn Rhydderch. Troli Drygs oedd yn dod rownd fan hyn, i'n cadw ni gyd o'n coua. Fydda 'na drafferth efo Mrs Prichard a'r Troli Drygs bob dydd.

'*Medication, love,*' medda nyrs wrtha i a rhoi ryw gwpan bach i mi. Doeddan nhw ddim yn cyffwrdd y tabledi efo'u dwylo rhag ofn iddyn nhwtha fynd o'u coua hefyd. Wedi sicrhau ein bod wedi eu llyncu, rhoddent ddiod o ddŵr i ni, ac ymlaen â'r Troli. Doedd petha ddim mor syml efo Mrs Prichard.

'Who have we got here?' Roedd hon yn dacteg beryg achos roeddech chi'n dibynnu ar y cleifion i ddeud y gwir pwy oeddan nhw.

'She's Mrs Prichard,' meddwn i. *'She doesn't take her tablets.'* Jest meddwl y byddwn i'n deud – i neud pethau'n haws.

'We'll see about that,' medda'r hogan, efo rhyw benderfyniad sadistaidd yn ei llais.

'Gwen Allt Bryn?' gofynnodd Mrs Prichard wrth y nyrs.

'Nyrs newydd ydi hi,' meddwn i, fel taswn i'n cyfieithu rhwng y ddwy.

'O lle dach chi'n dod?'

'She's asking where you're from.'

'That's none of your business. Now here's your medication.'

'O Fangor mae hi'n dod. Fasach chi ddim yn ei nabod hi. Cymrwch y tabledi.'

'Dydw i ddim eisio nhw. 'Dydw i ddim yn sâl.'

'She doesn't want them. Says she's not ill.'

'Come on now, I haven't got all day.'

'Os na chymrwch chi nhw, mae hi'n mynd â chi at y polîs.' Roedd rhaid i minnau gael fy hwyl.

'Falais i ffenast Rheinws . . . Glywsoch chi be ddigwyddodd i Wil 'y Mrawd?'

'Mrs Prichard . . . I haven't got all day.'

'Leave them on the table. She'll take them later on.'

'That's against the regulations.'

Duwch, faswn i'n fodlon eu llyncu tase hi'n dod i hynny – i arbed Mrs Prichard rhag cael drwg.

'Gadewch lonydd i mi newch chi, hogan bowld.'

Anwybyddu hynny oedd ora. Smalio fod yr offer cyfieithu wedi torri.

'Gadwch lonydd i mi!' Roedd hi'n harthio yn wyneb y nyrs.

'What is she on about?'

'She just wants to be left alone.'

'We've a busy schedule, Mrs Prichard. I can't stand here all day. Now take your tablets.'

Gafaelodd Mrs Prichard yn y gwpan a lluchio'r tabledi ar lawr.

'That's very naughty, that's very very naughty,' medda'r nyrs. *'You're in big trouble now, you naughty, naughty girl.'*

''Randros, *leave her alone,'* meddwn i wedi gwylltio. *'She's old enough to be your grandmother.'*

'And you can shut up as well,' medda hi wrtha i, yn gandryll, a ffwrdd â hi efo'r Troli Drygs.

'Pwy oedd yr hoedan bowld 'na, dudwch?' gofynnodd Mrs Prichard wedi iddi fynd.

'Nyrs Tabledi.'

'Mewn hospitol ydan ni?'

'O ryw fath.'

'Be sy'n bod arnon ni?'

''Dan ni o'n coua.'

'Fatha Em,' medda hi.

'Pwy?'

'Em. Brawd mawr Now Bach Glo.'

'Siŵr o fod.'

'Sobor o beth.'

Rhaid 'mod i wedi ypsetio wedi hynny, achos dyma fi'n dechra crio. Ro'n i'n meddwl 'mod i'n gallu crio'n ddistaw heb i neb sylwi, ond doeddwn i ddim.

'Dach chitha'n ddigalon,' meddai, a'i llais yn addfwynach.

'Ydw. Fedra i ddim stopio crio.'

'Oes gynnoch chi blant?'

'Dim ond un hogan bach,' atebais, gan chwythu 'nhrwyn.

'Efo hogia mae traffarth. Tacla drwg ydyn nhw.'

'Oes gynnoch chi rai?'

'Mi fuo gen i – tri. Ond mi aethon nhw i gyd, ar ôl gwneud dryga. Dach chi'n gneud eich gora iddyn nhw, a dyna sut maen nhw'n talu'n ôl i chi.'

Dechreuais grio mwy wedyn, yn meddwl – ac yn gwaredu – cymaint o ofid a ddeuai i ran mam wrth i blant dyfu a chambyhafio.

Gofynnodd Mrs Prichard y cwestiwn amlwg,

'Pam na wnawn ni ddianc o'ma?'

'I lle fasa ni'n mynd?'

'Bethesda, 'te?' Dyna oedd ei hateb hi i bob problem. Dychwelyd i Fethesda a mi fydda pob dim yn iawn.

Pan ddeuthum ataf fy hun, gwnes baned i Mrs Prichard a minnau, ac wrth basio'r ward sylwais fod y cyrtans wedi eu hagor rownd gwely Heledd, yr Hogan Tu Ôl i'r Cyrtans. Fydden ni byth yn ei gweld, o un pen diwrnod i'r llall. Roedd hi fel tasa hi'n byw mewn oes wahanol i ni. Roedd y styrbans yn y nos yn fy sicrhau ei bod yn dal o gwmpas, ond roedd hi fel tase hi'n diflannu yn y bore. Ddaru mi ddechrau meddwl mai yn fy nychymyg i oedd hi, ond tase'r gwely yn wag, fasa'r cynfasau wedi eu tynnu. Roedd rhyw bethau'n perthyn iddi o gwmpas y lle, ac roedd y cyrtan wedi ei gau fel rheol. Roedd Bet yn credu mai mynd i'r uned losgiadau i gael triniaeth oedd y g'radures.

Lle roedd Bet heddiw? Doeddwn i ddim wedi cael sgwrs iawn efo hi ers tro. Ofnwn fod ei chyflwr yn gwaethygu, fe'i câi yn anos bob dydd i godi a chanfod y nerth i wynebu diwrnod newydd. Fel cysgod angau, daeth Gwladys atom ac eistedd yn y gadair wrth y ffenest. Doedd hi fawr o gwmni. Edrychais arni'n esmwytho'i sgert, ac yn croesi'i fferau. Byddai'n eistedd felly heb symud gewyn tan amser cinio yn awr, ei meddwl yn crwydro 'mhell, a'i llygaid yn llawn galar. Beth oedd ei chroes hi? Be barodd i'w byd bach chwalu, a hithau'n dal yn ferch ifanc a'i bywyd o'i blaen? Tase hi 'mond yn gallu siarad, gallem rannu ein gofidiau, a dod i nabod ein gilydd. Ro'n i wedi meddwl y gallai Bet ddod yn ffrindiau efo hi, ond doedd Bet ddim mewn cyflwr i helpu neb ar hyn o bryd.

A dyna Monica wedyn yn ei gwely, yn malio botwm corn am neb na dim, yn llawn chwerwedd at fywyd, ac yn araf bydru yn ei gwely. Beth yn y byd oedd am ddigwydd iddi? Er fod mur rhyngom, roeddwn yn dal i deimlo ei bod yn gallu ein gweld; deuthum i arfer efo'i phresenoldeb, fel camera yn cofnodi pob agwedd o'n bywyd. Pwy ar y ddaear allai achub Monica? Oedd hi eisiau cael ei hachub? Fedrwn i ddim gweld fod unrhyw waredigaeth iddi.

Am gwmni i fod ynddo. Roedd hyd yn oed Mrs Prichard wedi peidio parablu. Roedd fel tipian cloc yn gyson yn y cefndir, ond wedi iddo ddistewi roedd rhywbeth ar goll. Wedi cael ei styrbio yr oedd am fod y Nyrs Tabledi wedi bod mor gas wrthi. Doedd hi ddim yn debyg o ddod ati ei hun tan y nos. Edrychais ar y cloc. Yr oedd awr a hanner arall tan amser cinio. Roedd hwn am fod yn fore hir iawn.

Mrs Prichard ofynnodd y cwestiwn callaf ydw i wedi ei glywed ers dod yma. Pam na fydden ni'n dianc? Fydd yna ddiwrnod pan gawn ni'n rhyddhau? Am ba hyd fyddwn ni yma? Ddaw rhai ohonon ni o'ma fyth?

Wrth feddwl am drefn y dydd, y boreau oedd yr amser anoddaf, yr awr fach honno rhwng cwsg ac effro. Er i'r dyddiau fynd rhagddynt ac i minnau ymgyfarwyddo â'r lle (ddaru mi rioed 'setlo'), byddwn yn anghofio wrth gysgu. Golygai hyn y ddefod ddyddiol o ail-sylweddoli lle roeddwn, a doedd hynny ddim mymryn haws fis neu mwy wedi dod yma. Yr un syrffed chwerw ddeuai drosof fel ton bob bore. Ro'n i wedi cyrraedd y gwaelod. Ar foreau gwaeth na'i gilydd, byddwn yn gorwedd yno, yn methu symbylu fy hun i symud. Ond gwyddwn na ddeuai neb i'm helpu. Waeth pa fore ydoedd, gwawriai arnaf os oedd rhywun am fy helpu, am fy nghodi, mai fi fy hun oedd y person hwnnw. Doedd neb arall yn mynd i gario fy meichiau. Falle mai dyma'r wers yr oeddent yn ceisio ei dysgu i ni. Byddai 'Glaf, iachâ dy hun' wedi bod yn arwyddair addas uwch ben y brif ddôr, achos doedd 'na affliw o neb arall yn mynd i wneud. Ac oni fyddwn yn codi a gwneud yr ymdrech arwrol i fynd i'r ystafell molchi, byddwn yn raddol ddirywio i fod fel rhai o'r Nytars Tu Hwnt i Obaith oedd yn y lle 'ma. Dim ond un ffordd oedd wedi i chi gyrraedd fan'no, a Lawr oedd honno.

Yn araf iawn felly, byddwn yn codi, yn estyn fy mag molchi o'r cwpwrdd, a'r tywel wrth draed y gwely, ac yn cerdded i lawr i'r stafell molchi. Ystafell anferth ydoedd gyda bath a lle chwech a dysgl molchi efo adnoddau i bobl anabl oedd yn edrych fel offer arteithio. Roedd yna rai yn protestio'n groch o gael eu gorfodi i gael bath, a byddech yn clywed eu nadau o bell fel mochyn ar fin cael ei ladd. Byddwn yn gwagio fy mhledren, yn gosod y bag molchi i lawr, yn molchi trosof, ac yn eistedd ar ochr y bath ac yn dechrau crio. Pam oedd y weithred syml o folchi yn achosi i'r dagrau ddechrau, ddaru mi rioed ddeall ond, wedi dod ataf fy hun, byddwn yn golchi fy wyneb drachefn, ac yn cerdded yn ôl at y gwely. Rhyw awr arall i aros tan amser brecwast, gan wylio gwahanol ferched yn codi ac yn mynd drwy'r un ddefod eu hunain.

Fyddai yna fawr o siarad yn y bore. Roedd hi'n debyg iawn i leiandy.

Y gwahaniaeth mawr efo lleiandy oedd y byddai pawb yn fodlon ei byd. Byddent yn codi a'u calonnau yn llawn cariad a gobaith a diolchgarwch, ac yn penlinio mewn gweddi am fore arall. Fydden nhw? Roedd unrhyw drefn gaeedig yn ddirgelwch i mi. Fedrwn i ddim dychmygu neb yn wirioneddol hapus mewn trefn o'r fath. Diau fod llond gwlad o leianod yn difaru iddynt dyngu llw o ffyddlondeb i Grist yn nyddiau ffôl eu hieuenctid delfrydgar, ond yn gwybod nad oedd dihangfa. Yn ofni bywyd arall gan mai hwn oedd yr unig un y gwyddent amdano. Ond yn gwaredu deffro i ddiwrnod newydd o ynau du, wynebau syber a gweddïo dibaid. Wyddai neb, achos doedd neb yn lleisio eu diflastod. Falle bod lleiandai'r wlad yn llawn cynnen a thrwbwl a ffraeo wrth i'r holl rwystredigaethau hyn ddod i'r amlwg, ond bod rhaid iddynt gadw'r cyfan yn dawel er mwyn cyflwyno delwedd sanctaidd. Pwy ŵyr?

Pennod 13

'Ddaru mi darfu arnoch chi diwrnod o'r blaen 'to . . . '
meddai Monica'n annisgwyl. Nid gofyn oedd hi, ond
dweud, fel tase hi wedi cael buddugoliaeth drosof.

'Am be ydach chi'n sôn, deudwch?'

'Pan soniais nad oedd pobl yn hapus mewn priodas.'

'Mae gan bawb adegau o hapusrwydd y gallan nhw
edrych yn ôl arnyn nhw,' meddwn i.

Ro'n i'n digwydd credu hynny go iawn. Wrth gredu
fod popeth rhyngof i a Dafydd wedi marw am byth, cawn
gysur o gofio amseroedd pan nad oedd pethau mor
dywyll. Byddwn yn eu tynnu allan fesul un fel gwraig yn
mynd drwy ei chist o dlysau. Roedd pob un yn em bach
o hapusrwydd, yn sgleinio yng nghanol y tywyllwch
presennol.

Dyna'r tro cyntaf y gwelais o – ar daith gerdded, ac
roedd o'n newydd ymysg y criw. Ymddangosai'n
gyfforddus efo fo'i hun, yn rhadlon, pryd tywyll, locsyn,
ac yn cael amser da. Roedd o'n gymar i Gwenlli ar y pryd,
felly ddaru mi ddim meddwl amdano mewn termau
rhamantaidd. Dros fwyd wedyn, mi fuon ni'n siarad, a
siarad y buom, siarad a chwerthin, a welson ni mo'n
gilydd wedyn am dros chwe mis. Ond, mewn rhyw barti,
dyma ni'n cyfarfod eto, ac erbyn hynny doedd pethau
ddim yn hapus o gwbl rhyngddo fo a Gwenlli, a mi
wnaeth yn amlwg ei fod o wedi cymryd ataf. O fewn

blwyddyn, roedden ni'n byw efo'n gilydd, a chwe mis yn ddiweddarach roedden ni wedi priodi.

Fe'i gwelaf yn awr yn plygu dros y balconi yn ein llety yn Tallinn. Mae o'n chwerthin yn ddireidus, ac yn amlwg uwchben ei ddigon. Cawsom daith chwe mis yn crwydro Dwyrain Ewrop, dau dramp bodlon yn crwydro strydoedd dinasoedd estron, ac yn cael ein gwala o hanes a rhyfeddodau.

Tu allan mae o amlaf yn f'atgofion . . . yn brysur yn yr ardd yn plannu, yn chwynnu, yn tocio. Mae'n ymroi'n llwyr i'r tasgau hyn, efo difrifoldeb sant a llawer mwy o amynedd na mi.

Darlun arall sydd gen i ydi'r un ohono wedi ymgolli'n llwyr mewn llyfr yn ei hoff gadair o flaen y tân. Dyna rywbeth arall mae o'n ei wneud efo angerdd. Faswn i ddim wedi gallu priodi dyn gwastad . . .

Ac mae gen i sawl atgof ohono ar ein gwyliau gwersylla, yn stwna o gwmpas y babell, neu'n llonydd, llonydd ar lan llyn yn synfyfyrio.

Anodd gen i gredu inni gael mwy na'n siâr o drafferthion domestig. Bu pethau'n anodd pan benderfynodd adael y cwmni roedd o'n gweithio iddo a mynd yn bensaer ar ei liwt ei hun – roedd yn fyr ei dymer, ac roedden ni'n poeni am gael dau ben llinyn ynghyd. Ond pasio ddaru hynny. Yn wir, tan geni Lora, mi ddeudwn i ein bod ni'n gallu dal ein gafael ar yr hud cyntaf hwnnw ddaru ein denu at ein gilydd.

Ai fi chwalodd y cydbwysedd hwnnw rhyngom, trwy hiraethu am fabi?

Pe na bawn wedi colli'r cyntaf, a fyddai bywyd wedi bod yn wahanol? Dwi'n siŵr y bydden ni wedi bod yn ddigon hapus, dim ond Dafydd a fi, ond byddwn i wastad wedi teimlo fod rhwybeth ar goll. Ond doedd bywyd byth . . . byth byth byth i fod i ddigwydd fel hyn.

Nid fel hyn y cynlluniais y sgript.

Cofiaf yn gwbl glir pryd y chwalodd pethau. Yn y gawod yr oeddwn, ac mae fanna yn lle od i gael chwalfa. Ro'n i wedi dechrau cymryd y tabledi, ac yn ceisio ymdopi, pan wawriodd y cyfan arnaf. Roedd fel llen yn disgyn oddi ar fy llygaid wedi i mi fod yn gwbl ddall. Sylweddolais am y tro cyntaf oblygiadau'r hyn a wnaethwn drwy genhedlu. Rhoddais waedd, gwaedd annaearol, gwaedd a'm siglodd hyd eithaf fy mod.

Nid babi a gefais go iawn, ond merch. Nid babi dol ddel i chwarae â hi ydoedd, ond plentyn o gig a gwaed. Fel yr oedd pawb wedi dweud drosodd a throsodd wrthyf, 'Gwnewch yn fawr o'r cyfnod 'ma. Dydyn nhw ddim yn fabis am hir.' Ac wrth ddweud hyn, roedd golwg mor drist yn eu llygaid, yn enwedig yr hen ferched. Roedd eu llygaid yn tywyllu, ac roedd y tristwch mwyaf enbyd i'w ganfod ynddynt.

Ni phrofais ddyddiau tebyg i'r rheini wedi dod allan o'r ysbyty. Buan iawn yr aeth Dafydd yn ôl i'w waith, a'm gadael yn gyfangwbl ar fy mhen fy hun. Fi a Lora, ynghlwm wrth fy mron, a'm coesau yn gwbl anabl i symud. Awr o fwydo, rhoi Lora yn ei chrud, a byddai cloch y drws yn canu. Cymdogion, teulu, ffrindiau, a phobl nad oeddwn yn eu nabod hyd yn oed yn cerdded i'm tŷ fel tase ganddyn nhw hawl dwyfol 'i weld y babi'. Doedd gen i mo'r awydd lleiaf i'w gweld. A byddai pawb yn aros ac yn aros ac yn aros, a'r unig beth fedrwn i feddwl amdano oedd mor braf fasa cael cysgu. Pan oedd y stafell fyw yn llawn, byddwn yn ystyried sleifio ymaith i gysgu efo Lora a gobeithio na fyddai neb yn gweld fy ngholli.

Os byddai Lora yn cysgu, yna roedd rhaid aros yn hwy nes y byddai'n deffro. Roedd y syniad o adael 'heb ei gweld' tu hwnt iddynt. Weithiau byddwn yn ei dangos yn cysgu yn ei chrud, ond byddent yn gwirioni fwy byth wedyn ac yn mynd yn ecstatig wrth ddychmygu cael ei dal. Ymhen hir a hwyr, byddai Lora'n rhoi gwaedd, a byddai'r tempo i gyd yn newid. Byddai'r tŷ yn deffro drwyddo. Byddai'r merched swrth yn sythu, byddai rhyw edrych ymlaen dychrynllyd yn eu llygaid, fel plant bach ar fin cael jeli. Ond doedd gan Lora ddim rhithyn o ddiddordeb mewn ymwelwyr; un peth oedd ar ei meddwl hi, a bwyd oedd hwnnw.

Rhaid oedd mynd drwy'r embaras o ddadwisgo o flaen eraill, a bwydo Lora wrth ymdrechu i actio'r ddelwedd o fam fodlon. A drachefn, byddai 'nhraed mewn cyffion. Weithiau, byddai Lora'n fy mrathu'n giaidd a byddwn innau'n gwylltio. A'r munud roedd hi oddi ar y fron, deuent ataf, a'i chymryd oddi arnaf, gan ddweud fod ganddynt gan mlynedd o brofiad 'dod â gwynt'. Brensiach, roedd ddigon â gyrru unrhyw un i seilam.

Ond pan na fyddai neb yno ond Lora a mi, teimlwn yn unig ddychrynllyd, ro'n i eisiau i rywun ddod i gadw cwmni i mi ac, wrth gwrs, y troeon hynny, fydden nhw byth yn dod . . .

Ambell waith, teimlwn fel Eira Wen, yn gaeth yn ei bwthyn efo dim ond corrach bach (bach) yn gwmni ac yn gwbl ddibynnol arnaf. Yna, byddai hen wreigen yn galw heibio ac yn dymuno gweld y babi bach. Byddai'n edrych arno am amser maith a gwyddwn y sgript erbyn hynny,

'Babi tlws.'

'Mae hi werth y byd.' (Roedd hi'n anarferol o dlws, rhaid dweud.)

'Beth ydi ei henw hi?'

'Lora.'

'Lora fach . . . gwyn dy fyd di. Ŵyr neb beth sydd o dy flaen yn y byd mawr creulon 'ma.' Byddai ias yn mynd

101

lawr fy nghefn o glywed pethau fel hyn.

Ac yna, byddai'n troi ei sylw ataf i.

'Sut mae pobl yn gallu bod yn greulon wrth fabis bach, deudwch? Maen nhw mor ddiniwed.' Ac yna'r cais,

'Gaf i afael ynddi?'

Roeddwn yn casáu'r rhan hon o'r ddefod. Achos dim cwestiwn oedd o, ond gosodiad. Fyddai wiw i chi wrthod, rhag ofn iddynt eich melltithio chi a'r babi, a hyd yn oed wrth ofyn y cwestiwn, roedd ganddynt freichiau agored ac roeddent eisoes wedi gafael ynddi. Ofnwn gadw fy ngafael ar Lora rhag ofn iddi gael ei rhwygo neu falu yn dipiau mân. Y funud y byddai'r babi yn eu côl, roedd fel agor caead ar lond gwlad o atgofion,

'Dwi'n cofio fy rhai i . . . ' a byddai'n rhaid gwrando wedyn ar litani o ffeithiau, faint oedd eu babi yn bwyso, pryd daeth y dant cyntaf, faint o gwsg a gaent, pryd y gwenodd gyntaf, maint eu pryder, eu hofnau a'u gobeithion nes 'mod i'n dechrau poeni 'mod i wedi fy ngwreiddio i'r ddaear ac na chawn i fyth wared ar y wrach.

Yn y diwedd, byddai'n dychwelyd fy mhlentyn i mi, ac yn dweud yn gwbl ddidwyll,

'Gwnewch yn fawr o'r amser yma, dydyn nhw ddim yn fabis yn hir.'

Gyda hyn, diflannai'r wraig, ac roeddwn i'n ôl yn fy nghadair, a Lora yn ailddechrau bwydo. A byddwn yn ymdrechu i'r eithaf i 'wneud yn fawr o'r amser yma'. Yr amser pan oeddwn yn fwy blinedig nag oeddwn i erioed wedi bod, yn fwy rhwystredig, yn fwy syrffedus, ac yng nghefn fy meddwl roedd yr ofn mawr mai dirywio fyddai popeth wedi hyn.

Oedd, roedd Lora fach yn ddel, ond doedd hi'n fawr o gwmni. Sugnai fy llaeth, ond wrth iddi wneud teimlwn ei bod yn sugno pob nerth o'm corff yn ogystal. Doedd dim pall ar ei hangen, doedd dim modd ei boddhau. Fy unig ddymuniad oedd ei chadw'n fodlon, ond byddai rhyw dramgwydd dragwyddol. Sut oedd atal ei dagrau? Pa mor bell yr awn i cyn gadael i'm dagrau ddechrau llifo? Pan elai'r byd yn drech na'r ddwy ohonom, y peth gorau oedd rhoi clep ar ddrws y tŷ, a mynd allan i'r byd mawr. Gadael y lle a'i ben i waered, y gwelâu heb eu gwneud, y llawr heb ei sgubo, y bwyd yn dal yn y cwpwrdd, ac allan â ni. Ond, cyn sicred â dim, byddai hen wreigen yn neidio o'r cloddiau ac yn fy atal rhag mynd ymhellach. Eisiau gweld y babi, eisiau gwybod yr enw, eisiau gwybod ei phwysau, eisiau gwybod pob manylyn bach, a byddai'n rhaid i mi aros yno nes clywed y felltith.

'Gwnewch yn fawr ohoni. Tydyn nhw ddim yn fabis yn hir.'

Ac wedi clywed hynny hanner dwsin o weithiau gan hanner dwsin o hen wragedd gwahanol, byddai Lora a minnau yn troi am adre, achos ni fedrem oddef rhagor o styrbans.

A thra byddaf byw, mi gofiaf y waedd yn y gawod. Wedi llawn sylweddoli beth oedd ystyr y felltith, sylweddolais mor frau oedd amser wedi'r cyfan. Nhw oedd yn iawn. Tyfu mae babis bach. Mewn blwyddyn, byddai Lora wedi peidio â bod yn fabi, roedd hi'n newid bob dydd yn awr. Byddai'r dwylo bach bach y gwirionwn gymaint arnynt yn peidio bod yn ddyrnau tew, byddai ei bochau yn troi yn siap arall. Dan fy nhrwyn, byddai rhyw drawsnewidiad rhyfedd yn digwydd, a chyn i mi sylweddoli, byddai fy merch fach yn dair. Byddai'n mynd i'r ysgol, yn fy ngadael, yn rhedeg i ffwrdd, ac ni fyddai fy angen i mwyach. Byddai ganddi ei ffrindiau ei hun, byddai'n mynd i'r ysgol uwchradd, byddai'n gwrthryfela yn fy erbyn ac yn dweud pethau cas. Merch ifanc fyddai hi, yn llawn edrych ymlaen at y dyfodol, a byddwn i wedi fy nghaethiwo'n dragwyddol i'w hanghenion. Ond darparwr fyddwn i, adref yn poeni, yno i lyfu ei briwiau pan fyddai ei byd yn deilchion. Byddwn i'n araf ddihoeni, ond megis dechrau fyddai ei bywyd hi, a phopeth i edrych ymlaen ato. Gwaeddais nerth esgyrn fy mhen. Roeddwn wedi creu bod arall. Roeddwn wedi gwneud camgymeriad mwyaf fy mywyd.

* * *

'Rydach chi fel tasech chi'n cymryd amser maith i gofio.'

Deffrodd llais Monica fi o'm synfyfyrio.

'Cofio beth?'

'Amseroedd hapus mewn priodas.'

Ceisais gofio faint o amser oedd wedi mynd heibio ers i Monica a minnau drafod hynny. Roedd o fel petai ddyddiau yn ôl. Doedd dim synnwyr o gwbl i amser yn y lle 'ma.

'Dechrau hel meddyliau ddaru mi,' meddwn. Wn i ddim pam roedd yn rhaid i mi ddechrau cyfiawnhau fy hun iddi hi. Am faint oedd hi'n mynd i edrych arna i felly, mor ddisgwylgar?

'Dydych chi ddim yn credu i chi gael eich twyllo gan briodas?'

'Ydych chi?' Roedd yn hen bryd i mi ddechrau lluchio dipyn o gwestiynau.

'Ydw.'

'Ym mha fodd?'

'Ddaru 'ngŵr rioed fy neall i,' meddai Monica. 'Y funud y priodais o, gwyddwn 'mod i wedi gwneud camgymeriad mwyaf fy mywyd i. Wn i ddim gawsoch chi'r profiad yna rioed.'

'Fasach chi wedi bod yn hapusach ar eich pen eich hun, Monica?'

104

'Nid felly ces i fy rhaglennu, naci? Rhoddwyd nwydau i mi, ac awydd i gael fy nghusanu a'm caru. Fedrwch chi ddim ymwrthod â theimladau felly.'

Doeddwn i erioed wedi clywed rhywun yn siarad fel hyn o'r blaen.

'Mae o'n deud yn y Beibl,' meddwn, 'nad ydi o'n beth da inni fod ar ein pennau ein hunain, ac mai dyna pam rydan ni'n paru – ac er mwyn epilio'n naturiol.'

'Dyna'r unig reswm,' atebodd Monica. 'Affliw o ots gan Dduw os ydan ni'n unig ai peidio. Os ydych chi'n creu pobl feidrol, rheol gynta'r gêm ydi gwneud yn siŵr eu bod yn gallu atgynhyrchu eu hunain.'

'Oes 'na bwrpas arall i fywyd – ar wahân i atgynhyrchu'n hunain?'

Chwarddodd Monica, yr hen chwerthiniad cras, annifyr hwnnw, oedd yn gymaint rhan ohoni.

'Dim hyd y gwela i. Jôc Duw ydy bywyd – a rydan ni'n atgynhyrchu ein hunain yn ddau fath o bobl – pobl gall a phobl wallgof – trist 'te?'

'Fyddwn ni ddim yn fan hyn am byth . . . dim ond rhyw noddfa dros dro ydi o, dyna sut ydw i'n edrych arno.'

'Mae'n dibynnu. Os ydi fan hyn yn llai o uffern na tu allan, well gen i feddwl amdanaf yma am dymor go hir.'

Edrychais o gwmpas y ward, a cheisio meddwl pa fath o fywyd oedd gan rywun os oedd fan hyn yn rhagori ar unrhyw le arall.

Pennod 14

Roedd Uned Rhydderch yn lle rhyfedd. Gwn fod hynny'n swnio fel petawn yn mynegi'r amlwg, ond nid sôn am y cleifion yr ydw i, ond yn hytrach y ffordd roedd y lle yn cael ei weinyddu. Duw a ŵyr be oeddan nhw'n trio'i gyflawni yno. Tra oeddwn yno, ddeallais i erioed drefn y lle. Digwyddai popeth fel petai'n gwbl fympwyol, a wyddwn i ddim mympwy pwy oedd o. Byddai meddygon a nyrsys yn ymddangos o unman, a doedd o ddim yn ymddangos fel petai unrhyw gysylltiad rhyngddynt. Falle mai arwydd o gwtogi ariannol oedd hyn, fod pawb yn cyflawni'i swydd, ond nad oedd arian digonol i gyflogi unrhyw un ar y top i roi trefn ar yr holl wybodaeth.

Un diwrnod, cefais fy ngwysio i weld person cwbl ddieithr. Wyddwn i ddim p'un ai meddyg neu nyrs ydoedd, neu lanhawr. Doedden nhw ddim yn dweud wrthych. Mi ddyliwn i allu dyfalu, debyg, ond mewn lle fel hyn roedd yn amhosib deud. Carai pawb i chi eu galw yn ôl eu henwau cyntaf, fel pe baem yn un teulu mawr.

'*Sit*,' meddai'r wraig fel tase hi'n siarad efo ci, '*and I'll take your personal details first, so we'll have that out of the way.*'

Roedd hynny'n beth od i gychwyn efo fo. Os oedd ganddyn nhw un peth, fy manylion personol i oedd y rheini. Wedi'r cyfan, yn yr ysbyty hwn y ganwyd fi, felly roeddwn i ar eu ffeiliau ers yr adeg honno. Yr oedd gan Dr Keswick ffeil mor drwchus â Beibl arnaf, ac yr oedd fy manylion personol i'w cael yno. Mater bach fyddai eu copïo. Y drwg efo meddygon nad oedd yn Gymry oedd fod yn rhaid i chi sillafu bob llinell o'ch enw a'ch cyfeiriad.

'*I am sorry for this. I should be learning Welsh. It is on my list of things to do.*'

'*Yes.*'

Falle nad meddyg oedd hi o gwbl. Falle mai newydd gerdded i mewn i fan hyn oedd hi, efo papur a ffurflenni swyddogol yr olwg, a dechrau chwarae ysbyty.

'*Now, can you tell me how did you begin to think that things were not quite all right?*'

Daeth syniad ofnadwy i mi nad ymwelydd oedd hon o gwbl, mai rhywun wedi ei derbyn i Rhydderch ei hun ydoedd, a'i bod wedi cymryd arni ei hun i wella eraill.

'*It's after I gave birth to a child . . .* ' dechreuais. Sawl gwaith oedd yn rhaid i mi fynd drwy hyn?

'*Would you say that it is post-natal depression?*' Sut gwn i? Nhw oedd yr arbenigwyr. Wyddwn i ddim byd, heblaw am y ffaith 'mod i'n methu stopio crio.

'*Any infanticidal thoughts?*'

'*No.*' Roedd y cwestiwn hwnnw wastad yn fy ngwylltio. Gwyddwn pa gwestiwn oedd yn dilyn.

'*Any suicidal thoughts?*'

'*Yes.*'

'*It says here that you are prone to mood swings.*' Felly roedd ganddi rhyw fath o nodiadau arnaf.

'*My mood is quite constant.*'

'*And what mood is that?*'

'*Sad.*'

Dyna pam dwi yma, ddynes.

'*You're tearful?*'

'Yes.'

'*At any particular times of the day?*'

Ceisiais feddwl. Oeddwn i'n crio mwy yn y boreau? Fe'i cawn yn anodd cofio beth oedd y boreau. Roedd pob awr yma yn union yr un fath. Roedd hi'n rhy anodd meddwl. Eto, doeddwn i ddim am ymddangos fel petawn i'n gwbl ddi-hid.

'*In the mornings, maybe.*'

'*And have things improved since you have started medication?*'

'No.'

Dyma fi'n gwneud peth gwirion wedyn, a dechrau crio. Daria las, pam oeddwn i'n crio rŵan?

'*Why are you crying?*'

'*I don't know.*' Fedrwn i ddim dod o hyd i hances.

'*The medication does take time. I believe you are on a course of Imipramine.*'

Nodiais. Daria, roedd fy nhrwyn yn dechrau rhedeg. Roedd hyn yn embaras.

'*Have you had your medication this morning?*'

'*Yes,*' a dyma orfod sniffian yn uchel, fel taswn i'n blentyn bach. Am ba hyd oedd y cyfweliad am bara?

'*I shall arrange another interview with Dr Keswick for you. In the meantime, is anything in particular worrying you?*'

Wel, ar yr union eiliad yma, diffyg hances ydi fy mhryder mawr. Tasech chi'n mynd, mi fydda fo'n ryddhad go fawr.

'*It could be that Dr Keswick will decide to increase your dosage if you're not showing any adverse reaction.*'

Roedd o'n rhedeg go iawn erbyn hynny, a doedd gen i ddim dewis. Bu raid i mi sychu fy nhrwyn efo fy llawes, rhywbeth na wneuthum ers pan oeddwn yn saith, ddim mewn cwmni beth bynnag. Sgwennoddd ffwl spid ar ryw ffurflen. Sychais fy nhrwyn eto. Mae'n rhaid ei bod yn meddwl i mi gael fy magu mewn gwter.

Yna, mewn storm o gynddaredd, dyma fi'n teimlo fod gen i hawl i ofyn cwestiwn,

'*Do you have a child yourself?*'

'*No, I don't,*' meddai, heb godi'i llygaid o'r ffurflenni, '*but I do have a horse which requires a lot of looking after, so I suppose it's the same thing.*'

Fedrwn i ddim credu fy nghlustiau.

'*That will be all for now. Thank you very much for your time,*' meddai, gan hel ei bagiau a mynd allan drwy'r drws. Tybed fyddwn yn ei gweld fyth eto?

Eisteddais yn y stafell yn dyfalu a ddylwn i aros yno ai peidio. Doeddwn i rioed wedi bod yno o'r blaen. Un o'r ystafelloedd cyf-weld oedd hi, 'rochr arall i'r stafell fyw. Yn eironig iawn, stopiodd fy nhrwyn redeg. Dydi o fawr o help i'ch hunan-dyb pan mae'n rhaid i chi sychu'ch trwyn ar eich llawes. Pam na fyddai'r hulpan wedi cynnig hances i mi? Doedd dim oll yn y stafell, dim ond bwrdd a chadair, yn union fel stafelloedd cyf-weld yr heddlu ar y teledu. Doedd neb wedi dweud wrthyf am aros yno, felly mentrais allan, a phenderfynu yr awn i fusnesu. Wyddwn i ddim beth oedd hanner yr ystafelloedd.

Agorais ddrws y stafell nesaf, a chael fy synnu o weld Bet a'i gŵr yno.

'Mae'n ddrwg gen i,' meddwn, a throi.

'Peidiwch mynd,' meddai Bet, 'be sy'n bod?'

Mae'n siŵr fod golwg mawr ar fy wyneb.

'Dim byd, Bet. Newydd gael cyfweliad efo un o'r doctoriaid ydw i.'

'Pam na ddowch chi aton ni i fan hyn? Dowch, i chi gael cyfarfod fy ngŵr . . . Gruff.'

'Dydw i ddim yn lecio tarfu arnoch chi.'

Cododd Gruff ac estyn cadair i mi.

'Dydych chi ddim yn tarfu arnon ni. Rydan ni'n falch o gael rhywun aton ni. Fedr hi fynd reit fain am sgwrs rhyngom weithiau.'

Wyddwn i ddim ai tynnu coes oedd o, ond gwenais.

'Dydych chi ddim yn digwydd bod efo hances, ydych chi, Bet?'

Estynnodd Bet un o'i bag llaw. Hances go iawn, nid un bapur. Dyna oeddwn i'n lecio am Bet, roedd hi'n llawn o arferion gwaraidd yr oes o'r blaen. Roedd hi'n well meddyg na neb arall yn yr ysbyty. Gwnâi i mi deimlo'n ddynol unwaith eto, yn berson diddorol efo rhywfaint o grebwyll. Ac roedd hynna'n deimlad hynod o ddieithr yn fan hyn.

'Dwi'n teimlo'n well dim ond o fod yn eich cwmni,' meddwn, yn ceisio mynegi fy ngwerthfawrogiad.

'Pan ddeuthum yma,' medda Bet, 'roeddwn yn dychmygu ein bod yn cael mynediad i ryw encil lle cawn anghofio am boen a therfysg y byd. Ond edrychwch arnon ni, fydde waeth inni fod mewn sŵ ddim.'

Aeth Gruff i nôl paned o de inni, a phan ddaeth yn ôl ac eistedd i lawr, tynnodd dipyn o fisgedi o boced ei gôt. Teimlwn fel brenhines. Pethau bach oedd yn cyfri.

'Rydw i'n gwerthfawrogi eich paned yn fawr, Mr Jones. Wn i'm pryd y gwnaeth neb baned i mi yn y lle 'ma ddwytha, ac mae'r bisgedi yn fonws.'

'Peidiwch galw Gruff yn Mr Jones, dach chi. Dach chi'n swnio fel un o bobl y capal.'

'Dwi'n gwerthfawrogi eich bod chi wedi bod yn gystal cwmni i Bet.'

'A dydi o ddim yn beth drwg swnio fel pobl capal chwaith,' mentrais innau.

'Gas gen i nhw,' medda Bet, efo arddeliad ddaru fy synnu. 'Un peth da am fod yn fan hyn ydi nad oes raid i mi oddef eu parablu gwag.'

Teimlwn yn annifyr yn clywed petha fel hyn yng nghwmni gweinidog.

'Mae Bet wedi cael amser caled efo rhai o aelodau'r capel,' medda Gruff, fel tasa raid iddo fo egluro.

'Fedran nhw ddim bod yn waeth na Sali,' meddwn, yn ceisio ysgafnhau'r sgwrs.

'Trugaredd, mi fydda i wedi rhoi tro yng ngwddw honna ryw ddydd os dalith hi ati,' meddai Bet, a fedrwn i ddim peidio chwerthin.

'Mae rhywbeth trist ddychrynllyd yn ei chylch,' meddai Gruff yn ddwys.

'Mae hynna mor nodweddiadol ohonot ti, trio gweld y daioni ym mhob un.'

'Rhan o 'mhroffesiwn i . . . Proffesiwn prin ddychrynllyd erbyn hyn. Mae'r genhedlaeth nesaf yn cael ei magu heb amgyffrediad o grefydd. Does ganddyn nhw mo'r eirfa hyd yn oed. Bydd geiriau fel pechod, euogrwydd, tragwyddoldeb a'r Iawn yn darfod.'

'Falla bod o'n beth reit dda fod y syniad o euogrwydd yn mynd i ebargofiant,' medda Bet. 'Mae gormod o hwnnw yn ein mysg – yn ein mysg ni ferched, beth bynnag.'

Ddaru mi ddim meddwl am hynny o'r blaen. Ro'n i wedi meddwl am y Gymraeg ar drai, ond heb ystyried ein bod yn colli geirfa gyfan mewn rhai meysydd.

Aethom i drafod pam oedd pobl yn gadael capeli ac yn colli ffydd, a dod i'r casgliad fod gan bobl heddiw gymaint mwy o bethau i'w gwneud, ac mai dim ond o amgylch y capel yr oedd bywydau pobl yn troi erstalwm. Synnwn mor eangfrydig oedd Gruff, doeddwn i rioed wedi cael cyfle i holi perfedd gweinidog o'r blaen. Roeddwn wedi meddwl amdanynt erioed fel creaduriaid ddigon tebyg i ddeinasoriaid, yn mynnu rhygnu mlaen yn yr un hen rigol er fod pawb arall wedi colli diddordeb a symud ymlaen efo'r oes.

'Cofiwch chi,' meddai Gruff, 'roedd o'n fywyd dychrynllyd o galed erstalwm. Pan oedd dioddef yn ffordd o fyw, roedd o'n gysur mawr i bobl feddwl fod Crist yn gwybod be oedd dioddefaint.'

'Pam na fedrwn ni werthfawrogi ein byd, 'ta?' gofynnais, 'gan fod pethau cymaint haws?'

'Eitha cwestiwn, mi wnâi destun da i bregeth.'

'Roedd ganddyn nhw nerth mawr – a ffydd fawr,' meddai Bet yn ddwys. 'Mi gollodd Nain bedwar o blant, a ddaru hi rioed amau ei Gwaredwr. A drychwch arna i – chydig o bethau yn mynd o chwith, a rydw i mewn ysbyty meddwl.'

'Fel hyn mae Bet o hyd,' meddai Gruff yn ddigalon, 'Dwi'n trio deud wrthi fod y Brenin Mawr yn gwybod cudd feddyliau'r galon ac yn gwybod fod pob un ohonom yn wahanol. Ond tydw i ddim haws â deud.'

Mwya sydyn, roedd gen i biti dychrynllyd drostyn nhw, y ddau ohonynt. Chaech chi ddim pâr cleniach, yn llawn tosturi, yn gwneud eu gorau dros eraill, ac eto yn canfod eu hunain mewn sefyllfa amhosib. Ddim yma y dylen nhw fod, mewn ysbyty meddwl yn trio canfod beth oedd yn bod arnyn nhw, wedi eu gadael ar ôl wedi trai Methodistiaeth. Doedd dim byd yn bod arnynt, roedden nhw werth y byd, 'blaw bod y byd wedi symud ymlaen, a'u bod hwythau wedi cael eu gadael ar ôl.

'Dwi'n teimlo'n euog wrth i chi ddeud mai 'nghenhedlaeth i fydd yr olaf i ddeall termau mawr fel tragwyddoldeb,' meddwn. 'Er nad ydw i'n mynd i gapel, mae o'n gysur i mi fod yna bregethu'n digwydd a bod yna do o bobl sy'n gwarchod y gwerthoedd gorau.'

'Dyna ydi barn naw deg y cant o bobl y wlad. Dim ond fod yna ryw gyfundrefn ar ôl i'w priodi a'u claddu nhw,' medda Gruff yn ddigalon. 'Does dim angen chwilio 'mhell am ateb i argyfwng ffydd heddiw. Fasa llai o hunanoldeb a gronyn o ostyngeiddrwydd yn cyflawni rhyfeddodau.'

'Does dim angen eu rhoi yn yr un categori â phaganiaid!' medda Bet yn reit ffyrnig.

'Waeth i chi fy rhoi fi yno ddim, gan nad ydw i'n trafferthu i fynychu capel.'

'Ym mha focs fasach chi'n lecio cael eich rhoi?' gofynnodd Gruff. Roedd o'n fy herio go iawn rŵan.

'Bocs y rhai a hoffai gredu pe gallen nhw,' meddwn.

'A minnau,' medda Bet yn ddistaw, fel rhyw eco gwan ar fy ôl.

'Mi ddaw,' medda Gruff. 'Tydi Duw ddim yn gadael i neb aros am byth.'

'Mae O'n gneud i mi aros am dipyn go lew,' meddwn. 'Rydw i wedi gweddïo'n fwy taer yn y chwe mis dwytha 'ma, a tydi O ddim wedi talu gormod o sylw.'

'Mae O'n gwrando *trwy'r* amser. Ein diffyg ffydd ni sy'n ffeithio ar ein clyw.'

'Fydd rhaid i mi ddioddef am dipyn yn hwy 'ta,' meddwn innau'n chwerw.

'Mae Gruff yn dweud weithiau mai cael ein profi rydan ni yn y lle 'ma.'

'Dwi 'di cyrraedd pen draw cael fy mhrofi bellach. Mae o'n dechrau teimlo fel artaith.'

'Wyddon ni mo ystyr y gair,' medda Gruff.

Ro'n i eisiau gweiddi yn ôl arno nad fo oedd mewn ysbyty meddwl, ac fod ganddo berffaith ryddid i fynd adre'r noson honno a chysgu yn ei wely ei hun, ond ddaru mi ddim. Wrth edrych ar gyflwr ei goler a'i wallt oedd angen ei dorri, meddyliais fod ganddo hen ddigon o ofidiau ar ei ysgwyddau heb i mi ychwanegu rhagor.

'Er mor ddifyr fu'r sgwrs, mi fydd rhaid i mi eich gadael,' medda Gruff gan godi.

Codais innau er mwyn gadael y stafell o'u blaenau.

'Diolch i chi am fy nhrin fel un llawn llathen,' meddwn, 'mae o'n newid braf yn y lle 'ma.'

'Diolch i chitha am fod mor onest,' medda fynta, 'falla cawn ni sgwrs arall cyn bo hir.'

Euthum allan, a theimlo fod sgwrs efo Gruff a Bet wedi bod yn llawer mwy o fudd nag unrhyw sesiwn efo seiciatrydd o Sais.

Pennod 15

Yn niffyg dim byd arall i'w wneud, byddwn weithiau yn mynd am dro o gwmpas y lle, nid i unman penodol, dim ond crwydro yn y gobaith y byddai rhywbeth yn digwydd. Hyn a hyn fedrwn i eistedd ar wely neu mewn cadair cyn i'm traed ddechrau dawnsio mewn anniddigrwydd. Ond, i lle bynnag yr awn, yr oedd popeth yn llonydd a swrth. Y cwbl oedd yna oedd cyrff yn eistedd yma ac acw, pawb yn edrych i nunlle neu'n siarad efo nhw eu hunain. Falle 'mod i fel y Dywysoges Hardd, wedi cysgu am gan mlynedd, wedi colli'r cyfle i fyw, ond wedi deffro mewn pryd i sylweddoli 'mod i mewn cartref henoed. Llefydd digon tebyg i fan hyn oedd y rheini, 'blaw fod yna ymwelwyr, ac awyrgylch tipyn mwy normal.

Dywedodd Dafydd sawl gwaith y deuai i'm gweld, ac mai mater syml oedd cael rhywun i warchod Lora, ond doedd gen i ddim awydd i'w weld, yn fan hyn o bob man. Byddai ceisio creu sgwrs normal yn y fath amgylchiadau yn ormod o straen i mi. Na, fy mhroblem i oedd hon, a byddwn yn ei brwydro fy hun hefyd.

Yn y diwedd, deuthum i ystafell nad oeddwn wedi bod ynddi o'r blaen. 'Games Room' oedd ar y drws, ac euthum yno i fusnesu. Roedd byrddau bach o amgylch y lle, ac un bwrdd *pool* yn y canol. Sefais wrth y ffenest yn edrych allan. Roedd hi'n prysur nosi, ond ddaru mi ddim rhoi'r golau, ro'n i'n ddigon bodlon yn yr hanner gwyll. Mewn dipyn, byddai'n amser i Lora fynd i'w gwely. Fyddai hi na Dafydd fyth ymhell iawn o'm cof. Roeddan nhw efo mi drwy'r dydd yn fy meddwl, 'mond eu bod nhw yn byw mewn byd arall, byd pell, pell i ffwrdd.

Yn fy meddwl i, roedd y syniad o gartref yn ddedwydd, yn lân ac yn daclus. Roedd tân yn y grât, Dafydd a Lora'n mwynhau pryd yn y gegin, neu'n ddiddos yn y parlwr. Heno, ro'n i'n meddwl amdano a'i ben mewn llyfr, a Lora wrth ei draed yn chwarae'n ddiddig. Ac eto, nid felly oedd pethau go iawn. Ers i Lora gyrraedd, doedd 'na ddim tangnefedd felly i'w gael mwyach. Doedd 'na ddim amser, dim llonydd, ac roedd y bodlonrwydd wedi ei ddarfu. Teimlwn fy hun efo 'nhrwyn ar y maen yn wastadol. Y munud yr eisteddwn, cofiwn am y myrdd o bethau oedd eto i'w gwneud – llond basged o olchi neu smwddio, paratoi bwyd drannoeth, golchi llestri, clirio dragwyddol, galwad ffôn, llythyr, newid clwt, bwydo. Ro'n i wedi peidio â mynychu unrhyw gyfarfodydd gyda'r nos, ond hyd yn oed wedyn doedd 'na byth amser i godi papur neu gylchgrawn, heb sôn am nofel. Pan fyddwn i'n disgyn ar y soffa yn y diwedd, teledu oedd yr unig ddiddanwch a byddwn yn aml yn syrthio i gysgu o flaen hwnnw.

Torrwyd ar dawelwch a thangnefedd y tŷ gan grio parhaus, ond nid hwnnw oedd y straen mwyaf. O'r blaen, taswn i'n gwneud camgymeriad, fydda fo byth yn ddiwedd y byd. Hyd yn oed yn y gwaith, y peth gwaetha allai ddigwydd oedd 'mod i'n anghofio archeb neu'n gwneud cawlach o'r system gyfrifiadurol. Ond efo Lora, roedd bywyd yn y fantol. Un camgymeriad, a byddai bywyd wedi ei golli. Trwy'r dydd, byddwn yn clustfeinio wrth ei chrud i sicrhau ei bod yn anadlu. Byddwn ar binnau drain drwy'r amser yn gwneud yn siŵr nad oeddwn yn anghofio dim. Ofni iddi fod yn rhy boeth neu'n rhy oer, ofn iddi dagu ar ruban boned, ofn nad oedd pethau wedi eu glanhau yn ddigon trylwyr rhag ofn iddi gael haint, a'r Ofn mwyaf un wrth gwrs, iddi farw yn ei chwsg. Oedd bod yn fam wedi bod yn gymaint o ofid â hyn erioed? Nag oedd, doedd cymdeithas ddim wedi bod mor ofalus ohonynt, a beth fu'r canlyniad? Colli plant. Roedd profi hynny unwaith yn fwy na digon.

Synnai rhai weithiau nad oeddwn yn colli Lora'n ddychrynllyd yn fa'ma, a rhyfeddu nad oedd raid i mi ei chael yn fy nghôl drwy'r amser. Doeddwn i ddim yn teimlo felly o gwbl. Er 'mod i'n crio yn y garafán, roedd yn rhyddhad ofnadwy bod yn rhydd o'r cyfrifoldeb. A chan ei bod ar botel erbyn hynny, doedd y cyfrifoldeb o'i bwydo'n gyson ddim arnaf. Roedd fy mronnau yn gwbl gignoeth a mynnodd y meddyg 'mod i'n rhoi y gorau i fwydo o'r fron. 'Hen fam ddwy a dimai,' meddyliais, 'yn methu hyd yn oed bwydo ei babi ei hun.' Ond mae rhywun yn dygymod yn rhyfeddol, ac yn dod i arfer golchi poteli peth ola yn y nos, a gwneud cyflenwad o laeth powdr yn y bore.

O beidio cael Lora o gwmpas, gwyddwn ei bod mewn dwylo diogel. Gwyddwn y byddai Dafydd yn cymryd y gofal eithaf ohoni. Pa gamgymeriadau bynnag a wnâi, fydden nhw ddim cyn waethed â'm rhai i, ac fe gâi ddigon o gariad. Pa fabi oedd eisiau mam oedd yn crio drwy'r adeg? Ond sawl gwaith, wrth ofalu amdani, meddyliais mor syrffedus oedd y dasg, a mor falch fyddwn i o gael fy nhrwyn mewn llyfr. A nawr fod gen i gyfle i ddarllen holl gynnwys y Llyfrgell Genedlaethol, doeddwn i'n darllen 'run gair. Od.

Cofiaf yn glir yr adeg y gwylltiodd Dafydd efo mi y tro cyntaf wedi geni Lora. Dwi'm yn credu fod yr un ohonom wedi sylweddoli cymaint o straen ydi babi cyntaf ar berthynas. Dydw i ddim yn cofio faint oedd oed Lora, ond rhaid ei bod yn ifanc iawn, achos roedd o yn y cyfnod pan oeddwn i'n dal i deimlo'n gyffrous ynglŷn â defnyddio'r goets. Roedd ei thrwyn wedi bod yn rhedeg, ond ddaru mi ddim meddwl ei fod yn ddigon o achos i'w chadw yn y tŷ, ac allan â fi efo Lora yn y goets, a chawsom amser braf yn mynd am dro. Pan ddeuthum yn ôl, roedd Dafydd fel y gŵr drwg. Lle roeddan ni wedi bod? Pam na fydden ni wedi gadael neges? Beth oedd haru 'mhen i yn mynd â babi bach efo annwyd allan am dro? Fedrwn i ddim credu ei fod o ddifri. Ro'n i wedi cymryd mai fi, fel y fam, fyddai â'r awdurdod dros bopeth oedd wnelo fo â'r babi. Mewn diwylliant felly y'm magwyd i – y fam oedd yn gwneud popeth efo'r babi, a'r tad yn parchu hynny. Ddaru mi rioed ddychmygu y byddai gan Dafydd ei syniadau ei hun.

Wrth i Lora dyfu, ac wrth i'r misoedd fynd heibio, daeth yn amlwg pa mor fawr oedd y gwahanaieth barn rhyngom ar fagu plentyn. Fuo 'na fawr o ddadlau rhwng Dafydd a minnau cynt, doedd dim byd mawr i anghytuno yn ei gylch. Ond y munud yr ymddangosodd Lora druan yn y byd, ni allai ei rhieni gytuno ar unrhyw beth. Roedd Dafydd yn ei lapio mewn gormod o ddillad, a minnau am iddi gael digon o awyr iach. Ro'n i eisiau iddi gael digon o bwdin reis a semolina a Dafydd eisiau iddi fwyta ffrwythau. Ro'n i eisiau iddi fentro, Dafydd am ei dal yn ôl a gwarchod; Dafydd eisiau iddi gael trefn reolaidd a'i rhoi yn y gwely am saith yn ddeddfol, minnau eisiau iddi fod yn hyblyg a mynd a dod efo ni fel y dymunwn.

Yn eironig, dim ond wedi geni Lora y canfyddais gymaint o dymer oedd gan Dafydd. Fydda anghytuno ddim yn ddigon, roedd yn rhaid cael coblyn o ffrae ynglŷn â phob dim. Yn y diwedd, nid y pethau oeddwn yn eu gwneud efo Lora oedd yn anghywir, ond pob agwedd o'm bywyd. Ro'n i'n gyrru car yn rhy gyflym (ac yn peryglu Lora), ro'n i'n cadw oriau anghymdeithasol (ac yn drysu diwrnod Lora), doeddwn i ddim yn aros gartra ddigon, doeddwn i ddim yn coginio pethau'n iawn; yn y diwedd, ro'n i ofn cael cerydd am anadlu yn y ffordd anghywir. Doedd ryfedd i mi golli ffydd ynof fy hun. Mwya'n y byd ro'n i'n meddwl am y peth, mwya cyfrifol oedd Dafydd 'mod i yn Rhydderch. Taswn i ddim ond wedi cael llonydd i fagu Lora fel ro'n i'n dymuno, byddai pethau wedi bod yn llawer gwell. Dynion oedd yn gyfrifol fod merched mewn seilams.

* * *

Rhaid nad oeddwn i wedi clywed y drws yn agor, neu mi fyddwn wedi troi i'w gweld. Clywed traed ar y carped ddaru mi, a synhwyro presenoldeb. Teimlwn y blew ar fy ngwar yn codi, ond roedd gen i ofn troi, ro'n i'n grediniol mai ysbryd oedd yna.

'Ddaeth o?'

Peidio deud dim oedd orau; yn yr hanner gwyll, falle na fyddai'n sylwi arnaf. O leiaf roedd o'n ysbryd Cymraeg. Arhosais yn gwbl lonydd, yn ofni anadlu bron iawn. Daeth yn nes ataf, a thrwy gil fy llygaid gwelais wn laes wen . . .

'Welsoch chi o?'

Trois i edrych a gweld Mrs Prichard, yn sefyll yn syn yn ei choban, a'i dwy law ar y ffenest. Wyddwn i ddim beth i'w ddweud.

Erbyn hyn, roedd hi fel y fagddu tu allan, ac roeddem yn gweld adlewyrchiad ohonom ill dwy yn y gwydr. Byseddai Mrs Prichard y gwydr fel tasa hi'n ceisio teimlo rhywbeth.

'Pam na ddoi di?' gofynnodd wedyn, ond nid gofyn i mi oedd hi. Roedd hi'n syllu i'r nos, ac yn amlwg yn gweld rhywbeth. Taswn i'n gallu, mi fyddwn yn camu'n ôl yn dawel tua'r drws, ond roedd gen i ofn symud gewyn.

''Mond i mi gael dy weld, neu glywed sŵn dy droed . . . tyrd, da ti. Roeddet ti'n ddigon o lanc erstalwm . . . cofio? . . . cofio?'

Trodd ataf yn y diwedd ac edrych arnaf a gofyn,

'Welsoch chi o?'

'Naddo,' atebais, 'ond dwi'n siŵr y daw.'

'Dwi'n dy weld di rŵan . . . dyma fo'n dod,' meddai, gan edrych ar y ffenest eto. Sylwais nad oedd ganddi ddim ar ei thraed. Sut gebyst oedd hon wedi dianc?

'Ella'i fod o wedi ffendio cariad arall, wyddoch chi – rhywun tlysach na mi – wyddoch chi byth.'

O weld ei golwg ar y pryd, fyddai hynny ddim yn anodd i'r creadur anweledig. Doedd gan Mrs Prichard 'run dant yn ei phen, ac roedd ei gwallt fel cynffonnau llygod, yn rhyw liw gwyn budr.

'Wn i be wna i – mi wna i smalio 'mod i wedi gwylltio efo fo, fasa hynny'n hwyl, basa? Hen gena drwg yn denu genod eraill! Go daria di a dy siort!' Chwarddodd.

'Dim ond smalio,' meddai, fel tase hynny'n egluro popeth. 'Briallu rois i ar ei fedd o.'

Gwasgodd ei thrwyn ar y gwydr, a mwmian wrthi ei hun.

'Ia, fo ydi o, bendant i chi. Dwi'n nabod ei gerddediad, nabod sŵn ei droed . . . Drychwch! Mae o'n codi llaw!'

Cododd Mrs Prichard hithau ei llaw.

'O, dyna biti – mae o wedi mynd, wedi mynd heibio . . . Hen dro, 'te?' meddai.

'Ia,' meddwn. Sut cefais i fy hun mewn drama mor abswrd?

'Un castiog ydi o. Fel hyn mae o drwy'r nos. Dyna hi rŵan tan nos fory,' a throdd Mrs Prichard a mynd allan.

Canfyddais fy hun yn craffu i'r tywyllwch – dim ond rhag ofn fod rhywbeth yno . . .

Pennod 16

Mae'r sgyrsiau dwysaf i'w cael yn aml ym mherfedd nos, a dyna sut y deuthum i adnabod Gwladys, os adnabod hefyd. Ro'n i wedi bod yn poeni amdani yn ddiweddar, ac yn pryderu nad oedd hi'n setlo. Doedd hi ddim yn perthyn i'r ganrif hon, heb sôn am i'r ward hon, roedd hi'n bendant yn wahanol. Roedd pawb yn y lle 'ma'n wahanol, dwi'n gwybod, ond roedd hon yn sefyll allan ymysg pobl wahanol.

Roedd y ward yn annisgwyl o dawel un noson. Heledd wedi rhoi'r gorau i gerdded rownd a rownd ac wedi diflannu i rywle. Sŵn y cau drysau di-baid a mân siarad y nyrsys wedi peidio, Nyrs y Lamp wedi cymryd hoe, a dim byd i'w glywed am dipyn – oedd yn deimlad braf. Mae tawelwch yn rhywbeth i'w chwenychu ac i hiraethu amdano os na chawsoch ei brofi am amser maith. Ac yna fe'i torrwyd, yn annisgwyl, yng nghyrion deheuol y ward. Sŵn siffrwd ydoedd, a meddyliais ar y dechrau mai llygoden oedd yno, ond sywleddolais na fyddai llygoden yn sniffian. Bûm yn gwrando am dipyn go lew, a chan nad oedd gen i rithyn o awydd cysgu, penderfynais fynd am sgowt.

Roedd golau gwan i'w gael o un o lampau'r ward, doedd hi byth yn gwbl dywyll yno. Tasg weddol hawdd i mi felly oedd mynd ar hyd y gwelâu, a chanfod y sawl oedd yn effro. A dyna lle roedd hi, Gwladys, ar ei heistedd, yn ymbalfalu am hances.

'Gwladys,' meddwn, a bu bron iddi neidio o'i chroen. Edrychodd arnaf yn syfrdan, megis cwningen wedi ei dal yng ngolau lamp car. Ni allai symud gewyn.

'Sorri eich dychryn. Clywed sŵn ddaru mi. Ydych chi'n iawn?' Cwestiwn gwirion, roedd yn amlwg nad oedd hi'n iawn.

'Ydw . . . ' meddai Gwladys, gan suddo 'nôl dan y cynfasau. Eisteddais ar y gwely ac edrych arni.

'Nag wyt, dwyt ti ddim o gwbl. Hitia befo. Does dim rhaid i ti ddeud be sy'n bod. Mi alla i eistedd efo ti i gadw cwmni. Mi fedr hynny fod yn help weithiau.'

Rhoddodd Gwladys y gorau i geisio cuddio ei hun, a derbyn fod cael rhywun yn eistedd ar ei gwely am dri o'r gloch y bore yn ymddygiad cwbl normal mewn lle fel hwn.

Syllodd arnaf am amser hir.

'Mae rhywbeth wedi digwydd, 'toes?' meddwn, yn craffu ar ei wyneb fel taswn i'n debyg o gael ateb yno.

'Oes,' meddai. Diolch byth. Roedd cael unrhyw ymateb ganddi yn well na'r syllu diddiwedd.

'Rhywbeth drwg?' Teimlwn fel petawn yn troedio tir corsiog iawn lle gallwn suddo unrhyw eiliad. Amneidiodd, a dychryn lond ei llygaid.

'Beth ddigwyddodd, Gwladys?'

Crychodd ei haeliau.

'Teimlad . . . teimlad fel tase rhywun yn cerdded dros fy medd i.'

Siglais fy mhen fel taswn i'n deall, neu'n cydymdeimlo gyda hi.

'Ond dydych chi ddim wedi marw . . . '

Yr olwg hunllefus honno eto, fel pe na bai yn fy ngweld, ond yn dyst i ryw erchylltra mawr, ymhell tu hwnt i mi.

'Dwi'n gweld fy medd yn glir. Mae o wrth dalcen Capel Horeb, ac mae pawb yn cerdded heibio . . . '

'Beth sydd ar y bedd?'

'Fy enw i – fu farw'n ddeg ar hugain oed . . . '

'Faint ydy dy oed di rŵan?'

'Deg ar hugain.' Llanwodd ei llygaid dolefus â dagrau. Yna, fel hogan bach, dywedodd, 'Mae gen i gymaint o ofn.'

'Pwy sy'n mynd heibio'r bedd, Gwladys?'

''Nhad a Mam, Seth, Mr Williams, Miss Edwards, a'r blaenoriaid . . . maen nhw i gyd yn mynd heibio, dwi'n eu gweld nhw rŵan.'

'Hunllef ydi o, Gwladys, dim mwy.'

'Ond os ydi o'n deimlad mor fyw, mae o'r un mor erchyll.'

Gallwn weld ei dwylo'n crynu ac fe'u cymerais yn fy nwylo fy hun.

Roedd hi'n fyr ei hanadl, ac yn dechrau edrych o'i chwmpas yn wyllt. Sibrydai ryw iaith ddieithr, drosodd a throsodd, fel tase hi'n deud ei phader.

'Deud o wrtha i, yn dawel, edrych arna i . . . ' meddwn, ond roedd hi wedi mynd tu hwnt i mi. Ochneidiai yn awr, a llefaru'r geiriau od . . .

'Sei-at, Cwr Gweddi, Dor-cas a Chwarfod Plant, Sei-at, Cwr Gweddi, Dor-cas . . . '

Am beth ar y ddaear oedd hi'n paldaruo?

'Deud o'n arafach, Gwladys, dwi'm yn deall – a phaid â bod cymaint o ofn.'

'Seiat.'

Gan ymbalfalu mewn atgofion plentyndod, ceisiais gofio beth oedd Seiat.

'Cwr Gweddi.'

Capel eto . . .

'Dorcas.'

Pwy oedd hi?

'Cwarfod Plant.'

Capel eto. Roedd yn amlwg fod pen Gwladys yn llawn o bethau o fyd ei thad, ac fod hynny'n rhannol gyfrifol pam yr oedd yn mwydro am ei bedd. Efallai fod Dorcas yn chwaer iddi, neu'n berthynas.

'Dorcas?' gofynnais, a dychrynodd, 'Pwy ydi Dorcas?'

Gwawriodd arni nad oeddwn yn ei deall o gwbl, a dechreuodd grio eto.

'Mae'n iawn, Gwladys, mi ddof i ddeall.'

'Maen nhw'n cerdded heibio i 'medd!'

Ceisiais drafod yr hunllef efo hi, ei wynebu yn onest.

'Wyt ti'n gweld y bedd?'

'Ydw.'

'Ym mhle mae o, ddeudaist ti?'

'Wrth Gapel Horeb.'

'Lle mae dy dad yn weinidog . . . A mae pawb yn mynd heibio – ar ddydd yr angladd?'

'Nac ydyn, mae 'medd i yno ers tro. Wn i ddim a ydyn nhw'n cofio hyd yn oed.'

'A mynd i'r capel mae'r bobl hyn sy'n mynd heibio?'

'Sei-at, Cwr Gweddi, Dorcas.'

Roedd hi wedi disgyn i'r un hen gylch eto, megis nodwydd yn sownd ar record. Meddyliais y gallwn siantio'r geiriau gyda hi, ac y byddai hynny'n torri'r swyn.

'Gaf i ddeud o ar dy ôl di? Seiat . . . '

'Cwrdd Gweddi.' Roedd hi'n tawelu'n awr.

'Cwrdd Gweddi Dorcas?'

'Cwrdd Plant . . . Cymdeithas Ddirwest Merched Gwynedd.'

Brensiach, o lle daeth hwnnw? Mi ges i fy nal yn fanno.

'Cymdeithas Merched Dirwest . . . '

Ysgydwodd ei phen.

'Beth ydi o 'te?' Ro'n i'n difaru dechrau'r gêm, ac ro'n i bron â marw eisiau cysgu.

'Cymdeithas Ddirwest Merched Gwynedd.'

Ond beth gebyst oedd o'n ei feddwl? Beth oedden nhw'n ei wneud yn y fath bwyllgorau? Trafod dirwest – a dim byd arall? Am ba hyd oedd modd trafod dirwest? Roedd Gwladys yn gwrthod gollwng gafael ar fy nwylo, ac yn llafarganu'r geiriau drosodd a throsodd.

Efallai mai alcoholics oedden nhw – y Merched Gwynedd 'ma. 'Run fath â Merched y Wawr efo problem jin. Falle eu bod nhw'n cwrdd bob wythnos fel Alcoholics Anonymous, i geisio helpu'r naill a'r llall i stopio yfed. Falle bod y Dorcas 'ma'n un ohonynt.

'Oedd Dorcas ar y Pwyllgor Dirwest 'ma?'

Crychodd ei haeliau eto.

'Oedd hi'n mynd i Gymdeithas Ddirwest Merched Gwynedd? Oedd hi'n un ohonyn nhw?'

Edrychai'n hollol hurt, fel pe na bai modd ateb y fath gwestiwn.

'Dydych chithau ddim yn deall,' meddai, ac ail-gychwynnodd y dagrau. Roedd hi'n waeth na mi.

'Tria egluro i mi 'ta, pwy ydi dy deulu di? Beth ydi enw dy dad a'th fam?'

'Y Parchedig Thomas Rhys, Gweinidog Capel Horeb ar y Rhos.'

'A'th fam?'

'Does gan Mam ddim enw.'

'Dim ond Mrs Barchedig Thomas Rhys . . . ?' Pam oeddwn i'n ei drysu drwy'r amser?

'A beth fyddan nhw yn ei wneud? Sut bobl ydyn nhw? Ym mha fyd maen nhw'n troi?'

'Sei-at, Cwr Gweddi, Dorcas, Cwrdd Plant,' ro'n i wedi ailgychwyn y record.

'Taw!'

Distawodd, fel petawn wedi rhoi celpan iddi. Yna, wylodd yn ddireolaeth. Pam oeddwn i'n trio deall? Pam na fyddwn i'n derbyn fod yr hogan yn sâl yn feddyliol ac nad oedd modd dilyn troadau dryslyd ei hymennydd?

Fedrwn i ddim goddef gwrando arni'n crio, ac euthum yn nes ati a rhoi coflaid iddi. Daliais hi yn fy mreichiau, a'i siglo 'nôl a mlaen, 'nôl a mlaen. Dyna'r cwbl oedd hi ei angen; dechreuodd y crio ddistewi, a dim ond ei hochneidiau a deimlwn. Gosodais ei phen ar y gobennydd a gorwedd arno fy hunan. Y cwbl oedd y ddwy ohonom ei angen oedd cwsg. A dihangfa fendigedig oedd hwnnw pan oeddem wirioneddol ei angen.

Wn i ddim am ba hyd y buom yn cysgu yno, na faint o amser a aeth heibio. Agorodd y cyrtans o amgylch y gwely ac dyna lle roedd Ledi'r Lamp yn sefyll yno, yn brygowthan.

'*Out you go, and back to your own bed. Any lesbian tendencies will be reported.*'

Ew, ro'n i'n wallgof efo hi. Dechreuodd Gwladys grynu'n afreolus eto, a cholli ei gwynt.

'Damia chi ddynes,' meddwn wrthi, a chasineb lond fy llygad.

'*How did you expect to get away with it, I really don't know!*' meddai.

Fues i rioed mor agos at lofruddio neb mewn gwaed oer.

Pennod 17

Drannoeth yr halibalŵ, deffrois i glywed llais cras Sali uwch fy mhen. Agorais fy llygaid i weld eich cheg hagr a'r cerrig beddi oedd yn ddannedd iddi.

'Mae hi wedi deffro! Ydi, o'r diwedd . . . Hei, Gwraig Gwnidog, glywsoch chi am yr helynt neithiwr? Hon yn cael ei dal yn gwely efo Gwladys! Glywsoch chi ffasiwn beth? Hi Hi Hi Hi Hi!'

Edrychais ar yr wyneb a oedd wedi ei anffurfio gan grechwen a malais. Roedd fel un o ddarluniau Hieronymus Bosch, a'i weledigaeth o uffern. Falle 'mod i eisoes wedi marw, ac yn y tân mawr. Falle mai Rhydderch oedd Uffern, ond 'mod i wedi disgwyl i Uffern fod yn llawer mwy dramatig. Heb sylweddoli mai i brofi Uffern i'r eithaf, rhaid oedd cael Diflastod Eithafol a phobl fel Sali o gwmpas.

Trodd i'm plagio i,

'Dach chi wedi bod yn "naughty girl" rŵan, "naughty girl" go iawn. Be oeddech chi'n neud dan y *sheets*, deudwch? Swsian a mela eich gilydd? Hi hi hi!'

Peidiodd y nadu lloerig a diflannodd y wên. Sibrydodd yn fy nghlust.

'Dach chi'n ffiaidd, wyddoch chi hynny? Ffiaidd! Mi cosbith Duw chi am hyn. Hen lesbian ffront. Ych a fi! Mi trawith o, gneith ar fy ngwir. 'Dan ni ddim eisiau eich siort chi ar y ward hon i ledaenu jyrms ac aflendid.

Rydach chi'n afiach, ac mi fydddwch chi'n taenu eich budreddi ym mhob man a fyddwn ni i gyd yn marw o Aids!'

Roedd hi wedi colli arni ei hun bellach, yn harthio yn fy wyneb, a'i phoer yn tasgu arnaf. Y cwbl fedrwn i ei wneud oedd cau fy llygaid a throi fy nghefn tuag ati. Daeth gwaredigaeth o gornel annisgwyl.

'Ewch yn ôl i'ch gwely, Sali, dyna hen ddigon. Rydach chi'n glafoerio fel gast wallgof. Gadwch lonydd i'r hogan druan, neu mi riportiwn ni chi.'

Monica a lefarodd, ac roedd hynny'n fwy o sioc i mi nag ymosodiad Sali.

Mwya sydyn, mi sobrodd Sali. Sylweddolodd nad oedd neb arall yn ei chefnogi, ac aeth yn ôl yn araf tuag at ei gwely. Aros dan y cynfasau yn swatio ddaru mi am awr gron gyfan, yn gwaredu gweld gwawrio diwrnod arall.

Ers y noson yn y Games Room, ro'n i wedi bod yn meddwl llawer am Mrs Prichard, ac o'i gweld yn ei gwely a fawr o awydd codi arni, euthum ati am sgwrs. Yr unig un arall yn y ward oedd Monica.

'Mrs Prichard, sut dach chi'n teimlo heddiw?'

'Go lew, diolch i chi am ofyn.'

Edrychais arni yn gwasgu ei hances yn dynn ac yn ei hagor eto.

'Dydi fan hyn ddim 'run fath ag adra chwaith, nac ydi?' meddai'n ddwys.

'Nac ydi. Fuoch chi'n edrych drwy'r ffenest neithiwr?'

'Do . . . fyddwch chithau'n gwneud hefyd?'

'Byddaf, jest rhag ofn gwela i rywbath.'

'Colli 'ngŵr ddaru mi, wyddoch chi . . . ' meddai, gan wasgu'r hances yn un belen fach.

'Ro'n i'n amau. Sut digwyddodd o?'

'Yn chwaral roedd o – ond smocio a'i lladdodd.'

'Be dach chi'n feddwl?'

'Roedd o a'i bartnar wedi gweithio ar graig drwy'r bore, a phan glywson nhw'r caniad, dyma nhw'n dod i lawr y rhaff a cherdded ar hyd y bonc. Tasa fo wedi cario mlaen i gerdded, bosib fasa fo'n fyw heddiw. Ond na, mi stopiodd John a thanio'i getyn, ac ar yr union eiliad honno, mi gwmpodd crawen o'r bonc ar ei ben, a'i ladd. 'Chydig dros ei ddeg ar hugain oedd o.' Roedd Mrs Prichard yn siarad yn gwbl naturiol fel tase dim yn bod arni.

'Dyna pam dwi wedi cael trafferth efo Rhagluniaeth byth ers hynny . . . ' meddai. 'Be barodd i John stopio yn yr union fan honno? Pam na fydda fo wedi dal ati i gerdded at y caban fel ei ffrind, a chael smôc wedyn? Ŵyr neb. Ond dydw i ddim wedi canu "Rhagluniaeth fawr y nef" ers hynny. Gas gen i'r emyn.'

'Be dach chi'n ei feddwl efo Rhagluniaeth yn hollol?' gofynnais. Ro'n i braidd yn niwlog efo termau Beiblaidd.

'Pethau wedi eu trefnu o flaen llaw, 'te? "Cyn llunio'r byd, cyn lledu'r nefoedd wen . . . " ' medda hi gan ddechra canu.

'Wn i mo'r gerdd yna.'

'Emyn ydi hi! Pedr Fardd . . . "Fe drefnwyd ffordd yng nghyngor Tri yn Un . . . i achub gwael golledig euog ddyn".'

'Gwael golledig euog ddyn . . . ydach chi'n gallu credu hynny?'

'Mae hwnnw'n ddigon hawdd credu ynddo. Y ffaith fod popeth wedi ei drefnu ymlaen llaw sy'n rhoi trafferth i mi. A gwaethygu wnaeth pethau wedi marw John.

Dyna pryd y cychwynnodd pethau fynd o chwith. Noson cyn yr angladd, roeddan ni gyd yn Pen Bryn, plant yn eu gwelâu, Taid yn gornal, a'r cymdogion yn cadw cwmni i ni – roedd yr arch hefo ni yn y parlwr . . . pan sylwodd un o'r cymdogion ar fwg yn dod o ben grisiau'r seler . . . '

Rhythais arni wrth iddi ailadrodd yr hanes fel petai wedi digwydd y diwrnod cynt.

'Mewn dim, roedd y stafell yn llawn mwg. Cythru am y babi nesh i, ei dynnu o'r crud a dyma rhywun yn fy hebrwng i allan ac yn gafael yn fy mraich. Ond ro'n i'n gwrthod mynd allan heb y plant, a dyna lle roeddan nhw'n fy nhynnu, rhywun arall yn rhuthro i fyny'r grisiau ac wrth lwc doedd y plant ddim gwaeth. Mi achubwyd yr arch hefyd, ond doeddwn i ddim yn poeni cymaint am honno. Roedd John eisoes wedi ein gadael . . . '

'Sut ddaru chi fyw wedi hynny?'

'Pum mis oedd y fenga gen i, yr hogia eraill yn ddwy a phedair oed. Gawson ni iawndal gan Penrhyn, ond pharodd o fawr. Fuo raid inni symud i dŷ llai, i Pant Dreiniog . . . Dyna oedd dechrau gofidiau.'

'Ond lle cawsoch chi'r cryfder i ddal ati?'

Edrychodd arnaf yn syn,

'Cryfder? Drugaredd fawr, hogan, doedd gen i ddim dewis, nag oedd?'

Syllais ar ei dwylo caled yn tynnu'r hances, yn ei rhwbio'n ffyrnig, ac yna'n ei gosod ar y gwely a'i smwddio fel petai'n trio cael gwared o'r crychau. Dyna ydi o efo hen bobl. Wyddoch chi ddim beth maen nhw wedi bod drwyddo. Gwyddwn mai gweddw oedd Mrs Prichard, ond ddaru mi rioed ddychmygu fod y fath bethau wedi digwydd iddi. A doedd ei gŵr fawr iau na mi pan fu farw. Oedd Dr Keswick yn gwybod hyn i gyd?

Bu rhaid i mi gael y cyfarfod efo Dr Keswick a'i dîm yn ddiweddarach, a ddaru hynny fy ngwneud i'n ddigalon. Roedd o wedi gobeithio y bydda 'na newid ynof bellach, wedi bod ar y tabledi gyhyd, ond doedd 'na ddim byd i'w adrodd. *'It does cause us some concern,'* medda fo. Mi barodd hynny i mi deimlo'n euog wedyn, fel mai arna i oedd y bai nad oeddwn yn gwella.

Galwodd Gruff Jones i weld Bet yn y pnawn, ac wrth iddo fynd dywedodd y byddai Geraint yn meddwl amdani'r noson honno. Geraint oedd ei fab, a wyddwn i ddim tan hynny fod ganddi blentyn. Rhyfedd sut mae hynny yn newid syniad rywun o berson. Roedd Bet hithau yn fam.

'Dydych chi ddim wedi siarad amdano o gwbl,' meddwn wrthi, wedi iddi ddeud sut un oedd o, a faint oedd ei oed.

'Dwi'n trio peidio sôn amdano,' cyfaddefodd.

'Pam, 'neno'r diar, a chithau'n fam iddo?' gofynnais.

'Dyna pam, dwi'n poeni f'enaid amdano.'

Dyna pryd y cyfaddefais fod gen innau ferch fach, ond gwyddai fod gen i blentyn, a bod 'nelo hynny rhywbeth â'm digalondid, felly roedd ganddi ofn holi.

'Rhai rhyfedd ydan ni,' meddwn, 'yn meddwl ein bod wedi dod i nabod ein gilydd, ac yn cadw darnau mawr o'n bywydau'n gyfrinach.'

'Dydi rhywun ddim eisiau diflasu eraill yn sôn am eu plant dragwyddol.'

'Os gwelwch chi fi'n dechrau chwyrnu, mi gewch chi dewi pryd hynny,' meddwn efo gwên a nôl paned i'r ddwy ohonom.

'Gefais i sgwrs hir efo Mrs Prichard – roedd yn siarad yn hollol synhwyrol efo mi heddiw,' meddwn.

'Does wybod sut bydd Mrs Prichard o un diwrnod i'r llall. Weithiau'n gwbl naturiol fel deudwch chi, dro arall yn gwneud dim synnwyr o gwbl. Mi fydda fo o help, debyg, tasa hi'n cymryd ei thabledi'n rheolaidd.'

'Sôn yr oedd sut y bu iddi golli ei gŵr yn chwaral a sut aeth y tŷ ar dân noson cyn yr angladd.'

'Hanes dychrynllyd ydi o, 'te – a'r fenga ganddi 'mond yn bum mis oed. Wn i ddim be wnawn i taswn i'n colli Gruff.'

'O leiaf wnaiff o ddim rhedeg i ffwrdd efo gwraig rhywun arall!'

'Mae yna weinidogion wedi bod yn anffyddlon . . . ' meddai'n ddifrifol.

'Fydda i'n meddwl hynny yn aml,' meddwn. 'Ydi colli eich gŵr drwy anffyddlondeb yn waeth na bod yn wraig weddw?'

'Am beth digalon i feddwl,' medda Bet.

'Ddarllenais yn rhywle ei fod o'n waeth. O leiaf, mi allai eich gŵr fod wedi mynd i'r bedd yn eich caru chi, hyd yn oed os na welwch chi mohono byth eto. Ond os mai eich gadael am wraig arall ddaru o, rydych chi wedi ei golli am byth, er ei fod o'n dal ar dir y byw.'

'Fedra i ddim meddwl am hunllef waeth.'

'Falle mai chi fyddai'n ei adael o.'

Gwenodd Bet.

'Wnaiff hynny byth ddigwydd.'

'Fedrwch chi byth ddeud, Bet. Fedar yr un ohonom weld i'r dyfodol. Sut fedrwch chi ddweud mor bendant?'

'Am 'mod i'n caru Gruff. Mae o mor syml â hynny.'

'A dydych chi rioed wedi caru neb arall ers dydd eich priodas?'

'Naddo. Rydach chi'n anghofio weithiau 'mod i'n wraig i weinidog.'

'Be? Mae 'na fotwm yn cael ei roi ynoch chi ar ddydd eich priodas sydd yn eich gwneud yn ddall i'r rhyw arall?'

'Rydach chi'n tynnu arna i rŵan . . . '

'Nac ydw! Dwi'n siarad yn onest fel gwraig!' Ro'n i wirioneddol eisiau tynnu Bet o'i chragen. 'Dydw i ddim yn gofyn ichi ddatgelu cyfrinachau'r greadigaeth, jest deud os cafodd eich calon ei denu gan un arall . . . Hyd yn oed ffansi'r funud?'

Gwenodd Bet drachefn, gwên oedd yn datgelu cyfrolau.

'Rydw i'n ffond iawn o rywun, rhaid dweud.'

'Fedra i weld hynny yn eich llygaid. Pwy ydi o?'

'Peidiwch â bod mor bowld!' meddai, yn ffugio sioc.

'Dweud wrtha i . . . Ga i dy alw yn ti?'

'Cei, a mi wna innau 'run fath . . . '

'Dweud wrtha i pwy sydd wedi mynd â'th fryd . . . '

'Rydan ni'n hen ffrindiau,' medda Bet, a rhyw sioncrwydd yn dod iddi. 'Wil ydi ei enw . . . creadur annwyl ddychrynllyd. Wrth ei fodd efo llyfra . . . sgwrs ddifyr . . . dwi'n teimlo y gallwn ddweud unrhyw beth wrtho . . . '

'Pethau na allet eu dweud wrth Gruff?'

'Pethau gwahanol. Mae gan Wil fwy o ddiddordeb mewn sgwennu a ballu, mae o'n darllen mwy na Gruff, mae o'n fwy tanbaid.'

'Allet ti fyw efo fo?'

'Bobl bach! Dydw i rioed wedi meddwl am y peth.'

'Meddwl rŵan . . . neu ydi hynny'n beth pechadurus?'

'Wn i ddim . . . mae chwenychu yn bechod, ond tydw i ddim yn gwneud hynny, nac ydw? . . . Rydw i reit hapus yn ei gael o'n ffrind,' medda Bet yn feddylgar.

'Ydi o'n dy lecio di?'

'Am gwestiwn!' Roedd llygaid Bet fel soseri.

'Ond cwestiwn diddorol, 'te? Tyd 'laen, Bet. Be arall wnawn ni yn yr uffern yma ond cael dipyn o sbort efo'n gilydd? Dydan ni'n gwneud dim drwg i neb.'

Codais fy ngolygon a gweld cysgod tal yn dod atom i eistedd,

'Pnawn da, Gwladys.'

'Pnawn da,' meddai'n dawel a mynd i eistedd ar y gadair wrth y ffenest.

'Wel?' meddwn wrth Bet.

'Mae o'n reit ffond ohono i, rhaid cyfaddef. Roeddan ni yn y bwthyn 'ma ar ein gwyliau haf, Gruff a Geraint a minnau, ac mi alwodd 'chydig o ffrindiau, a Wil yn eu mysg. Rhaid 'mod i'n iawn bryd hynny . . . ro'n i wrth fy modd efo'u cwmni, a dwi'n cofio Geraint yn rhoi record ar y gramoffon, a dechreuais symud y cadeiriau i bawb gael dawnsio . . . '

Ro'n i'n gweld ochr newydd i Bet,

'A ddaru nhw?'

'Naddo! Ar wahân i Geraint a'i ffrind. Ond Wil oedd y 'gosaf ataf, a dyma fi'n gafael ynddo a dechrau dawnsio. Ni fedrai ddawnsio dros ei grogi, ond mi wnaeth ei orau, a dyma finnau'n rhoi fy mhen ar ei fynwes, a mwynhau bod mor agos ato.'

'Mae honna'n stori ramantus iawn.'

'Wn i ddim faint o deimladau cnawdol sydd yna. 'Mond ein bod ni'n deall meddyliau'r naill a'r llall. Mi sgwennwn ni at ein gilydd, a dwi'n ddigon bodlon ar hynny.'

'A does dim yn y byd o'i le efo hynny. Mae o'n braf pan mae dynion a gwragedd yn gallu bod yn ffrindiau.'

'Dydi o ddim wedi sgwennu ers pan dwi yn fan hyn chwaith . . . Mi fyddai'n braf clywed ganddo. Mi fydda' llythyr yn gwneud mwy o les i mi na hanner cant o dabledi.'

'Cytuno.'

'Gweinidog ydi Wil hefyd. Mi fydda i'n meddwl weithiau mor wahanol fyddai fy mywyd taswn i wedi priodi rhywun 'blaw gweinidog . . . '

'Does dim rhaid i ti fod yn wraig gweinidog mor gydwybodol. Mi wnâi les i ti fynd fynd ar streic weithiau!'

Edrychodd Bet arnaf a'i llygaid yn pefrio efo'r syniad.

'Rydw i wedi bod yn meddwl llawer ers dod yma am faint sydd gen i ar fy mhlât. Wedi i mi fynd adref, fasa fo ddim yn ddrwg o beth i mi ildio rhai o'm dyletswyddau

– er wn i ddim be ddeudith Gruff.'

'Dy fywyd di ydi o, cofia, a dim ond un wyt ti'n ei gael.'

Gwaeddodd llais a thorri ar ein sgwrs.

'Bet Jones! *Doctor Hashin wants to see you!*'

Trodd Bet ataf,

'Roeddwn wedi anghofio yn llwyr 'mod i mewn ysbyty,' meddai, ac i ffwrdd â hi.

Pennod 18

'Mae'n ddrwg gen i am yr hyn ddigwyddodd y noson o'r blaen, Gwladys,' meddwn. Nid oeddwn wedi cael cyfle i siarad efo hi am y digwyddiad, nid ar ei phen ei hun.

'Does gennych chi ddim rheswm i ymddiheuro.'

'Dydi Sali'n gwneud dim byd ond trwbwl. Ydi hi wedi bod yn gas efo chdi?'

'Do.'

'Tria ei hanwybyddu.'

'Mae hi'n codi ofn arna i.'

Wyddwn i ddim beth i'w ddweud. Roedd Gwladys mewn cyflwr ddigon bregus heb gael pryderon ychwanegol.

'Mae'r holl le yma'n codi ofn arna i.'

'Dydan ni ddim i gyd 'run fath â Sali.'

Pam ddeudais i hynny? Oeddwn i bellach yn uniaethu fy hun â'r lle 'ma? Pam oeddwn yn ceisio achub cam lle mor annynol?

'Ond rydych chi fel tasech chi'n gwbl gartrefol yma . . . '

'Pam wyt ti'n dweud hynny, Gwladys?'

'Gwrando arnoch chi – chi a Bet – roeddech chi'n gallu siarad yn braf, a chwerthin hyd yn oed.'

'Dipyn o hwyl ddiniwed oedd o, dyna'r cwbl.'

Wrth syllu ar wyneb trist Gwladys, brathais fy nhafod. Cawn yr argraff nad oedd hi wedi cael fawr o hwyl ddiniwed yn ystod ei hoes.

'Dyna 'niffyg i – methu chwerthin.'

'Fuo 'na amser lle roeddet ti'n gallu . . . chwerthin?'

'Na fu . . . dim i mi allu cofio. Chawson ni rioed achos i chwerthin.'

'Dim hyd yn oed pan oeddet ti'n iau?'

Ysgydwodd ei phen. 'Ddim i mi gofio.'

'Cofia di, dwi'n teimlo weithiau bod yna ormod o chwerthin yn y byd,' meddwn, yn swnio braidd yn athronyddol. 'Chwerthin gwneud ydi llawer ohono fo . . . does 'na ddim gwaelod iddo.'

'Dwi'n gwybod. Dim ond . . . wrth wylio'r ddwy ohonoch chi pnawn 'ma, ro'n i'n meddwl wrthyf fy hun, mae'n siŵr fod chwerthin felly yn deimlad braf.'

'Oedd, mi roedd o,' meddwn yn y diwedd. Fyddai waeth i mi fod yn onest. 'Dyna'r tro cyntaf i mi chwerthin go iawn ers i mi ddod yma . . . Tynnu coes yr hen Bet oeddwn i. Gofyn a oedd rhywun wedi cymryd ei ffansi erioed, ar wahân i'w gŵr.' Gwenais. Doedd o ddim yn swnio'n ddigri o gwbl.

'Hi ydi gwraig y gweinidog,' meddai Gwladys yn sobr.

'Ia, ia, ond dyna oedd yr holl bwynt. Mae hi mor brysur yn bod yn wraig i weinidog, tydi ddim yn cael fawr o gyfle i fod yn hi ei hun.'

'Gwraig gweinidog ydi Mam.'

'Ia, wrth gwrs.'

'A minnau'n Ferch y Gweinidog.'

'Ia, debyg iawn . . . A ddim yn cael anghofio hynny . . . Cwyno oedd Bet fod ei byd hi'n gyfyng iawn . . . mai troi o gwmpas y capel oedd o.'

'Wel, os ydi'r Penteulu yn weinidog, mae hynny'n anodd iawn i'w osgoi.'

'Hyd yn oed os nad ydi o'n weinidog, mae swydd y gŵr yn effeithio ar ei deulu fo,' meddwn.

'Ond mae o gan gwaith gwaeth efo teulu gweinidog.'

'Pam wyt ti'n deud hynny, Gwladys?' Teimlwn ei bod yn edrych ormod ar yr ochr dywyll. Ond roedd hynny'n gwbl amlwg. Dyna pam oedd hi yma.

'Dydi hi ddim yn swydd sy'n gorffen. Mae ysgol a siop yn gallu cau. 'Tydi eglwys byth yn cau . . . Mae pobl angen help. Ac maen nhw eisiau cael gofal ysbrydol a gofal bugeiliol . . . a phan maen nhw'n sâl, maen nhw eisiau i rywun fod efo nhw a gweddïo . . . a hyd yn oed wedi iddyn nhw farw, maen nhw'n mynnu fod rhywun i'w claddu . . . '

Roedden ni'n mynd lawr y rhiw yn gyflym.

'Mae o'n ddiddiwedd,' meddai, gan syllu drwy'r ffenest yn ofidus.

'Ac mae'n siŵr o effeithio ar blentyn . . . efallai na chefaist ti fawr o sylw dy hun pan oeddet ti'n blentyn . . .'

'Dydw i ddim yn cofio bod yn blentyn, a deud y gwir . . .'

'Be wyt ti'n ei feddwl?'

'Theimlais i erioed 'mod i'n rhywun arbennig yng ngolwg fy nhad. Aelod o'i braidd oeddwn i. Roedd 'na wastad rai oedd mewn llawer mwy o angen na mi. Pobl wael, pobl wedi cwympo, pobl mewn gwewyr ysbrydol neu gymdeithasol . . . ddaru mi rioed fod mewn cyflwr lle roedd Tada yn teimlo 'mod i'n haeddu ei sylw.'

Roedd rhywbeth yn y modd y deudodd hi 'Tada' yn fy ngwneud i'n drist ddychrynllyd.

'A dy fam?'

'Doedd pethau ddim yn iawn yn fan'na chwaith.'

'Ddim yn "iawn"?'

'Dydw i ddim wedi trio'i roi o mewn geiriau o'r blaen . . . wn i ddim sut i ddeud wrth rywun hollol ddieithr.'

'Smalia 'mod i'n chwaer i ti.'

''Mond yn fy mhen ydw i wedi cael y meddyliau 'ma.

139

Dydw i erioed wedi gorfod trio'u mynegi. Dwi wastad yn gwybod be dwi fy hun yn ei deimlo neu yn ei feddwl.'

'Siŵr iawn,' meddwn. Roedd yr hogan yn deall ei hun yn burion. 'Wyt ti a dy fam yn agos?'

'Nag ydan. Ydi mam a merch i fod yn agos?'

'Mae rhai'n agosach na'i gilydd. Ond mae 'na bethau na fedri di ond eu rhannu efo mam . . . '

'Ddaru mi rioed deimlo hynny,' meddai Gwladys. 'Efo'r rhan fwyaf o bethau, Mam fyddai'r person olaf y byddwn i'n rhannu â hi.'

'Sut bethau?' mentrais.

'Meddyliau. Pethau oedd yn mynd drwy fy meddwl i. Pethau na fyddwn i'n eu trafod efo 'Nhad chwaith.'

Roedd o fel tynnu dŵr o graig. Os oedd ganddi feddyliau anllad ddychrynllyd, doeddwn i ddim am ei gorfodi i'w rhannu â mi.

'Does dim rhaid iti ddeud os ydi o'n gwneud i chi deimlo'n annifyr.'

'Dim mater o deimlo'n annifyr. Cywilydd yn fwy na dim.'

'Be yn hollol, Gwladys?'

'Holi'r cwestiwn ambell waith . . . dim ond i fi fy hun . . . soniais i ddim wrth neb arall . . . '

'Ia . . . ?'

'Dim ond holi . . . neu gwestiynu . . . y syniad ydi Duw yn bod o gwbl.'

Distawrwydd.

'Chi fynnodd 'mod i yn ei ddweud . . . a rŵan, dwi wedi eich dychryn chi.'

'Bobl, naddo! Ro'n i wedi dechrau ofni dy fod di am ddeud rhywbeth llawer gwaeth!'

'A be fedr fod yn waeth na hynny?'

'Radeg honno y teimlais fel rhoi coflaid iddi. Gafael ynddi'n dynn, a'i gwasgu ataf. Roedd hi mor ddiniwed, ond eto mewn cymaint o boen.

'Unwaith yr ydych chi wedi dechrau gofyn y cwestiwn yna, does 'na ddim byd ar ôl.'

'Dwi'n meddwl ei fod o'n gwestiwn reit bwysig i'w ofyn.'

'Ond does gynnoch chi ddim byd i afael ynddo wedyn. Rydych chi wedi dechrau amau'r canllaw ei hun. Ac unwaith y gwnewch chi hynny, does dim i'ch tywys, a rydach chi'n sylweddoli nad oes 'na lwybr hyd yn oed. Mae'r holl syniad o daith yn ofer.'

'Rhwydau weithiodd ef ei hun,' meddyliais.

'Gwladys, rho'r gorau i arteithio dy hun fel hyn. 'Randros, rwyt ti'n gweld dy hun – rwyt ti wedi gwneud dy hun yn sâl. Rydan ni i gyd yma ar yr hen ddaear 'ma efo'n gilydd, a tydi o ddim wastad yn amlwg pam, ond waeth inni wneud y gorau ohoni . . . '

'Dyna ydach chi'n ei wneud?'

'Gorau medra i.'

'Pam rydych chi mewn ysbyty 'ta?'

Cymerais anadl ddofn. 'Am i mi golli golwg ar ystyr bywyd, Gwladys – os wyt ti wirioneddol eisiau gwybod.'

Touché.

Mi fuom yn ddistaw wedyn, hi a mi, a minnau'n teimlo i Gwladys gael rhyw oruchafiaeth arna i. Waeth beth a wnawn i godi ei chalon, doeddwn i ddim gwell na hi. Roeddem ein dwy mewn Seilam, ill dwy wedi torri. Roeddwn i'n bwped dipyn bach mwy optimistaidd na hi, ond dyna'r cwbwl.

* * *

Pan dorrais i, pan ddigwyddodd y waedd ddychrynllyd honno yn y gawod, mi gwympais yn ddigon sydyn. Doedd dim byd gosgeiddig ynglŷn â'r gwymp. Baglu,

141

syrthio, codwm, cwymp, rowlio'n bendramwnwgl tua'r gwaelod. Wedi ychydig fisoedd o fagu Lora, deuthum i brofi syrffed a straen, ond trodd hwn yn ddigalondid dwys. Roedd blinder yn boen, ac roedd Lora'n fy mhoenydio'n ddiddiwedd. Doedd dim pall ar ei gofynion, ac yr oedd ei bwydo erbyn y diwedd yn peri'r fath boen, byddwn yn syrthio ar y llawr yn crefu am gael marw – unrhyw beth i'm rhyddhau o'r boen.

Un noson, rhoddais fy mhen yn fy nwylo a beichio crio, crio a chrio, gweiddi crio, nes codi ofn ar Dafydd. Gadewais i'r holl rwystredigaeth a chwerwder ruthro allan ohonof yn ochneidiau dwfn dirdynnol. Gafaelodd Dafydd ynof, fy ngwasgu'n dynn, a'm siglo yn ôl ac ymlaen. Cofiaf hynny'n glir. Mae o'n ddarlun yr ydw i wedi ei ail-fyw gannoedd o weithiau wedi hynny. Ar y dechrau, roedd o'n dal i 'ngharu. Yn y diwedd, peidiodd y dagrau, a gofynnodd Dafydd i mi beth oedd y rheswm.

'Ofn i hyn i gyd effeithio ar ein perthynas ni ydw i,' meddwn, a gwasgodd fi i'w fynwes drachefn. Mwythodd fy ngwallt, mynegi ei gariad a dweud na fyddai dim byth, BYTH yn ein pellhau na'n gwahanu.

Mor anghywir oedd o.

Falle ei fod o'n ddidwyll ar y pryd, dydw i'n amau dim, ond mi gafodd o ddigon yn y diwedd. Wedi deunaw mis o weld cymar yn crio, diau y byddai sant yn cael digon, ac mi gafodd Dafydd ddigon. Yr hyn oedd yn ei frifo yn fwy na dim oedd fy mwriad i gael rhywun i fabwysiadu Lora.

Mae o'n swnio'n beth dychrynllyd, ond mae o'n wir. Ni fu'r penderfyniad yn anodd i mi o gwbl. Mae'n siŵr mai canlyniad rhesymegol i ddioddef y fath boen wrth fwydo ydoedd. Ro'n i eisiau i'r boen ddiflannu. Ro'n i eisiau i Lora fynd.

Cofiaf y noson gyntaf y cysgodd Lora yn ein tŷ ni.

Bwndal bach gwyn yn edrych yn fach, fach yn y crud wrth droed ein gwely. Naw diwrnod oed oedd hi. Roedden nhw wedi fy nghadw yn yr ysbyty am dros wythnos wedi i'r hollt yn fy nghorff wrthod gwella, mynd yn ddrwg, ac wrth i'r problemau bwydo barhau. Ond yn y diwedd cawsom ddod adre, a doedd neb ond Dafydd a mi i ofalu am Lora bellach. Gosodais hi ar ei chefn, yn gweddïo na fyddai'n troi ar ei hochr. Doedd hi ddim yn gallu troi, ond doedd hynny ddim yn gwneud fy ofn ddim llai. Cerddais at y drws, a throi'n ôl i wneud yn siŵr ei bod yn dal i anadlu. Popeth yn iawn. Mynd at y drws eto, ond methu gadael. Y cwbl oedd yn rhaid i mi ei wneud oedd cadw llygad arni, a byddai popeth yn iawn. Ond roedd yn rhaid i mi adael y crud. Fedrwn i ddim sefyll yno drwy'r nos. Yn y diwedd, cefais afael ar gynfas fechan, ei rholio'n grwn a'i rhoi un ochr i Lora. Yna, gwnes yr un peth efo cynfas arall a gosod honno yr ochr arall. Roedd hi'n saff rŵan, fyddai hi byth yn troi. Gwelais law maint tylwyth teg yn estyn am ei gwefusau. Roedd hi mor frau!

Roedd yna beryg iddi fygu efo cymaint o gyfnasau bob ochr. Holl bwynt peidio rhoi gobennydd iddi oedd cadw'r crud mor foel â phosib. Tynnais y ddwy gyfnas, a'i gadael – dim ond y hi wedi ei lapio mewn blanced – a'i chefn ar y matres. Oedd y blanced rhy dynn amdani? Oedd hi'n oer? Roedd gen i ddau thermomedr i fesur gwres y stafell, ond gallai'r tymheredd ostwng yn y nos . . . Yn llawn gofidiau, gadewais yr ystafell wely. Roedd yn rhaid i mi ddysgu byw efo'r Ofn.

Ond, ganol nos, does dim thermostat ar Ofn, ac aeth yn gwbl wallgof. Breuddwydiais 'mod i'n dod i fyny'r grisiau, a bod Dafydd yn dod o'r ystafell wely.

'Dafydd?' meddwn, achos roedd golwg ryfedd ar ei wyneb. Golwg rhywun wedi gweld drychiolaeth.

'Dafydd?' meddwn eto a rhedeg i fyny ato . . . 'Dafydd?'

Doedd o ddim yn gallu edrych i fy wyneb. Fedra fo ddim codi'i ben.

'Mae'n rhy hwyr, cariad . . . mae hi'n rhy hwyr . . . '

Y funud honno, daeth yr hen deimlad afiach hwnnw yn ôl i mi, y teimlad gwag chwerw, gan fy hyrddio yng ngwaelod fy stumog.

Deffrois, yn sgrechian yn wallgof,

'Dafydd!'

Deffrodd Dafydd wedi dychryn a throi ataf mewn dryswch.

'Lora,' meddwn.

Mewn chwinciad, roedd o wedi neidio allan o'r gwely, ac wedi mynd i edrych yn y crud.

'Mae hi'n iawn,' meddai, 'beth sy'n bod arnat ti?'

Roeddwn yn beichio crio, mewn rhyddhad, mewn diolchgarwch, mewn gorfoledd . . . Roedd hi'n fyw ac yn iach, roedd Lora'n dal efo ni, ac roedd popeth yn iawn yn y byd. Cofleidiodd Dafydd fi a deud,

'Popeth yn iawn, popeth yn iawn. Breuddwyd oedd o.'

Ceisais innau fynd yn ôl i gysgu, ond rhyw gwsg anniddig ydoedd. Roedd yr ellyllon wedi bod, a doedden nhw ddim wedi mynd. Roedden nhw'n llechu yr ochr arall i'r drws, yn chwerthin am fy mhen fel hogiau drwg. Sylweddolais, gyda chalon drom, tra byddai Lora byw, na fydden nhw byth yn fy ngadael. Roedden nhw yno i aros. Ellyllon Ofn oedd yn aros eu cyfle i ddwyn Lora oddi wrthyf.

Cofiaf gerdded at y llofft un bore, a gobeithio yn fy nghalon na fyddai Lora yn fyw wrth i mi agor y drws. Y byddai wedi diflannu yn y nos, yr ellyllon wedi mynd â hi, rhyw grafanc wedi dod drwy'r ffenest a'i chipio ymaith. Mor hawdd fyddai pethau! Mor rhwydd! Byddai fy holl drafferthion wedi mynd. Pe na bai Lora'n fyw, fyddai neb yn gweld bai arna i, ac mewn amser deuai pethau yn ôl fel yr oeddynt. Byddai pethau hyd yn oed yn dod yn ôl yn iawn rhwng Dafydd a minnau . . . Feiddiwn i feddwl am y fath hapusrwydd?

Agorwn y drws, rhoi cip ar y crud, edrych ar yr wyneb bach, a dyna lle roedd hi, yn berffaith iach, yn cysgu'n drwm. Fyddwn i ddim yn myfyrio ar y siom, dim ond yn gadael i bethau fod, ac yn ceisio ymddwyn fel mam. Weithiau deuai'r haul cynnar drwy'r ffenest, ac mi fyddai yna eiliadau o dangnefedd. Byddwn yn dal yr un fechan ar fy mynwes, a theimlo'n un â hi, ond byddai'r ellyllon yn dal o gwmpas.

'Dwyt ti ddim ffit i fod yn fam.'

'Mae hi mor frau, mor ddiamddiffyn.'

'Fyddan nhw ddim yn fabis am hir.'

'Tyfu wnaiff hi.'

'Mae hi wedi difetha dy fywyd.'

'Fydd pethau byth yr un fath.'

'Does dim stop ar hyn rŵan. 'Run fath fydd o, ddydd ar ôl dydd ar ôl dydd.'

'Does 'na ddim ti rŵan, dim ond y hi.'

'Does dim dirgelwch ar ôl mewn bywyd. Hwn ydi o – ti a hi a fo – hyd byth yn dragywydd.'

Am wn i mai'r olaf oedd yn fy mrifo fwya. Yn ystod oriau maith y bwydo, hwn oedd y bwystfil mwyaf oedd yn fy wynebu.

Hyd yn eitha diweddar, roedd bywyd wedi bod yn dipyn o ddirgelwch. Dyna oedd bywyd fel yr adwaenwn ef, cyfres o ddigwyddiadau, o deithiau, o agor cwys, o gerdded llwybr, o ganfod yr hyn oedd rownd y gornel nesaf . . . Canfod cyfeillion, darllen am syniadau, agor meddwl, gadael ysgol. Roedd pob un yn antur ar daith bywyd. Ac er y byddwn yn ofnus weithiau, roedd o'n gallu bod yn sbort, yn ddarganfyddiad. Tyfu, gweld fy nghorff yn newid ac aeddfedu, darganfod cyfrinachau dynol ryw, eu rhannu â ffrindiau . . . Dysgu crefft, hyfforddi, gadael cartref a byw yn annibynnol. A thrwy gydol y daith, dyfalu, dyfalu . . . sut stori fydd fy un i? Pa fath o gartref fydda i yn byw ynddo? Pa fath o daith a gaf i'r goedwig? Beth fydd yn fy nisgwyl i yno? Pa dywysog ddaw heibio a'm deffro o'm trwmgwsg a'm priodi? Sut fabi gaf i? Fydd ei wefusau mor goch â'r gwaed, a'i groen mor wyn â'r eira? Sawl plentyn a gaf? Beth fydd eu henwau? Sut natur fydd ganddyn nhw? A sut hen wreigen fydda i? Roedd fy myd yn llawn cwestiynau.

A bellach, gwyddwn yr atebion, bron i gyd. Dafydd oedd y tywysog a ddaeth heibio, a Lora oedd fy mabi bach. Ac roedden ni'n byw yn 18, Ffordd y Gylfinir. Roedd Dafydd yn bensaer ac roeddwn i yn gyn-lyfrgellydd yn aros adref i'w magu – o ddewis. Rhyfedd sut yr oedd rhamant yn araf ddiflannu o'r darlun wrth i fanylion y byd go iawn gael eu gosod. Yn sydyn doedd 'na ddim dirgelwch ar ôl. Dyma oedd swm a sylwedd fy mywyd ac ro'n i'n eithriadol siomedig ag o.

Pennod 19

O beidio dymuno fod Lora yn bod, cam bychan ydoedd i ddymuno nad oeddwn i fy hun yn bod. Mae modd dymuno diddymdra.

Y bore bach oedd y gwaethaf. Roedd deffro bob dydd yn dod â'r hunllef i gyd yn ôl. Wn i ddim a oeddwn yn disgwyl rhyw drawsnewidiad mawr yn y nos, ond roedd deffro bob bore i ganfod 'mod i'n dal yn sownd yn yr un bywyd yn hunllef erchyll. Byddai'n hanner awr wedi pedwar neu bump y bore arnaf yn deffro, a gorweddwn â 'mhen ar y gobennydd yn graddol sylweddoli lle yr oeddwn. Y sylweddoliad fod yn rhaid i mi godi, ymolchi, gwisgo, a mynd drwy'r un ffars unwaith yn rhagor. Smalio 'mod i'n rhywun arall, actio mam a gwraig, dal pen rheswm efo Dafydd, ateb anghenion Lora, gwneud prydau, cadw tŷ, dal wyneb, gwylio'r oriau maith yn mynd heibio, cyn y cawn ddychwelyd i'm gwâl a dileu'r cwbwl mewn cwsg tangnefeddus. Wrth i'r stafell oleuo, byddai'r dagrau'n dechrau dod, fel mai'r peth cyntaf a glywai Dafydd bob bore oedd sŵn crio.

Ar y cychwyn, roedd o'n llawn consýrn, yn naturiol. Gwnâi baned yn y gwely i mi, chwaraeai fy hoff gerddoriaeth, byddai'n mynd gyda mi am dro, coginiai fy hoff brydau, trefnai rywun i warchod inni gael noson allan – unrhyw beth i godi fy nghalon. Cawsom fynd i ffwrdd am benwythnos, dim ond y ddau ohonom, i weld a fyddwn yn dod yn ôl at fy nghoed. Ar adegau felly, byddwn yn ysgafnach, ond y munud y deuwn yn ôl adref, a chael Lora yn fy nghôl, byddwn yn troi'n llyn unwaith yn rhagor. Yn amlwg, roedd fy nghyflwr yn gysylltiedig â hi.

Dim ond un ateb oedd yna. Unwaith i mi feddwl amdano, roedd mor glir â haul canol dydd. Fûm i ddim yn hir cyn dweud wrth Dafydd. Ro'n i'n effro o'i flaen, a phan ddeffrodd, dywedais wrtho,

'Dafydd. Dim ond un ateb sydd. Rydw i am i Lora gael ei mabwysiadu.'

Dydi Dafydd ddim yn dda iawn yn y boreau. Mi gymer hanner awr i dri chwarter i ddod ato'i hun. Pan oeddwn i'n iawn, byddwn yn deffro'n syth ac yn parablu bymtheg y dwsin – yn ofer. Ni fyddai Dafydd yn gwrando o gwbl nes cael paned gynta'r bore, a hanner awr o synfyfyrio. Er mor erchyll oedd fy newydd, fe'm hanwybyddodd.

'Rydw i o ddifri, Dafydd. Yn amlwg, fedra i ddim parhau fel hyn, felly mae'n rhaid i rywbeth fynd. Fi neu Lora.'

'Dydi Lora ddim yn mynd i unman.'

'Rydw i wedi meddwl a meddwl am y peth. Dyna ydi'r ateb.'

Mae'n rhaid i mi edmygu Dafydd am ei hunan-reolaeth. O edrych yn ôl, dwi'n lwcus iawn na luchiodd fi allan o'r gwely. Dyma ddyn oedd wedi bod yn gwrando ar wraig am ddwy flynedd a mwy yn dweud ei bod hi isio babi bob bore a nos, a rŵan ei bod wedi cael un, roedd yn dweud ei bod eisiau cael ei wared.

'Rwyt ti'n siarad trwy dy het.'

'Dydw i ddim yn bod yn afresymol,' dywedwn. 'Mae o'n gweddu i rai, dydi o ddim i eraill. Mae'n amlwg fod popeth wedi mynd o chwith imi, a ddim wedi gweithio o gwbl. Siŵr bod 'na rywun fydd yn fodlon gofalu am Lora.'

'Oes – fi,' meddai Dafydd.

'Doeddet ti ddim hyd yn oed eisiau plentyn.'

'Wel, mi rydw i rŵan.'

'A ti'n rhoi blaenoriaeth iddi hi?'

'Dwi'n meddwl ei bod hi llai tebol na ti i ofalu amdani ei hun.'

'Ond mae'n effeithio ar ein priodas ni.'

'Mi fedrwn ni weithio ar hynny.'

Am ryw reswm gwirion, mi fyddwn yn dal ati nes y byddai Dafydd yn ffrwydro, neu byddai Lora'n dechrau crio. A dyna sut y byddai bob bore'n dechrau.

Y bore canlynol, byddwn wedi deffro cyn Dafydd a byddwn naill ai yn gorwedd yn y gwely yn crio, neu yn synfyfyrio.

'Dafydd,' meddwn, fel tiwn gron, 'dwi'n dal o'r un farn. Rydw i eisiau i Lora gael ei mabwysiadu.'

Doeddwn i ddim yn gollwng gafael ar y syniad; cydiwn ynddo fel gelen. Drwy gydol yr amser y byddwn yn bwydo, dyna'r unig syniad oedd ar fy meddwl. Byddwn yn edrych ar ei gwallt meddal sidanaidd, yn edrych ar y bochau melfed, yn gwylio'r dwylo bach, ac yn sylweddoli mai tyfu a fyddai, ac mai nodweddion dros dro oedd yr atyniadau mirain hyn. Byddwn yn ystyried sut fyddwn i'n teimlo wedi trosglwyddo Lora i ofal rhywun arall, a'r unig deimlad a ddeuai i mi oedd un o ryddhad. Byddai Lora'n cael gofal llawer gwell, byddwn innau'n hapus ac yn gallu ailgydio yn fy mywyd. Byddai amser yn dod pan fyddai Lora yn tyfu, yn canfod ei gwir hanes, ac yn dod i chwilio amdanaf fi. Honno fyddai'r gnoc ar y drws fyddai yn codi ofn arnaf. Byddwn yn agor y drws ymhen pymtheg i ugain mlynedd, a byddai merch ifanc yn sefyll yno, a rhywbeth

149

cyfarwydd yn ei phryd a'i gwedd.

'Mam,' fyddai'r dieithryn yn ei ddweud, 'Lora ydw i.'

Sawl tro y chwaraeais yr olygfa honno yn fy meddwl? Beth fyddwn i'n ei ddweud? Sut fyddwn i'n teimlo? Sut fyddai Lora'n ymateb i mi?

Ond yna, byddwn yn holi fy hunan drachefn. Oedd hi werth dioddef blynyddoedd o anhapusrwydd, dim ond am fod gen i ofn golygfa y byddwn i – o bosib – yn gorfod ei hwynebu mewn ugain mlynedd? Efallai na fyddai Lora eisiau cysylltu â mi. Efallai na fyddwn i byth yn clywed ei llaw yn curo ar fy nrws . . .

Cofiaf wyrth fach yn digwydd unwaith, dod ar draws cwpwl yr oeddwn yn ei nabod erstalwm. Nid oeddwn wedi eu gweld ers blynyddoedd, ac yn naturiol, efo Lora yn y goets o'm blaen, trodd y sgwrs at blant. Digwyddodd Elsi grybwyll eu bod yn methu cael plant, a dyma hi'n llefaru'r geiriau hudol,

'A dweud y gwir, 'dan ni'n trio mabwysiadu.'

Dyna hi wedyn. Y munud ro'n i adre, dyma ddechrau cynllunio. Dyma oedd ateb gwirioneddol i weddi. Fydda dim rhaid i mi fynd drwy'r broses erchyll o roi Lora i ryw asiantaeth ddi-wyneb. Fyddai dim rhaid i mi fynd â hi i'r ysbyty fel nwydd diangen a gofyn am fy nghorff yn ôl. Fyddai dim rhaid i mi boeni a gafodd hi rieni da. Byddai Elsi'n ei chymryd i'w chôl, a byddai ganddi un o'r mamau gorau yn y byd. Mam lot gwell na mi, mam fyddai'n gallu rhoi yn ddiderfyn ac yn ddigwestiwn. Mam a fedrai roi eraill o flaen hi ei hun. Yn well na dim, gallwn gadw mewn cysylltiad a'i gweld yn prifio. Ro'n i wrth fy modd efo plant, dim ond 'mod i wedi canfod (yn rhy hwyr) nad oeddwn eisiau un fy hun. Byddai'r gwir yn gorfod dod allan, ond mi fyddwn yn delio â hynny pan ddigwyddai. Roedd hynny ymhell iawn yn y dyfodol . . .

Roedd gen i stori wahanol i'w hadrodd wrth Dafydd y bore wedyn.

'Rydw i wedi canfod rhywun fyddai'n mabwysiadu Lora.'

Dim ymateb.

'Ti'n cofio Elsi? Elsi a Tom? Ffrindiau i mi pan oeddwn i'n Glanrafon? Welais i nhw ddoe, a chael eu hanes. Fedran nhw ddim cael plant.'

Dim ymateb.

'Fasan nhw'n rhieni gwych i Lora.'

'Dos i'r diawl.'

Fel ymateb cyntaf, doedd hynny ddim yn swnio'n rhy addawol ac, yn anffodus, ddaru barn Dafydd ddim newid. Roedd o'n gwbl ddi-droi'n ôl. Dwi'n meddwl mai pryd hynny nesh i sylweddoli o'r diwedd nad oedd modd ei wahanu o a Lora. Roedd y ddau yna'n mynd i lynu at ei gilydd.

Ond roedd o wedi fy nghadw i fynd am ychydig. Roedd y syniad o Lora yng ngofal rhywun fel Elsi wedi gwneud rhai oriau yn fwy goddefadwy. Euthum am ryw naw awr heb grio.

Doedd yna'r un cynnig o gwbl wedi dod i warchod a gofalu am Lora tan i Elsi grybwyll ei bod eisiau mabwysiadu. Ond y munud y dywedais wrth fy chwaer am y cynllun, mi ymatebodd yn chwyrn.

'Chaet ti byth wneud hynny,' meddai fy chwaer.

'Pam ddim?'

'Fyddwn i ddim yn gadael i ti.'

'Beth?'

'Os wyt ti wirioneddol am ollwng gafael arni, mi fyddwn i'n ei chymryd cyn neb arall,' meddai Dilys.

'Dwyt ti rioed wedi dweud hynny o'r blaen . . . '

'Ro'n i'n disgwyl i ti ddod yn well, siŵr iawn. Ond os wyt ti'n gwbl benderfynol o gael gwared ohoni, mi

151

fyddwn i'n ei chymryd yn hytrach na gadael iddi gael ei gwahanu oddi wrth y teulu. 'Rargol, mae ganddi daid a nain ac ewyrthod a modrybedd – fedri di ddim jest ei thynnu hi oddi wrth ei thylwyth.'

''Mond ei mam hi ydw i,' meddwn yn hunan-dosturiol.

'Taw â dy lol. Os wyt ti'n gwbl benderfynol nad wyt ti eisiau ei magu, yna wrth gwrs y caiff hi ddod aton ni. Rydan ni wedi gwirioni efo hi. 'Randros, mi fydda gen i hiraeth amdani tase hi'n mynd o'na.'

'Mae'r fenga gen ti yn saith. Dwyt ti ddim eisiau dechrau potsian efo napis eto. Newydd ddechrau cael dy ryddid yn ôl wyt ti,' meddwn.

'Mae gen ti obsesiwn efo rhyddid, dyna ydi dy broblem di. Dydw i ddim yn meddwl bod a 'nelo fo ddim ag iselder. Dyna pam nad ydi'r tabledi'n gwneud dim i ti.' Roedd ein teulu ni yn rhai nodedig am siarad yn blaen. 'Hunanol wyt ti. Rhyddid i wneud be wyt ti eisiau? Wn i ddim be faswn i'n ei wneud efo fy amser tase gen i mo'r plant. Mi fyddwn i ar goll.'

'Dydw i ddim 'run fath â ti, Dilys.'

'Wel, mae hi'n rhy hwyr i ddeud hynny rŵan. Mae Lora fach wedi dod i'r byd a ddyliet ti gyfri dy hun yn ffodus fod gen ti blentyn iach digon o ryfeddod.'

'Mi rydw i. Dwi jest ddim eisiau'i magu hi. Does dim o'i le ar hynny. Mae plant yn cael eu mabwysiadu bob diwrnod. Does dim byd yn bod ar eu mamau.'

'Mamau ifanc sengl ydyn nhw, ran amlaf. Rhyw genod pymtheg oed heb unman i droi. Dydyn nhw fawr mwy na phlant eu hunain.'

'Ond does dim byd abnormal am beidio bod eisiau magu plant, Dilys. Ystyria faint o ddynion sy'n rhedeg i ffwrdd ac yn gadael eu teuluoedd. Does neb yn datgan eu bod nhw yn wan eu meddwl ac yn eu rhoi ar dabledi.'

'Mae mam yn wahanol. Mae 'na rywbeth mewn dynes sy'n ei chlymu hi at ei phlant. Mae hi'n llawer anos gwahanu mam a phlentyn, siŵr iawn.'

'Dim ond am ein bod ni mor gythreulig o gydwybodol. Pan mae tad yn gadael cartref, mae o'n gwybod fod y fam yna i gadw'r teulu efo'i gilydd. Does gan y fam mo'r sicrwydd hwnnw os ydi hi'n gadael.'

'Digon o athronyddu. Be wyt ti'n mynd i neud?'

'Wel, os nad wyt ti yn ei chymryd, ac os nad ydi Dafydd am wahanu efo hi . . . Yr unig ddewis sydd gen i ydi gadael Dafydd.'

'Rhyngot ti a dy botes,' oedd geiriau olaf Dilys. Ddaru ni ddim torri gair wedyn am amser maith.

Pennod 20

Fel gyda chwiw y mabwysiadu, unwaith ro'n i wedi cael
y chwilen yn fy mhen fy mod am adael Dafydd, dyna'r
unig beth oedd yn llenwi fy meddwl. Ni allai rywun
ddymuno gŵr gwell, ffeindiach, mwy triw, ond roedd
pethau wedi mynd o chwith; ro'n i wedi gwneud
camgymeriad, ac ro'n i'n trio dod allan ohono.

Roedden ni wedi cael amseroedd da, amseroedd da
iawn efo'n gilydd, ond daethant i ben, ac roedd hi'n bryd
symud ymlaen.

Roedd fy mhenderfyniad yn un fyddai'n effeithio'n
arw ar Lora, wrth gwrs. Coblyn o beth ydi gadael plentyn
heb ei fam. Ond bai Dafydd oedd hynny i bob diben. Fo
oedd wedi fy ngorfodi ar y trywydd hwn. Euthum mor
bell â chanfod merch arall i fod yn wraig iddo, un glên
iawn (iau na mi) oedd wedi ffoli'n lân ar Lora (ac un a
oedd bron â marw eisiau priodi a chael babi).

'Fasa hi'n gwneud gwraig ragorol i ti.'

'Mae gen i wraig. Dydw i ddim eisiau un arall.'

Fo oedd y creadur mwyaf digalon dan haul – fel
bydda unrhyw un fydda'n cael ei orfodi i ddewis rhwng
ei wraig a'i blentyn. Roedd y rhan fwyaf o ddynion yn
cael y ddau.

'Beth sy'n ein gwneud mor anodd i fyw efo ni?'
gofynnai weithiau, fel petai'r cwbl tu hwnt iddo.

Fedrwn i ddim ateb. Wyddwn i ddim.

'Beth fyddai'n dy wneud yn hapus?' gofynnai wedyn, yn fodlon rhoi'r byd i mi.

Cwestiwn arall, amhosibl ei ateb. Y cwbl wyddwn i oedd 'mod i'n ddigalon ac nad oeddwn i'n cael blas ar fyw.

Falle 'mod i wedi cyrraedd oedran arbennig. Falle mai dyma sut oedd pawb wedi pasio'r deg ar hugain. Falle mai'r rhain oedd dechrau 'blynyddoedd crablyd canol oed', a bod pawb yn cael yr un fath o argyfwng – ar raddfa lai. Falle mai derbyn hyn mewn ffordd osgeiddig oedd derbyn ein bod yn tyfu'n hen.

Ond, yng ngwaelod isaf fy mod, gwyddwn fod rhywbeth mwy yn bod. Roedd ynof ryw ddigalondid dwfn, dwfn nad oedd modd ei ysgwyd ymaith. Doedd a wnelo fo ddim gymaint â hynny â thyfu'n hen. Syrffed eithafol efo'r broses o fyw ydoedd. Petawn yn bod yn gwbl onest â mi fy hun, ro'n i wedi blino byw, ac ro'n i'n dymuno i'r broses ddod i ben.

Dwi'n credu fod hyn yn cael ei adlewyrchu yn y ffordd ro'n i'n gwisgo ac yn edrych. Ddaru mi ddim sylwi fy hun; meddyliais mai canlyniad anochel bod yn fam oedd o. O'r blaen, cyhyd ag y gallaf gofio, ro'n i wedi codi'n gynnar, molchi a gwisgo ar gyfer brecwast. Fyddwn i byth yn cael fy mrecwast yn fy nillad gwely. Dyna sut y cefais fy magu, a doedd dim wedi tarfu ar y patrwm – dim, nes daeth Lora. Bellach, gan 'mod i'n deffro ar ryw awr annaearol cyn chwech i'w bwydo, byddwn yn naturiol yn mynd yn ôl i gysgu, a byddai fy mhatrwm arferol wedi ei luchio oddi ar ei echel. Byddai Dafydd wedi mynd i'w waith, ac wedi i mi fwydo eto neu roi brecwast i Lora, byddai'n ddeg o'r gloch yn aml arnaf i'n eistedd wrth y bwrdd brecwast – a hynny yn fy nghoban. Ceisiais gadw at ryw fath o barchusrwydd – cadw napis oddi ar y llawr, molchi a gwisgo Lora bob

155

bore a nos, rhoi bath iddi, rhoi bath i mi fy hun a golchi 'ngwallt yn rheolaidd, ond collais y ras yn llwyr. Yn raddol, torrwyd pob un o fân reolau bywyd domestig.

Dyma ddechrau llacio rheolau glanweithdra, a pheidio llnau'r tŷ o'r top i'r gwaelod bob wythnos. Penderfynu nad oedd angen newid cynfasau'r gwely, glanhau'r stof, gwagio'r cwpwrdd rhew mor rheolaidd â hynny. Yna dechreuais wneud yr hyn fyddai'n gwbl anghredadwy flwyddyn yn ôl, canfod nad oedd yn drosedd yn erbyn dynoliaeth os awn i bedair awr ar hugain heb ymolchi. Cam bychan wedyn oedd dechrau gwisgo'r peth agosaf ataf ben bore, hyd yn oed os nad oedd yn gwbl lân (dim ond chwydu drosto fyddai Lora ymhen dipyn, beth bynnag). Rhoddais y gorau i wisgo colur a thlysau. Gwisgwn yr un peth ddydd ar ôl dydd. Yn y diwedd, byddai Lora yn ei chanfod ei hun hefyd yn yr un dillad, ac weithiau'n cysgu yn ei dillad dydd, neu yn gwsigo ei dillad nos drwy'r diwrnod canlynol. Doedd dim byd bellach fel tase ots . . .

Nes i Dafydd ffrwydro un diwrnod. Roedd o'n mynd i ffrwydro'n amlach, a hynny am y pethau lleiaf. Weithiau, doedd dim gwadu mai fy mai i ydoedd, droeon eraill ro'n i'n gwbl ddiniwed, ond fi a gâi'r bai hyd yn oed wedyn. Un diwrnod, gwisgo'r gardigan werdd oedd y drosedd.

'Llosga hi, da ti.'

Roedd i Dafydd awgrymu hynny yn beth cwbl abswrd. Dafydd – oedd mor ofalus gyda dillad ac arian yn dweud wrtha i am gael gwared ohoni – nid drwy ei rhoi i elusen, ond drwy ei llosgi.

'Dydi hi ddim mor hen â hynny. Dalais i bymtheg punt amdani. Mae hi'n "pure new wool".'

'Affliw o ots gen i os ydi hi'n aur pur. Dwi wedi cael digon arni. Dwyt ti ddim wedi gwisgo dim byd arall ers geni Lora.'

'Dwi'n newid y crys oddi tani, siŵr iawn. 'Rargol, efo bwydo, mae'n rhaid i mi gael rhywbeth sy'n agor yn y tu blaen.'

'Bryna i un arall i ti.'

'Dwi'n lecio hon. Dwi'n teimlo'n gyfforddus ynddi.'

'Ti 'run fath â hen wraig ynddi.'

'Dwi wedi deud wrthat ti beth i'w wneud os wyt ti eisiau "younger model". Diawch, taswn i'n gwybod mai dim ond eisiau byw efo "pin-up" oeddet ti, faswn i ddim wedi dy briodi.'

'Rho'r gorau i siarad yn wirion. 'Mond isio i ti fod yn smart ydw i – cael dipyn bach o hunanbarch . . . '

'Dywed wrtha i Dafydd, lle yn union ga' i amser i "wneud fy hun yn smart"? Tria di ffendio amser yn ystod y dydd – neu'r nos, tasa hi'n dod i hynny – pryd y medra i gael awran fechan i gael bath neu dipyn o amser i bincio. Y?'

'Sorri i mi grybwyll y peth . . . '

'Faswn i'n meddwl, wir! Wyt ti'n meddwl 'mod i'n lecio mynd o gwmpas y tŷ yn edrych fatha sipsi? Wyt ti wedi meddwl rioed y byddwn i'n lecio rhyw bnawn i mi fy hun i gael gwneud fy ngwallt? Fedri di ddim gwneud hynny efo babi bach! Awr fach faswn i eisiau i bicio lawr i'r dre i siop, i gael dillad newydd . . . Wyt ti'n fodlon cymryd awr o'r gwaith i warchod?'

'Mae gen ti lond wardrob o ddillad fyny grisiau.'

'Radeg honno y ffrwydrais innau.

'Does 'na ddim byd yn fy ffitio! Dydw i ddim yr un maint ag oeddwn i! Rhag ofn na sylwaist ti, mae cario babi o gwmpas am naw mis yn newid dy siâp di! Wyt ti wedi dychmygu faint o'th ddillad di fyddai'n dy ffitio tase gen ti fabi wyth pwys yn tyfu'r tu mewn i ti?'

Sylweddolodd Dafydd ei fod wedi taro man tendar.

''Mond crybwyll y gardigan ddaru mi.'

'Ddeudaist ti wrtha i am ei llosgi.'

'Mae hi wedi newid dy gymeriad di. Dwyt ti ddim yn cerdded fel oeddet ti'n cerdded. Ti'n crymu ynddi, ti wedi mynd i mewn i chdi dy hun rywsut . . . ti'n symud fel taset ti'n hen wraig!'

'Ac mae o mor syml â llosgi dillad rŵan, ydi? Taswn i'n llosgi'r gardigan ac yn gwisgo dilledyn arall, byddai fy siâp yn newid, basa? Chlywais i rioed ffasiwn beth! Mi ro i gynnig arni. Gwisg newydd, a mi fydda i'n berson newydd. Affliw o ots 'mod i'n deffro chwe gwaith y nos, am nad oes neb arall yn codi (bu hynny'n destun sawl ffrae hefyd). Affliw o ots nad oes na'm digon o amser yn y dydd weithiau i neud dim ond newid clwt. Na! 'Mond i mi gael cardigan newydd a bydd fy siâp yn dod yn ôl. Mi fyddwn i'n hogan ifanc siapus unwaith eto. Tyfa fyny wnei di, wir Dduw.'

Wedi hynny, gwnaeth Dafydd rywbeth nad oedd o erioed wedi'i wneud o'r blaen. Cododd, rhoddodd glep ar y drws, a cherddodd ymaith. Chwalais innau'n dipiau mân, a thasgodd y dagrau i bob man.

Gwaethygu wnaeth pethau wedi hynny.

* * *

Mi fu'r teulu yn help garw, fedra i ddim gwadu hynny. Dim ond eu bod hwythau – fel Dafydd – eisiau i mi wella. Rhyw dro cyn Dolig dwytha, pan oedd nerfau pawb eisoes wedi eu hymestyn i'r eithaf, mi wnes i bawb yn ddigalon wrth gychwyn ar y bregeth 'mod i eisiau i rywun fabwysiadu Lora.

'Stopia ddeud hynna, da ti,' medda Mam yn ei dagrau. 'Mae o'n brifo! Dydi o ddim yn naturiol!'

Sorri 'mod i'n ferch annaturiol, Mam. Sorri 'mod i'n methu chwarae'r rhan.

Roedd fy chwaer wedi gwylltio efo mi wedyn.

'Tasat ti 'mond yn gallu cael gwared o'r chwilen 'ma yn dy ben, a derbyn bywyd fel ag y mae . . . '

'Wyt ti'n meddwl 'mod i'n dewis bod fel hyn?'

'Ydw,' meddai'n siort. 'Mi ydw i. Ti'n meddwl dy fod wedi cael bargen wael, a ti wedi cael dy siomi efo bywyd. A ti'n gwrthod dod drosto.'

'Dwi'n "gwrthod" gwella, dyna ti'n ei ddeud?' dadleuais.

'Nage, ond ti'n ymdrybaeddu yn dy ddigalondid. Mae eisiau i ti ddechrau cyfri dy fendithion, a gweld yr ochr ola i betha.'

Jest fel'na. Fel 'tae o'n fater syml o gynnau swits golau ac mewn dim fasa bob dim yn olreit unwaith eto.

Erbyn y diwedd, roedd fy chwaer arall yn fy nghyhuddo o ddifetha Dolig. Ceisiais egluro nad oeddwn i'n teimlo'n joli iawn, rhag ofn nad oedd wedi sylwi.

'Wel tria wneud ymdrech, da ti, tasa fo ond er mwyn Dad a Mam.'

'Dyna ydi drwg cymdeithas heddiw, mae rhaid i bawb fod yn hapus. Dydw i ddim yn teimlo'n hapus. Ac mae'n ddigon o ymdrech i mi gario mlaen i fyw o ddydd i ddydd, heb fod yn llawen ac yn gwenu drwy'r amser. Mae hynny'n cymryd nerth, a does gen i mo'r nerth hwnnw.'

'Falle dylet ti fod yn gwneud mymryn mwy o ymdrech,' medda hi.

Ofer egluro nad mater o ymdrech ydi nerth. Fedr person gwan ddim cario llwyth mawr, waeth pa mor galed wnaiff o geisio. Os bydd yn rhoi cynnig arni, bydd ei goesau'n plygu a'i gefn yn rhoi, waeth faint o 'ymdrech' a wnâi.

Dyna pam oedd yr holl gymariaethau fod salwch

meddwl neu iselder yn union fel torri coes neu fraich yn abswrd. Mi gewch chi dorri'ch coes dros Dolig a fydda neb ddim dicach. Fyddan nhw'n bendant ddim yn eich cyhuddo o ddifetha'r ŵyl. Yn wir, mi fydda pawb yn gwneud ati i fod yn arbennig o glên efo chi, yn rhoi cyfarchion tymhorol ar y plastar Paris, ac yn ei addurno efo trimings – unrhyw beth i godi'ch calon.

Ond pan fo'ch calon wedi torri go iawn, does neb yn deall. Falla dylwn i lapio plastar rownd fy mron i wneud y peth yn amlwg. Ond dydw i ddim yn meddwl y buasen nhw'n deall wedyn. Fasan nhw 'mond yn meddwl 'mod i'n Rhyfedd. Efallai 'mod i'n ymddwyn yn rhy gall (hynny ydi, rhwng y crio). Falle 'mod i'n cuddio gormod. Taswn i'n siarad yn wirion drwy'r amser, byddent yn maddau mwy i mi. Ond am 'mod i'n ymddangosiadol normal, mae'r pethau abnormal ddaw allan ohonof yn creu cymaint mwy o sioc. Wn i ddim i lle i droi. Wn i ddim beth sy'n bod arnaf. Ond mae un peth yn gwbl amlwg. Rhaid i mi – fel mam – stopio sôn am fabwysiadu. Mae'r peth yn tabŵ. Yn ein hoes ryddfrydol, eangfrydig, rywiol gyfforddus, amhosibl i'w dychryn, sinicaidd ni, mae yna UN peth na chaniateir o gwbl, a mam ddim eisiau ei phlentyn ydi hwnnw. Mi fedran nhw ddygymod â phopeth arall. Taswn i'n ŵr hoyw eisiau cusanu fy mhartner yn gyhoeddus, fydden nhw ddim yn troi blewyn. Taswn i'n blentyn deuddeg oed eisiau yfed alcohol, arbrofi efo cyffuriau a chysgu efo'r sawl a ddymunwn, byddent yn eu labelu fel anghenion naturiol. Taswn i'n alcoholig eisiau curo fy ngwraig yn ufflon, mi fyddent yn dweud, 'Bechod, ond dyna'r math o gymdeithas 'dan ni'n byw ynddi'. Taswn i'n gwisgo gwisg milwr ac yn saethu miliynau yn enw gwareiddiad, mi gawn ddyrchafiad. Ond am fy mod i'n wraig sydd wedi geni plentyn, ac wedi dod i'r casgliad nad dyna ydw i eisiau o gwbl, rydw i'n esgymun gan gymdeithas; maen nhw'n fy nghau mewn seilam a'm stwffio efo cyffuriau a 'nghyhuddo i o ddifetha Dolig. Twt.

Dydw i ddim eisiau rhoi'r argraff na fu'r teulu ddim help. Roedd eu cymorth yn werth mwy nag aur – jest nad oeddan nhw'n deall. Fel y rhan fwyaf o deuluoedd, roedd yna awydd mawr i 'helpu' yn ymarferol, a'r help mwya yn aml oedd mynd â Lora oddi arnaf a gadael i mi gael seibiant – tasa fo 'mond am bnawn. Llwyddais i'w twyllo am hir nad oedd dim yn bod. Dirywio'n raddol wnaeth pethau, a Dafydd yn unig a sylweddolodd cynddrwg oeddan nhw. Pryderu am bethau bach, methu cysgu, poeni, a phroblemau bach yn troi'n broblemau mawr. Byddwn yn deffro ganol nos yn crynu fel peth gwirion, a gwyddwn nad oedd hynny i fod. Canfyddwn fy hunan yn chwys oer, yn panicio am rywbeth dibwys, ond roedd o'n deimlad erchyll. Teimlo nad oedd pethau o fewn fy rheolaeth, yn wir, eu bod ymhell y tu hwnt i mi. Ond sut oedd ceisio mynegi hyn? Lle yn y byd oedd rhywun yn cychwyn egluro fod y syniad o wneud cinio i fabi saith mis yn codi'r ofn mwya dychrynllyd arna i? Sut gwyddwn i beth i'w wneud? Gallwn fynd i'r holl drafferth i wneud pryd o lysiau iddi, a byddai peryg iddi boeri'r cyfan yn fy wyneb, chwydu'r cyfan drosof neu luchio'r bowlen am fy mhen.

'It doesn't matter, it doesn't matter,' fydda Noreen yn ei ddweud drosodd a throsodd, ond roedd o'n 'matter very much' i mi. I ddechrau, doedd Lora ddim yn cynyddu'i phwysau ac, yn ail, fy nghegin i oedd yn llanast, a fi fyddai'n gorfod mynd ar fy ngliniau i'w llnau. Doeddwn i ddim yn meddwl fod Weetabix yn fy ngwallt neu gwstard ar fy mlows yn ddychrynllyd o ddigri. A dweud y gwir, roedd yn fy ngyrru i fyny'r wal.

Os oedd paratoi pryd i Lora yn fy nychryn, roedd

gwneud pryd o fwyd blasus i Dafydd ymhell y tu hwnt i mi. O leiaf efo Lora, dysgais fod ffordd rownd y broblem, ac yn fuan byddai'n cael prydau parod powdr a dŵr deirgwaith y dydd, hyd yn oed os oeddynt yn llawn fitaminau cardbord. Mi fûm am wythnosau ddim yn coginio o gwbl, ond pan oedd Dafydd yn teimlo'n go gwla un noson, dywedodd wrtha i am baratoi pryd, ac euthum i banig llwyr. Cofiaf edrych ar y stof yn ceisio dyfalu lle ar y ddaear fyddwn i'n dechrau. Ofer dweud i mi wneud llanast llwyr ohoni. Roedd y tatws yn llawn dŵr, y moron yn rhy galed, a'r llysiau'n ddiflas. Ysgwyd ei ben ddaru Dafydd a chefais y teimlad cas fy mod i wedi ei siomi – unwaith yn rhagor.

Yn y stad yr oeddwn i ynddi, ddyle fo ddim fy mhoeni a oedd Dafydd yn cael ei siomi ynof ai peidio, ond roedd o'n dal i gyfrif yn fawr iawn. Falle fod pawb arall wedi dod i'r pen efo fi, ac wedi anobeithio, ond roedd Dafydd, wel . . . Dafydd oedd fy ngŵr i. Hwn oedd yr un oedd yn rhannu'i fywyd efo mi, efo hwn yr oeddwn i fod i gyd-droedio – drwy law neu hindda. Roedd plesio Dafydd wedi bod yn bwysig i mi erioed, ac roedd codi'i wrychyn yn brifo. Dafydd – o bawb. A dyma ddechrau sylweddoli, wrth ddibynnu arno i'r fath raddau, 'mod i'n ei gymryd yn ganiataol, ac roedd hyn yn ei frifo. Oedd, roedd o'n gallu goddef andros o lot, ond roedd o, hyd yn oed, bellach yn cael ei brofi i'r eithaf. Pryd, pryd – gofynnai'n aml – oedd o am gael ei hen wraig yn ôl?

Er ei fod yn gofyn hyn yn gyson, dyma'r cwestiwn gwirionaf oll yn fy marn i. Yr holl feirniadaeth yn fy erbyn i oedd fy mod yn edrych i'r gorffennol, ac eisiau'r hen ddyddiau yn ôl. Y wers oedd yn rhaid i mi ei dysgu – yn ôl pawb – oedd fod pethau wedi newid am byth. Doedd pethau ddim yr un fath, a rhaid oedd dechrau dysgu hynny. Ac ar yr un pryd, wrth i mi dderbyn 'mod i'n berson gwahanol, ac na fyddai pethau byth yr un fath eto, roedd Dafydd yn paldaruo am gael 'ei hen wraig yn ôl'.

'Mae hi wedi mynd' fyddwn i'n ei ddweud wrtho. 'Wedi mynd am byth, a ddaw hi byth BYTH yn ôl.' Weithiau, teimlwn fod popeth oedd yn dda amdanaf i wedi cael ei drosglwyddo i Lora, ac mai'r unig beth oeddwn i bellach oedd Y Gweddillion, hynny oedd ar ôl, yn waddol, wedi i Lora gael ei chreu.

Pennod 21

Wn i ddim sut oeddan nhw'n trefnu seilams erstalwm, ond doeddwn i ddim yn meddwl llawer o safon adloniant Rhydderch. Hyd yn oed mewn cartref henoed, maen nhw'n cael mwy o weithgareddau na hyn. Ceir pobl yn dod rownd i gynnal cyngherddau a gwneud cwisiau, a chânt chwarae whist a bingo i atal eu meddyliau rhag pydru. Ond, yn fan hyn, doedd dim byd o gwbl. Dyna pam y cefais i gymaint o syndod un diwrnod pan ddaeth dynes o amgylch yn cynnig noson o weithgareddau. Dim ond y fi oedd yn y Lle Eistedd, a Mrs Prichard wrth gwrs, yn ei sedd arferol yn gwylio pawb oedd yn mynd a dod, ac yn brygowthan.

'Mae hon yn newydd – ers pryd mae hi yma?'

'Dwi'n meddwl mai rhywun o'r staff ydi hi.'

'Does ganddi ddim iwnifform.'

'Does gan neb iwnifform.'

'Sut gebyst ydan ni fod i wybod pwy sy'n sâl, 'te?'

Roedd gan Magi Pritchard bwynt. Roedd hi wedi arfer efo'r hen drefn – cleifion yn eu dillad gwely a nyrsys mewn iwnifform. Ffasiwn ddiweddar oedd cael pawb i wisgo 'run fath, a doedd o ddim yn gweithio. Roedd 'na fwy nag un wedi gofyn i mi lle oedd hyn a hyn yn digwydd, gan eu bod yn meddwl fy mod yn gyflogedig. Mi ddyliwn gymryd hynny fel compliment, debyg, ond roedd gen i hen ddigon ar fy mhlât heb i bobl feddwl 'mod i ar y staff.

'*Right, girls, who have we here?*' Rhyw ddynes weddol ifanc oedd hi efo gwên fel giât, yn bownsio efo brwdfrydedd. Gwenais yn ôl rhag ei siomi ormod. Sbio'n reit hyll arni roedd Mrs Prichard.

'*We're organising a Fun Night, and we're searching for volunteers.*'

Ddeudodd neb air.

'*What about you?*' medda'r Ddynas Sbrings wrth sbio tua'r ffenest. Dim ond 'radeg honno y sylwais fod Gwladys yno.

'*Would you like to do anything? Sing, recite, karaoke?*'

Ni ddywedodd Gwladys air o'i phen.

'*Share a joke or two?*' Dyma fi'n dechrau cael yr argraff ei bod yn weddol newydd yn ei swydd. Roedd ei brwdfrydedd yn dangos hynny.

'*Gwladys doesn't do things like that,*' meddwn i, yn trio arbed rhywfaint o embaras iddi.

'*Nonsense! We could all do with a bit of a laugh here! Gwladys, what about it?*'

'*She's Polish,*' meddwn i, yn anobeithiol. '*Doesn't understand a word of English and is desperately homesick.*'

'*What about you then?*' gofynnodd.

Ro'n i ar fin meddwl am esgus cyn sylwi mai efo Mrs Prichard roedd hi'n siarad.

'*What about me?*' medda Mrs Prichard yn sarrug.

'*Would you like to do something in the Fun Night? I'm sure you could be persuaded to sing a hymn. There's nothing wrong with a Welsh hymn.*'

'*No, there's nothing wrong,*' medda Mrs Prichard. '*Sing a Welsh hymn.*'

'Isio i chi ganu mae hi,' meddwn i, yn methu atal fy hun rhag egluro.

'Dynas grefyddol ydi hi?'

'*What is she saying?*'

'Mae hi isio trefnu noson lawen, ac eisiau i chi ganu.'

'Trugaredd, be sy'n bod arni? Pam na wnaiff hi ganu dipyn o emynau i ni? Mi fydda'n pasio'r amser.'

'We're all very shy here, sorry. It's a Welsh characteristic. Don't like to show ourselves off . . . Try the next ward,' meddwn yn diwedd i gael gwared ar yr hulpan.

'Oh, you're not getting out of it as easily as that,' medda hi. *'If you're not coming to the Fun Night, then we've got a lot of other activities you can take part in.'*

'A concert would be very nice.' Roedd Mrs Prichard wedi dod o hyd i'w Saesneg.

'I'm sure it would be,' medda hi. *'Now, we've got a Games Room, which will be open Friday night, and we're organising a Christmas Disco. But during the week we've got Craft Sessions and Art Therapy. Why don't you put your name down for that?'* Y tro hwn, roedd hi'n edrych arnaf fi.

'Put my name down for Art Therapy,' meddwn, yn gwybod na fyddai modd cael gwared ohoni nes y câi enw un ohonom.

'Can't you persuade your friend to come as well? The Polish girl?'

Ro'n i ar goll yn llwyr nes iddi edrych ar Gwladys.

'I'd leave it if I were you,' meddwn, yn trio cyfleu â'm llygaid ei bod yn gwthio'i lwc. I ffwrdd â'r Ddynes Sbrings, efo'i chlipfwrdd a'i hewyllys da.

'Ydan ni'n cael consart?'

'Nac ydan, Mrs, Pritchard.'

'Hen ddynes wirion, 'te?' medda hi wedyn. Cafodd Mrs Prichard a minnau sgwrs hir iawn yn trafod y byd a'i bethau ac yn rhoi pawb yn ei le. Yna, cefais y newyddion mwyaf syfrdanol ganddi. Dywedodd fod Monica yn feichiog.

'Yn disgwyl babi, dach chi'n feddwl?' yn methu credu fy nghlustiau.

'Pam dach chi'n meddwl na symudith hi o'i gwely?' meddai cyn ychwanegu, 'ond dydi ddim eisiau i neb wybod.'

Edrychodd Mrs Prichard o bobtu iddi fel tase hi'n ysbïwraig broffesiynol.

'Cymrwch chi 'rofol gymryd arnoch.'

'Be? Oes 'na gymhlethdodau?'

'Cymhlethdodau? Nac oes, mae o'n syml iawn. Tydi hi ddim eisiau'r babi.'

Wyddwn i ddim beth i'w ddweud. Roedd o fel tase 'na ddarnau mawr o jig-sô yn fy meddwl yn dod at ei gilydd.

'Mae 'na lot ohonon ni'n dychryn wrth ganfod ein hunain yn feichiog, ond dyna'r Drefn. Fedrwn ni wneud dim byd yn ei gylch. Dyna sut mae pobl yn dod i'r byd. Mae rhaid i rywun eu geni, pwy bynnag ydyn nhw.'

'Ac mae hi mewn dipyn o oedran.'

'Ddigon hen i wybod yn well . . . rown ni o fel'na. Fasach chi'n hanner maddau iddi tase hi'n rhyw lefran ifanc, ond mae Mrs Maciwan wedi gweld y byd.'

'A mae 'na ŵr a bob dim felly . . . '

'Oes oes, ond, yn ôl pob tebyg, dydi ddim isio hwnna chwaith. Tasa hi wedi profi hanner be ddaru mi, fasa hi'n ddiolchgar am yr hyn sydd ganddi.'

Doedd 'na ddim byd i'w ddweud wedyn, a steddais yn gegrwth. Teimlwn fod yn rhaid i mi gael gair efo Monica.

Ni fu raid aros yn hir am gyfle. Ro'n i yn y ward un bore, ac yn sylwi fod llenni Heledd ar agor. Roedd hi'n llanast llwyr yno, y cynfasau ar lawr a gwaed drostyn nhw. Doedd dim golwg o neb yno. Edrychais ar y cyfan, codi fy llygaid a gweld Monica yn edrych arnaf. Doedd neb arall o gwmpas.

'Lle maen nhw wedi mynd â hi?' gofynnais.

'Roedd hi'n mwydro mwy nag arfer neithiwr,' medda Monica.

'Oeddach chi ar ddihun?'

'Prin mae disgwyl i ni gysgu efo'r fath syrcas yn digwydd.'

'Chlywais i ddim, drwy drugaredd. Be oedd hi'n ei wneud?'

''Di 'styrbio mwy nag arfer. Roedd hi'n llusgo'r cynfasau ar ei hôl, ond wedyn dyma hi'n dechrau dawnsio – yng ngolau'r lleuad. Roedd rhywbeth reit dlws ynddo . . . '

'Doedd hi'm callach ei bod yn cael ei gwylio . . . '

'Ŵyr hi ddim lle mae hi, heb sôn amdanom ni . . . Rhaid fod rhywbeth wedi ei 'styrbio, achos aeth hi'n ôl at ei gwely, ac roedd hi fel tase hi'n ymladd efo rhywbeth . . . '

'Mae gwaed dros y cynfasau 'ma i gyd. Gobeithio nad ydi hi wedi torri ei hun.'

'Fasa fo mo'r tro cyntaf.'

'Dydw i ddim yn meddwl mai fan hyn ydi ei lle hi. Ddyle hi fod mewn ward i rai mwy difrifol.'

Chwarddodd Monica. Roedd gen i ei hofn pan oedd hi'n chwerthin felly.

'Be sy'n bod?'

'Does 'na ddim ffasiwn ward. Rydan ni gyd yn un gybolfa wallgo. Ni'n hunain ydi'r unig rai sy'n meddwl fod yna rai gwaeth na ni. I'r doctoriaid, un raddfa sydd 'na – rwbath gwahanol i normalrwydd, a rydan ni'n cael ein cau tu mewn i'r drysau 'ma.'

'Ond mae'n amlwg nad ydan ni i gyd fel Heledd . . . ' protestiais.

'Dwi'm yn meddwl fod ots ganddyn nhw.'

Euthum at wely Monica ac eistedd arno.

'Pa mor ddrwg ydi'ch cyflwr chi, 'ta?'

'Fel gwelwch chi . . . ' medda Monica. 'Pa ward

fyddech chi'n fy rhoi i?' gofynnodd efo gwên slei.

'Y Ward Famolaeth,' mentrais.

Am eiliad, dychrynodd, fel petai rhywbeth wedi ei brathu, ond roedd hi wedi adfer ei hunanhyder mewn dim.

'Fasa fanna'n codi'r un fath o ddychryn arna i.'

'Ydach chi ofn yr enedigaeth, Monica?'

Trodd ataf ac edrych i fyw fy llygaid.

'Fydd 'na ddim genedigaeth.'

Roedd yna rywbeth yn ei phendantrwydd a'm dychrynodd. Syllais ar ei dwylo a sylwi fod budreddi dan ei hewinedd.

'Mae pawb yn cael ysbeidiau o feddwl felly yn ystod beichiogrwydd,' meddwn, 'ond mae o'n mynd.'

'Ddaru chi fwynhau eich beichiogrwydd?' gofynnodd.

'Naddo, a dweud y gwir,' cyfaddefais. 'Roedd o'n erchyll . . . Faswn i ddim yn dewis mynd drwy'r profiad eto.' Dyna fi wedi dweud y gwir am y tro cyntaf.

'Dydw i ddim yn bwriadu mynd drwyddo.'

'Oes gennych chi ddewis?'

'Mae fy newis i yn un eitha clir. Mi gaf i naill ai fyw i fod yn rhywun arall, neu mi gaf farw fel fi fy hun.'

'A ph'run ddewiswch chi?'

'Dydw i ddim am fod yn fam.'

Ddylwn i gyfaddef sut oeddwn i'n teimlo? Neu dim ond gwneud pethau'n waeth fyddai hynny?

Daeth nyrs i'r ward a nôl cadeiriau o'r pen pellaf. Gwyliais hi'n mynd a dod, a meddwl mor ysgafn oedd ei baich hi o'i gymharu â f'un i – a Monica. Edrychais ar Monica, ar ŵn gwely sidanaidd fu unwaith yn smart, un du llac ac addurn sgarlad arno. Roedd olion bwyd wedi sychu arno, a staeniau ar y llewys. A dweud y gwir, doedd cynfasau gwely Monica ddim yn edrych yn rhy lân. Gan nad oedd yn codi i ddod i'r cantîn, roedd yn naturiol fod bwyd yn cael ei golli yn y gwely, ond peth od na fyddai'n mynnu cael cynfasau glân. Diau mai cyflwr ei chynfasau oedd y lleiaf o'i phroblemau . . .

'Faint ydach chi wedi mynd?' gofynnais.

'Saith mis. Mae pob rhan o'm corff wedi chwyddo. Dydw i ddim yn teimlo fel gwraig bellach, neu fod dynol hyd yn oed. Dwi 'mond yn teimlo fel rhyw long enfawr sy'n cludo cargo.'

'Ydi cyflwr y babi a phob peth felly yn iawn?'

'Mae 'na gymhlethdodau . . . dwi'n cael poenau na ddylwn i fod yn eu cael. Ond wedyn, rydw i'n hŷn na'r rhelyw o famau. Faint ddyliech chi ydi f'oed i?'

Cwestiwn anodd dan yr amgylchiadau gorau. O edrych ar Monica fel ag yr oedd, mi allwn yn hawdd gredu ei bod yn bedwar ugain . . .

'Tri deg rwbath?'

'Cyfrwys iawn. Tri deg beth?'

'Tri?'

'Wyth.' Codais fy aeliau gan mai dyna oedd y cam nesaf yn y ffars fechan hon. 'Ydi o'n syndod 'mod i'n cael trafferthion? Dydi cyrff merched tri deg wyth ddim wedi eu cynllunio i gael babis.'

'Dydych chi ddim mor hen â hynny . . . '

'Doeddwn i ddim. Bod yn feichiog sy'n peri i bobl feddwl eich bod yn hen. Yn enwedig os mai dyma'r babi cyntaf.'

'Oeddech chi wedi bwriadu beichiogi?' mentrais ofyn.

'Doeddwn i ddim. Mae'n amlwg bellach fod gan Bob syniadau gwahanol.'

'Y syniad ydi fod dau yn cyd-drafod yn gyntaf . . . ' meddwn, cyn difaru 'mod i wedi agor fy ngheg.

'Dwi'n gwybod, cariad. Tase 'na gyd-drafod, falle na fydde Adda wedi byta'r afal – nag Eira Wen, tase hi'n dod i hynny, ond byta afalau ydi'n natur ni . . . ein greddf ni.'

'A difaru wedyn.'

'Ydych chi'n difaru?'

'Ydw.'

'Dydi mamau newydd ddim i fod i neud,' meddai Monica gan syllu arnaf.

'Ddim i fod i "ddeud",' cywirais. 'Dwi'n meddwl fod naw deg y cant yn difaru – i ryw raddau – ond dydach chi ddim i fod i ddeud hynny ar goedd – neu maen nhw'n eich rhoi mewn seilam.'

'Ddeudais i ormod o'r gwir,' meddai Monica'n fyfyrgar. 'Es i efo Bob i'r fynwent a dangos lle ro'n i eisiau cael fy nghladdu. Ddeudais i'n blaen wrtho nad oeddwn i rioed wedi ei garu go iawn, mai dim ond tegan i mi oedd o mewn gwirionedd . . . '

'Be ddaru Bob?'

'Dod i'r casgliad 'mod i'n wallgo a ffonio doctor . . . ' a lluchiodd Monica ei phen yn ôl, a chwerthin fel brân.

'Tydan ni ferched yn betha od?' meddwn. 'Os oes dyn yn deud wrthym nad ydi o'n ein lecio ni mwyach, rydan ni'n torri ein calonnau, yn edrych yn y drych ac yn holi pam ydyn ni mor hyll . . . Pan gaiff dyn ei wrthod yn yr un modd, mae o'n gyrru'r ddynas at y doctor i ffendio beth sy'n bod arni!' Doeddwn i rioed wedi'i ystyried yn y termau hynny o'r blaen, ond doeddwn i rioed wedi edrych ar y byd drwy lygiad Monica.

Bu'r ddwy ohonom yn dawel am beth amser, ac yng nghwmni Monica doedd y tawelwch ddim yn anghyfforddus. Euthum i nôl paned i'r ddwy ohonom, ac estynnodd hithau fisgedi siocled a macarŵns. Roedd Monica wastad yn bwyta siocledi; o ddeall ei chyflwr, roedd hynny'n gwneud synnwyr yn awr.

'Gaf i ofyn cwestiwn i chi, Monica?'

'Cewch. Cymrwch fisgeden arall. Mae o'n rhyddhad

peidio poeni am fy siâp . . . '

'Beth ddaru eich denu at Bob?'

Rhoddodd Monica facarŵn yn ei cheg, a'i chnoi yn hamddenol gan fwynhau ei melyster.

'Cwestiwn da . . . ' meddai'n feddylgar. 'Mae 'na rai o'r farn fod siocled yn plesio dynes yn well na rhyw. Dwi'n tueddu i gytuno . . . '

'Llai o strach efo siocled.'

Gwenodd Monica.

'Sobr o beth ein bod yn crafu pen i feddwl beth fu'n atyniadol am ein gwŷr, 'te?' meddai Monica, yn siarad yn y lluosog. 'Fyddi di ddim yn meddwl mai gêm ydi'r cwbl lot?' Swniai'r 'ti' yn gwbl naturiol rhyngom.

'Be ti'n ei feddwl?'

'Mai yn yr helfa mae'r cynnwrf . . . ffansïo hwn a hwn a cheisio'i ddal . . . ?'

'Dydw i ddim wedi cael lot o brofiad o hynny,' cyfaddefais.

'Wel, mae unwaith yn ddigon i lawer, ond dyna ydi'r hwyl. Dwi'n grediniol y medr merch rwydo unrhyw ddyn os ydi hi'n ddigon penderfynol.'

'Pam mai Bob ddaru ti benderfynu'i rwydo?'

'Mi ddigwyddodd rhywbeth rhyngom ni . . . rhyw gemeg . . . neu gemeg rhyw, ddylwn i ddeud. Fel chwaer ei ddyweddi, roeddwn i'n eiddo gwaharddedig, ond mi ffansïodd o fi, ac mae hynny'n andros o gompliment i unrhyw hogan . . . '

'Fasat ti wedi cymryd ato tase fo yng nghanol stafell o bobl eraill?' gofynnais yn chwareus, a helpu fy hun i facarŵn arall.

'Bosib iawn na faswn. Doedd dim byd hynod amdano . . . O edrych yn ôl, roedd o'n ddewis cwbl anghywir.'

'Wn i ddim oes yna'r fath beth â Dewis Cywir lle mae cymar dan sylw,' meddwn. 'Mae amgylchiadau'n dod â gŵr a gwraig at ei gilydd, a dyna fo.'

'Mae 'na rai parau sy'n gweddu'n well i'w gilydd.'

'Pwy fyddai dy gymar delfrydol, Monica?'

Edrychodd Monica ar y bocs siocled.

'Waeth inni ddechrau ar y rhain ddim,' meddai, gan geisio dewis un. 'Mi fyddai'n well gen i edrych ar ddynoliaeth fel bocs siocled. Fod dewis *un* – o'r fath amrywiaeth – yn syniad cwbl hurt. Rwyt ti'n lecio un peth am un dyn, a rhywbeth arall am ddyn arall. Dipyn o bopeth wyt ti eisiau ei flasu, 'te?'

Edrychais ar y bocs, a dewis siocled wedi ei lenwi â thaffi meddal, a chneuen yn ei ganol.

'Hwn ydi fy ffefryn, a hwn ddewisaf bob tro os ydi o ar gael. Mae rhywun yn gwybod beth i'w ddisgwyl. Pam mynd ar ôl math arall o ddyn os gwyddost ti am beth wyt ti'n chwilio?'

'Felly mi fyddet ti'n trio mwy nag un, ond bod nhw yr un "teip"?' gofynnodd Monica

'Hmmm. Nes y deuwn i at y dyn fyddai'n fy modloni . . .'

'Dyna ydw i'n ei olygu efo'r helfa. Mae pob anifail yn peidio pan mae'n dal ei ysglyfaeth.'

'Ond wyt ti eisiau byw efo'r 'sglyfath am weddill dy fywyd?' gofynnais, a mi chwarddodd y ddwy ohonom yn harti.

'Paid â marw – ddim eto, Monica,' meddwn, o ddifri. 'Rwyt ti'n gwmni llawer rhy ddifyr i'w golli.'

'Tra bydd 'na siocledi o gwmpas, mae gen i reswm i fyw,' meddai, gan lyfu ei bysedd budr.

Pennod 22

Bu sylwadau Monica yn canu yn fy mhen am amser maith wedyn. Yn wir, dyna a'm cadwodd ar ddihun yn y nos. Meddwl am Dafydd a minnau, ac edrych ar y berthynas mewn golau newydd, drwy lygaid hy Monica. Ddaru mi hela Dafydd, neu ei rwydo hyd yn oed? Ddaru mi rioed ddychmygu fod gen i'r gallu i rwydo dyn. Mae gwraig yn ymwybodol o'i gallu i swyno . . . ond fuo fo rioed yn fwy na fflyrtian diniwed yn fy achos i. Wrth gwrs 'i fod o'n sbort, ond mi fyddai gen i ofn cymryd at un dyn a mynd ar ei ôl, yn enwedig os na fyddai ganddo'r diddordeb lleiaf ynof fi. Doedd y fath ymddygiad 'ddim yn neis' mewn hogan, gallwn glywed y feirniadaeth yn llais fy mam y funud hon. Doedd 'genod neis' ddim yn gwneud lot o bethau. Roedd genod neis yn 'ymatal', yn amyneddgar, yn wylaidd . . . peidio 'gwthio' eich hun oedd y peth pwysig. Os oedd dyn yn cymryd atoch, yna eich lwc chi oedd hynny, ond fyddech chi byth, byth wedi ei hela. Doeddwn i rioed wedi cyfarfod â neb fel Monica o'r blaen.

Yn ystod dyddiau cynnar y salwch, profwyd Dafydd i'r eithaf, a dwi'n credu mai'r adeg honno y dechreuodd o droi'n fewnblyg. Canfyddai dasgau cwbl amherthnasol a di-fudd er mwyn cael osgoi bod efo mi. Cafodd fis o'r gwaith gan y meddyg i ofalu amdanaf, ond ni fedrem fod yng nghwmni ein gilydd bedair awr ar hugain y diwrnod. Mae'n siŵr y byddai Dafydd yn cyffelybu'r profiad i gael ei gau mewn cwpwrdd efo gramoffon – a'r record wedi mynd yn sownd . . . roedd o fel petai'r salwch wedi troi yn bresenoldeb go iawn, oedd yn stelcian yn bowld o gwmpas y tŷ, yn ein cadw ar wahân ac yn ein hannog i gweryla gyda'n gilydd.

Cofiaf un diwrnod yn glir – yn hwyr ym mis Hydref – achos roedd y coed wedi bwrw eu dail, roeddent yn drwch ar lawr, ac roedd ias ynddi. Roedd Lora'n cysgu yn ddedwydd, a fedrwn i ddim dod o hyd i Dafydd yn unman. Bûm yn gweiddi a gweiddi arno, ac wedi methu dod o hyd iddo yn yr un ystafell euthum allan i'r ardd. Dyna lle roedd o, ei gefn ataf, yn ei gôt arddio a'i het wlân yn bwydo brigau i beiriant malu gafodd o'i fenthyg gan drws nesaf. Roedd ei holl osgo hi'n cyfleu dyn â baich. Am eiliad, profais don o dosturi, ond pharodd hi ddim yn hir. Roeddwn i'n flin efo fo am i mi fethu cael hyd iddo. Oherwydd sŵn y malwr, sylwodd o ddim arnaf nes i mi ddod yn agos ato. Roedd yn bwydo'r brigau i'r peiriant yn araf, araf, fel petai mewn ffilm a rhywun wedi amharu ar y cyflymder. Roedd ei feddyliau – os oedd rhai yno o gwbl – ymhell bell i ffwrdd.

Wedi'r rhyddhad o'i ganfod, y teimlad cryfaf a deimlais oedd pam y gwnâi'r fath dasg? Oedd yna dasg fwy di-fudd na malu priciau yn fân? Mwya yn y byd dwi'n meddwl am y diwrnod, cryfaf yn y byd ydi'r atgof ohono. Gallaf weld y gwres yn dod o'i ffroenau, gallaf ymdeimlo â'r oerfel, a'r cymylau bygythiol oedd yn arwydd fod diflastod Tachwedd ar ein gwarthau . . . Edrychais ar y coed ac ar y myrdd ar fyrdd o ganghennau. Doedd dim diwedd i'r dasg hon. Byddai'n sefyll yno am ddyddiau, fel un wedi ei hudo, wedi ymgolli yn ei dasg, ac ni fyddai diwedd arni. Beth oedd yn bod arno?

175

Eisteddais yno am dipyn, ond ddaru o ddim cydnabod fy modolaeth. Trodd i edrych, a throi yn ôl. Daliodd y peiriant i redeg, ac aeth ati i gasglu pentwr arall. Gosododd hwy wrth droed y peiriant, tynnu unrhyw dyfiant strae oddi ar y brigyn, a dechrau ei wthio i geg yr anghenfil. Wedi ei wylio am chwarter awr, dechreuais innau syrthio dan ei swyn, a gweld fod bodlonrwydd rhyfedd o falu rhywbeth yn siwrwts. Ond pam ei wneud o'n awr?

Wrth edrych o 'nghwmpas, roedd peth wmbredd o dasgau angen eu gwneud yn yr ardd, filgwaith pwysicach na'r hyn a wnâi Dafydd yn awr. Wedi dyfodiad Lora fis Mawrth, ychydig oedden ni wedi gallu ei wneud yn yr ardd y flwyddyn honno. Roedd y lle wedi ei esgeuluso'n llwyr, ond ddaru Dafydd ddim ymdrech i fynd i'r afael â'r dasg. Bu'n torri gwair yn rheolaidd, ond gadawyd popeth arall i fod. O ganlyniad, ro'n i'n sylwi ar chwyn yn tyfu lle na fu chwyn o'r blaen, a thyfiant newydd yn codi mewn mannau annisgwyl, mannau na fwriadwn iddynt fod.

Rhyw un diwrnod a gofiwn fod yn yr ardd ar ei hyd drwy gydol yr haf. Mae gen i luniau i gofnodi'r diwrnod. Nid fy lluniau i oeddynt (dyna rywbeth arall a anghofiwyd), ond lluniau cyfeillion. Nhw ddaru ymweld â ni'r diwrnod hwnnw, a buan y penderfynwyd ei bod yn ddigon braf i wario pnawn cyfan yn yr ardd. Tynnwyd y cadeiriau haul o'r cwt, aeth Dafydd i nôl bwrdd, a gwnaeth ymdrech wirioneddol efo'r te. Taenodd liain bwrdd arno, ac yn y lluniau mae'r tebot a'r sgons yn cyfleu dipyn o steil. Doedd dim rhaid i mi symud gan 'mod i'n bwydo Lora, a phan roddais i hi yn y goets, cafodd afael ar gangen a blodau pinc arni. Cymerais y gangen a'i defnyddio fel tegan, a bu Lora'n gwenu yn rhadlon braf, ei breichiau bach tew yn ceisio ymestyn at y blodau. O gofio'r diwrnod hwnnw, mae fel petai mewn oes arall, mewn canrif arall, ac eto, fedra fo ddim bod yn fwy na thri mis yn ôl. Gallaf fesur treigl amser 'nôl yr hyn a wisgai Lora. Yn y lluniau, mae'n gwisgo'r ffrog wen a thriming pinc a gafodd gan Nesta. O fewn tair wythnos roedd yn rhy fach iddi. Lapiwyd y cyfan o'r amser hwnnw mewn siôl fawr binc. Roedd popeth yn binc am un cyfnod. Ces ddigon yn y diwedd, a dod adre efo siwt fechan oren llachar, ond tynnodd Dafydd hi am ei bod yn edrych mor wahanol ynddi. Aethom yn ôl i'r Cyfnod Pinc.

Cefais lythyr gan y teulu a ymwelodd â ni wedyn yn diolch am y croeso, ac yn deud mor falch oeddent o'n gweld ni mor hapus. Yna difethwyd y cyfan drwy ychwanegu ar y diwedd, 'Gwnewch yn fawr o'r amser'. Pechodd am byth. Dydw i ddim yn ffrindiau efo nhw bellach. Ond y diwrnod hwnnw, ni fyddai dim wedi gallu ychwanegu at fy hapusrwydd. Roedd fy ffiol yn llawn.

Wrth edrych ar yr olygfa o'm blaen ar y diwrnod hwnnw o Hydref, roedd y gwahaniaeth yn erchyll. Roedd hyd yn oed y ffurfafen wedi tywyllu ac yn dynodi gwae. Roedd y greadigaeth ei hun yn darfod. Roedd byd y ddau ohonom yn ufflon, a'r cwbl fedrai Dafydd ei wneud oedd malu priciau. Roedd o'n gwbl anghyfrifol.

'Dafydd,' meddwn.

Trodd.

'Mi fedrwn ni ei gael o i gyd yn ôl, wyddost ti . . . '

Edrychodd arnaf. 'Fydd o i gyd yn dod yn ôl inni . . . dyna pam rydw i'n ei ailgylchu.' Roedd o wedi camddeall.

'Meddwl pa mor hapus ydan ni wedi bod yn yr ardd 'ma.'

'Ia . . . ?'

'Does dim rhaid inni golli golwg arno . . . mae o'n dal

o fewn ein cyrraedd . . . '

Cododd ei ben ac edrych yn ddryslyd arna i. Roedd o'n dechrau colli'r gallu i gyfathrebu . . .

'Dim ond i ni'n dau gael bod ar ein pennau ein hunain unwaith eto, a mi ddaw popeth yn ôl fel roedd o o'r blaen . . . '

Tywyllodd ei olwg, a gwgodd arnaf. Gallwn deimlo'i atgasedd tuag ataf. Daliodd ati i rythu arna i, ac yna siaradodd.

'Dos yn ôl i'r tŷ rŵan,' meddai, nid yn gas, ond yn gwbl gadarn, fel petawn yn sâl. Roedd yn gwneud yr ymdrech eithaf i reoli ei deimladau. 'Dos yno rŵan, mi oeri di yn fan hyn. Dos, da ti. Dwi'n dod i fan hyn i gael mymryn o lonydd . . . '

Ufuddheais iddo, a'i adael. Ac wrth ddynesu at y tŷ, clywais sŵn Lora yn crio eto.

Pennod 23

Ro'n i angen rhywbeth i godi 'nghalon; doeddwn i ddim am wella yn eistedd ar fy ngwely yn meddwl cymaint o lanast oedd fy mhriodas ynddo. 'Cyfod o'th wely a rhodia' meddwn, ac allan i'r Lle Eistedd. Yno, roedd posteri am bethau a gâi eu trefnu yr wythnos honno, ac ro'n i wedi edrych arnynt sawl gwaith. Braidd yn amheus oeddwn i o'r cyfan. Aeth wythnosau heibio a dim yn digwydd, a mwyaf sydyn roedd y lle'n byrlymu o weithgarwch. Naill ai roedden nhw wedi cael pennaeth newydd i fod yn gyfrifol am ysgogi cleifion, neu roedden nhw wedi cael arolwg ac wedi cael coblyn o gerydd am adael pobl o gwmpas yn gwneud dim. Gallwn ddychmygu eu cyfarfod argyfwng,

'Get them engaged . . . stimulate them . . . get them to do something . . . anything rather than sit around staring into space.'

Mae'n siŵr fod adroddiad trwchus ar y bwrdd. 'Cynllun Gweithredu Strategaeth y Llywodraeth i Symbylu Cleifion Sâl eu Meddwl i Gymryd Diddordeb yn eu Hamgylchedd' fyddai ei enw, a bod adnoddau ddychrynllyd wedi mynd i gyfansoddi'r pum can tudalen. Byddai'r cyfan yn mynd drwy bwyllgorau rif y gwlith, dim ond er mwyn i nyrs ddod i mewn i ward ac edrych arna i, Gwladys, neu Heledd hyd yn oed, a holi lle ar y ddaear oedd rhywun yn dechrau.

Yr unig boster oedd wedi dal fy niddordeb oedd yr un yn hysbysebu'r 'Craft Class' neu'r 'Clas Crafftiau' fel y'i cyfieithwyd. Yr unig beth oedd angen ei wneud oedd holi ble'r oedd stafell F3 a rhoi cynnig arni. Meddwl yn bositif, dyna oedd yn bwysig. Aeth blwyddyn a mwy heibio ers i mi wneud unrhyw waith llaw, ond, o gael rhywbeth i'w wneud, byddai'n fodd i ddifyrru'r amser. Byddai cael y teimlad o wneud rhywbeth rheitiach nag eistedd yn andros o gysur.

Wedi mynd rownd sawl coridor, curais ar ddrws yr ystafell a daeth gwraig ganol oed i'r golwg.

'Can I help you?'

'Thought I'd try the Craft Class,' meddwn, yn teimlo dipyn bach yn wirion.

'Oh! Jolly good! Come in!' meddai'r ddynes, yn andros o falch. 'To tell you the truth, you're the only one to respond to the poster all week. Do come in.'

Roeddwn yn difaru'n syth, ac yn ceisio meddwl am ryw esgus i droi ar fy sawdl a mynd oddi yno, ond roedd y wraig fel petai'n gallu darllen fy meddwl.

'Don't be shy. What would you like to do?'

Doedd dim golwg o unrhyw waith llaw yn unman. Roedd tipyn o fyrddau a chadeiriau yn yr ystafell, a phosteri a lluniau ar y wal, ond roedd y cyfan fel pin mewn papur . . .

Eglurais wrthi nad oedd gen i mo'r syniad lleiaf. Roeddwn wedi gwneud pob math o waith llaw erstalwm, yn groesbwyth, tapestri, gweu, a chrosio, ond ddeudais i ddim byd. Wyddwn i ddim pa fath o safon oedd hi'n ei ddisgwyl.

Agorodd gwpwrdd mawr ym mhen draw'r ystafell.

'There are quite a few things here – if you'd like to have a look . . . Let me see – a bit of paint in the top, and I can supply you with paper . . . But I always stress you don't have to be *artistic to come here. People without any experience can try their hand. We have modelling clay, origami, sticky paper, felt pens, jigsaws, dominos, there's a chess set in the bottom . . . draughts . . . '*

Doeddwn i ddim eisiau bod yno o gwbl.

'Nothing appeals to you? . . . Never mind . . . have you done anything like this before?'

'I knit,' meddwn, *'and I like to embroider.'*

'That's really good . . . really really good . . . Unfortunately, we're not allowed to offer anything like that . . . it's against the regulations . . . the dangers of knitting and sewing needles and all that . . . '

Roedd hi ei hun mewn tipyn o dwll erbyn hyn, ac yn dechrau panicio wrth lygadu unrhyw beth yn yr ystafell fyddai'n gallu dal fy niddordeb am ychydig amser.

'I know!' meddai'n sydyn, fel un wedi cael datguddiad oddi fry. *'Why don't you try your hand at a bit of card making! Wouldn't that be fun?'*

'All right.'

'Nothing too ambitious, mind you. But seeing Christmas is so near, you can make some Christmas cards . . . I've got some card for you . . . scissors . . . glue . . . and I'll get you some sticky bits . . . you'll really enjoy this . . . '

Ro'n i wedi colli pob awydd. Doeddwn i ddim hyd yn oed eisiau aros ar fy mhen fy hun yn yr un ystafell â'r ddynes. Pam y bûm i mor wirion â mentro allan? Y funud hon, gallwn fod yn eistedd yn gyfforddus ar fy ngwely yn gwneud dim, a ddim yn cael fy 'styrbio gan neb . . .

'Oh, I'm Elsie by the way. I should have said that at the beginning. Look, we've got this lovely box of goodies, you can use ANY of them, and we've got "Happy Christmas" stickers to put on – to add the professional touch.'

Edrychais arnynt. Roeddwn wedi penderfynu anwybyddu'r Nadolig. Roedd meddwl am Nadolig yn

Rhydderch yn fwy nag y gallwn ymdopi ag o, doeddwn i ddim eisiau clywed yr enw, ddim eisiau meddwl am gardiau, ddim eisiau gweld addurniadau, ddim eisiau poeni am bresantau . . .

'I'll go and sit over there to give you some space. If you want anything, just give me a shout.'

Y funud roedd hi wedi troi'i chefn, rhoddais fy mhen yn fy nwylo ac ochneidio. Mae'n siŵr fod Elsie'n teimlo fel gwneud yr un peth. Job rwtsh oedd eistedd yno yn gorfod smalio cynnal dosbarthiadau pan nad oedd gan affliw o neb ddiddordeb. Mae'n siŵr ei bod yn ddiddig nes i mi gerdded i mewn a tharfu arni hi. Pam na fyddai rhywun wedi dweud wrthyf nad oedd mynychu dosbarthiadau yn rhywbeth yr oedd pobl yn ei wneud? Pam na fyddwn i wedi gofyn i rywun ddod hefo mi? Ond pwy oedd gen i fel ffrind? Fyddai Bet ddim yn teimlo'n ddigon hyderus. Fyddai Mrs Prichard ddim yn breuddwydio dod . . . doedd Monica ddim wedi dod allan o'i gwely . . .

Dechreuais feddwl am adre a beth oedd Dafydd a Lora yn ei wneud y funud honno. Oedd o'n mynd i geisio gwneud unrhyw beth dros Dolig? Roedd pawb dan orfodaeth i drio, ond dyna'r aflwydd efo Dolig, mae o'n dod â chymaint o atgofion yn ôl. Doeddwn i erioed wedi gwneud rhyw ffwdan mawr adeg y Nadolig, ond roedd Dafydd wedi ei amddifadu ohono pan oedd yn fach. Felly, roedd o eisiau 'Nadolig go iawn', ac yn sgil ei frwdfrydedd o, cefais innau fy nhynnu i mewn i'r trefniadau. Rhaid oedd cael coeden, a lapio presantau i'w gosod oddi tani, a'u cuddio tan fore Nadolig. Ac ar y dydd ei hun, roedd o eisiau cinio Dolig go iawn a'r holl drimings.

Dolig cyn dwytha, cawsom amser braf a minnau'n llawn cynnwrf y disgwyl. Meddyliai Dafydd fod rhywbeth go ramantus ynglŷn â bod yn feichiog yn ystod y Nadolig, ac aethom i gyngerdd Nadolig y pentref yn cerdded law yn llaw. Mwya sydyn, teimlais y dagrau'n dod a fedrwn i wneud dim i'w hatal . . . Y peth pwysig oedd nad oedd Y Ddynas yn sylwi. Wrth gwrs, mi sylwodd yn syth, a dod ataf.

'Haven't done anything, love? Don't worry! There's no need to cry! It's supposed to be for your own enjoyment . . . Do you want to tell me what's the matter?'

Ysgydwais fy mhen.

'You're not expected to do a work of art! Here, let me start it off for you . . . We'll do something really simple like . . .' roedd yn chwilota yn Sticky Bits am rywbeth sticadwy. *'Here we are. What about this, a Christmas tree? Now all you have to do is stick this down like this . . .'*

Doedd neb erioed wedi rhoi gwers i mi ar sut i ludo darn o bapur o'r blaen.

' . . . choose some cheery red ribbon like this . . . and there you are! Does that make you feel better? And we'll stick "Happy Christmas" in the corner here . . . and it's your very own Christmas card to send to someone . . .'

Faswn i ddim yn anfon cerdyn Saesneg i neb, felly roedd o'n gwbl ddiwerth. A phwy fyddai eisiau cerdyn wedi ei wneud â llaw o Ysbyty Meddwl? Pam fyddai rhywun yn danfon cardiau Dolig o'r fath le, oni bai ei fod eisiau godro cydymdeimlad? Roedd pawb yn gwybod ein bod yn Sâl, felly roeddent wedi ein hesgusodi rhag yr orchwyl.

'Would you like to do another one?'

'I would like to go now.'

'Come on, be a sport . . . just do two more, and then it'll be lunch time! It'll pass the time . . .'

Doedd Elsie ddim yn deall.

'I want to go now.'

Dechreuodd masg yr optimistiaeth lithro.

'*Isn't there anything I can do for you?*' gofynnodd, yn teimlo i'r byw, g'radures.

'*Let me go,*' meddwn i.

Aeth at y drws i'w agor. Cerddais yn ôl i'r ward. Diau mai dyna'r sesiwn waethaf iddi ei gael erioed. Ond doedd gen i mo'r nerth i dosturio wrthi.

Pan gyrhaeddais y ward, teimlwn 'mod i wedi dod adre, a bu bron i mi daflu fy mreichiau o amgylch gwddf Mrs Prichard, mewn gwerthfawrogiad.

Pennod 24

Rwy'n amau'n gryf erbyn hyn oes 'na ddiben i mi fod yma. Wedi'r holl wythnosau a'r cannoedd tabledi, does yna ddim newid yn digwydd. Mae newydd-deb y lle 'ma wedi hen fynd, dwi'n teimlo 'mod i yma ers blynyddoedd ac mae o 'run fath, ddydd ar ôl dydd ar ôl dydd. Wedi'r bore yn y Craft Class, mi fûm i'n ystyried dianc oddi yma, ond ddaru mi ddim.

Fydda fo ddim yn anodd dianc o gwbl. Gan nad ydw i'n cael fy nghadw yma dan y Mental Health Act, dwi'n rhydd i fynd a dod fel yr ydw i eisiau. Ond sut mae rhywun yn dianc oddi wrth ei feddwl ei hun? Os ydw i'n peidio cymryd y tabledi rŵan, mi wna i suddo'n ddyfnach ac yn ddyfnach i ddigalondid. Os af adre, fyddwn ni 'mond yn ffraeo; os af i'r garafán – fydda i'n ôl yn sgwâr un, ac mi fydda hwnnw'n sgwâr oer iawn bellach.

O ystyried hyn i gyd, rydw i'n well fy myd yma, debyg. Fan hyn ydw i fod i wella. Mae'n gynnes yma, rhaid i mi ddweud hynny, ac mae'r bwyd yn olreit – a mae'n siŵr 'mod i'n arbed pres . . . Hwn ydi'r lle call i fod, yn bendant. Dyna'r casgliad y deuthum iddo, a dyna pam na ddihangais. Ond y munud y cerddais allan o'r ward, daeth y diflastod cyfoglyd drosof, a bu bron i mi ddechrau teimlo'n gorfforol sâl. Siawns na fyddai cysgu mewn ffos fel tramp yn well na hyn. O leiaf fyddai gen i ddim syniad beth fyddai'n digwydd y diwrnod wedyn.

Rhyw wasanaeth iechyd dwy a dimai ydi Rhydderch, beth bynnag. Prin ei fod yn wasanaeth o gwbl. Nid yn unig roedd cleifion yn eistedd ar lawr y gegin pan oeddech chi eisiau gwneud paned, ac eraill yn tarfu ar eich cwsg drwy fynd ar deithiau cerdded ganol nos ond roeddent yn disgwyl i chi wneud eich golchi eich hun. Neu ganfod rhywun arall i'w wneud, ond fedra i ddychmygu sut ymateb gawn i gan Dafydd.

'Dafydd cariad, yn ogystal â gofalu am fabi blwydd a hanner, a chynnal swydd llawn amser a gofalu am y tŷ a'r siopau a ballu, fasa ots gen ti fynd â 'nillad i adre i'w golchi?' Pa esgus fyddwn i'n ei roi am beidio eu golchi fy hunan . . . diffyg amser? Na . . . diffyg awydd? . . . diffyg sebon? Roedd pob esgus yn dila iawn.

Ond roeddwn i'n dal i feddwl ei bod yn annheg fod rhaid i gleifion sâl eu meddwl wneud eu golchi eu hunain. Faswn i byth yn gorfod gwneud tasa fy mraich wedi torri . . . ond, wrth gwrs, y mae hi'n eitha amhosibl i bobl efo un fraich olchi . . . Taswn i'n cwyno, mae'n siŵr y dywedent wrthyf am gyfri fy mendithion eu bod yn golchi fy nillad gwely . . .

Yn y cwpwrdd bach wrth y gwely y byddwn yn cadw fy nillad budr, ac i ffwrdd â mi un bore efo nhw i'r stafell olchi. Doedden nhw ddim yn ymddiried ddigon ynom i drin y peiriant golchi ein hunain, rhaid oedd aros nes bod un o'r staff yn rhydd i'n helpu efo'r dasg. Eisteddais am hanner awr yn y Lle Eistedd yn aros i rywun fod yn rhydd. Dim ond Gwladys oedd yno, yn ei sedd wrth y ffenest. Oedd hi'n gwneud ei golchi ei hun, tybed? Welais i rioed mohoni'n gwneud. Welais i rioed Gwladys yn gwneud dim byd 'blaw eistedd wrth y ffenest.

'Mae 'na rywun wedi bod yn chwilio amdanoch,' meddai Gwladys, ac roedd yn sioc ei chlywed yn siarad o'i gwirfodd.

Cyflymodd fy nghalon wrth feddwl fod Dafydd wedi dod i'm gweld.

'Pwy?'

'Rhyw ddynes . . . un o'r bobl sy'n ceisio ein rhwydo i fynd i'r dosbarthiadau, dwi'n meddwl.' Dychrynais,

'Nid Elsie?'

'Wn i ddim.'

Adroddais hanes y dosbarth celf, gan geisio edrych ar yr ochr ysgafn, ond ni lwyddais i ennyn gwên.

'Fuo hi'n dy blagio di, Gwladys?'

'Trio. Ond ddeudais i 'run gair.'

'Polisi gora. Dwi wedi dweud wrth un mai Pwyles wyt ti, ac nad wyt ti'n deall gair o Saesneg – na Chymraeg tase hi'n dod i hynny.' Dychrynodd Gwladys,

'Ond beth petai rhywun yn dechrau siarad Pwyleg efo mi?'

'Does 'na'm lot o beryg o hynny. Criw unieithog ydi'r therapyddion i gyd yn fan hyn, a'r seiciatryddion, a'r doctoriaid. Ucha'n byd ewch chi yma, lleia'n byd o ieithoedd sydd ganddyn nhw.' Wn i ddim a lwyddais i dawelu'i hofnau. Mae'n siŵr iddi dreulio gweddill y bore yn pryderu am ei diffyg Pwyleg.

Dipyn o lanast fuo'r bore – digwyddodd rhywbeth i'r peiriant, ac roedd hi fel Tryweryn yn y stafell olchi. Gadewais i'r cyfan i'r staff ei glirio. Wedi'r cwbl, claf oeddwn i, a roedd peryg y byddai clirio rwbath felly yn achosi iselder i mi. Roedd Mrs Prichard eisiau gwybod hanes y fath gynnwrf.

'Yn y diwedd, roedd y dŵr wedi llifo allan i'r coridor, wedi gwlychu'r lloriau yno, ac maen nhw wedi gorfod cau'r coridor hwnnw nes bydd y llanast wedi'i glirio,' meddwn.

'Dyna ddrwg y petha ffansi modern 'ma,' medda Mrs Prichard.

'Doedd dim byd yn ffansi am y peiriant yma. Roedd o'n hen fel pechod.'

'Lle mae'ch dillad chi rŵan?'

'Yn y *tumble dryer.*'

'Beth goblyn ydi hwnnw?'

'Peiriant sychu dillad.'

'Efo mangl fyddan ni yn sychu ein dillad ni. Fi fydda'n golchi dillad Canon, wyddoch chi? Mae o wedi marw erstalwm bellach.'

'Be goblyn ydi "Canon"?'

'Canon yn 'Reglwys 'te . . . Person . . . '

'Fatha Gweinidog? Ficar ddylais i oedd enw gweinidog eglwys.'

'Mae Canon 'run fath â Ficar,' meddai Gwladys o'r gornel. 'A Person. Tri enw am yr un dyn ydyn nhw.' Trois i edrych ar Gwladys. Dyna'r ail dro i mi ei chlywed yn dweud rhywbeth ar ei liwt ei hun, yn hytrach nac ateb cwestiwn.

'Roedd 'na graith ar wyneb Canon ni.'

'Chi oedd yn gwneud ei olchi?' holais.

''Mond ei ddillad eglwys . . . ei wenwisg. Fi fydda'n gwneud dillad y côr hefyd. Ond byddwn yn gadael ei syrplan o tan diwedd. Byddwn yn clirio'r bwrdd, ac yn gosod ei syrplan arni, ac yn cymryd gofal dychrynllyd wrth ei gwneud. Coblyn o wisg fawr oedd hi – roedd Canon dros chwe troedfedd. A byddwn yn hynod ofalus yn ei smwddio, a'm llaw chwith yn gafael yn y gongl rhag ofn i'r hetar fynd yn gam dros y plyg . . . '

Ew, mi ddisgrifiodd y broses mor fanwl nes i mi ddod i'r casgliad mai hi oedd Pencampwr Smwddio Syrplans Dyffryn Ogwen. Aeth i'r fath wewyr yn rhoi'r manylion i mi nes i mi ddechrau amau ei bod wedi cymryd ffansi at yr Hen Ganon.

'Eglwyswraig ydach chi, felly?'

'Ia, wedi bod erioed, a'm rhieni, a'u rhieni hwythau o bob ochr.'

'Eglwyswrs oedd pawb erstalwm,' meddai Gwladys. Brawddeg arall heb ei chymell . . .

'Wn i ddim beth ydi'r gwahaniaeth, a dweud y gwir,' meddwn.

'Torri'n rhydd o'r eglwys ddaru pobl capel – am 'u bod nhw'n credu nad oedd pobl 'Reglwys yn cymryd eu crefydd o ddifri.' Oedd, roedd Gwladys yn cymryd rhan mewn trafodaeth!

'Adeg Harri'r Wythfed, debyg,' meddwn, yn ceisio swnio'n wybodus.

'Ddim o gwbl.' Doeddwn i rioed wedi clywed Gwladys yn siarad yn awdurdodol. 'Torri i ffwrdd oddi wrth yr Eglwys Gatholig wnaeth o.'

'Gas gen i Gatholics,' medda Mrs Prichard, mwya annisgwyl. 'Mae 'na Gapel Pab yn Bethesda.'

'Pam ydych chi'n eu casáu nhw?' gofynnais. Pobl fel Mrs Prichard oedd yn cychwyn rhyfeloedd.

'Credu petha rong maen nhw, 'te?' atebodd, fel petai o'r ateb mwyaf rhesymol yn y byd. 'Credu mewn Pab a'r Forwyn Fair a bob math o gonjirwj felly.'

'Mae ganddyn nhw hawl, debyg gen i,' meddwn, heb wybod am be oeddwn i'n siarad. 'Os mai dyna be maen nhw eisiau'i gredu.'

'Does 'na'm rheswm yn y peth,' aeth Mrs Prichard yn ei blaen. 'Os mai Tad, Mab a'r Ysbryd Glân sydd 'na, beth sydd eisiau potsian efo'r Forwyn Fair? 'Mond mam oedd hi.'

'Dim ond mam.' Dyna farn pawb. Beth ydi gwerth mam, yn nhermau tragwyddoldeb?

'Neis eu bod nhw'n rhoi sylw i ddynes, ddeuda i.'

'A chewch chi ddim gweddïo ar Dduw, ddim yn uniongyrchol. Mae'r Pab yn bennaeth bob dim ar y ddaear, a toes 'na ddim mymryn o sail ysgrythurol drosto fo.' Ro'n i'n cael yr argraff nad hwn oedd y tro cyntaf i Mrs Prichard ddadlau yn erbyn Pabyddion.

'Dwi'n meddwl y dylai pawb sy'n credu addoli yn yr un capel,' meddwn, 'i stopio'r holl ffraeo 'ma.'

'Fasa fo byth yn gweithio,' meddai Gwladys.

'Mae 'na hen ddigon o ffraeo rhwng enwadau, heb sôn am roi pawb efo'i gilydd,' meddai Mrs Prichard. 'Faswn i byth yn addoli efo Ciatholics p'run bynnag. Tydyn nhw ddim hyd yn oed yn gwybod i lle maen nhw'n mynd ar ôl marw.'

'Oes 'na rywun?' gofynnais yn ddiniwed.

'Mae o'n fater reit syml, 'tydi? Nefoedd i bobl dda ac Uffern i bobl ddrwg. Ond mae Ciatholics yn credu yn y Purdan, sef rhyw stesion hanner ffordd.'

Trois at Gwladys, i'w chynnwys yn y sgwrs.

'Wyddost ti i lle'r ei di ar ôl marw?'

Llanwodd ei llygaid â dagrau a sylweddolais yn rhy hwyr 'mod i wedi gofyn y cwestiwn gwaethaf posib iddi.

'Dyna 'mhryder mawr i,' atebodd.

'Does dim eisiau poeni amdano ormod,' meddwn i. 'Fyddwn i ddim callach wedi inni farw.'

'Pam mai dyna ydi un o gwestiynau mwyaf Cristnogaeth 'ta,' gofynnodd Gwladys, 'os nad ydi o ots?'

Ro'n i ar goll yn llwyr.

'Dwi'n meddwl fod pawb yn landio ble mae o eisiau, yn pen draw,' meddwn.

'Peidiwch â chablu, da chi,' medda Mrs Prichard yn ffyrnig. 'Does 'na neb yn Uffern eisiau bod yno, siŵr iawn.'

'Faint o ymdrech ddaru nhw i beidio mynd yno tra oeddan nhw ar y ddaear?' gofynnais. 'Gawson nhw ddigon o rybudd.'

'Ydyn nhw yno o ddewis ydi'r cwestiwn mawr, 'te?' medda Gwladys.

'Duw sy'n penderfynu. Fo ydi'r Barnwr Mawr,' medda Mrs Prichard. 'Fo pia'r "Iachawdwriaeth Dragwyddol", 'chwadal Wil Colar Starts . . . '

'Ond os cawson ni ewyllys rydd ar ôl y Cwymp . . . ' medda Gwladys, 'onid mater i ni ydi o, ac os felly mae o'n ddewis.'

'Y Cwymp?' gofynnais yn niwlog, yn ceisio cofio oedd mwy nag un.

'Yr hyn ddigwyddodd yng Ngardd Eden,' atebodd Mrs Prichard. 'Fuoch chi rioed yn 'Rysgol Sul, hogan?'

Atebais 'mod i wedi cael magwraeth yn y capel, jest 'mod i wedi anghofio rhai o'r termau, dyna i gyd. Stori Gardd Eden oedden ni'n ei galw, a doedd neb dros ddeg yn ei chredu, tasa hi'n dod i hynny. Ro'n i'n dechrau teimlo'n reit anniddig.

'Beth fedrwn ni ei wneud i sicrhau ein bod yn mynd i'r Nefoedd, 'ta?' gofynnais, yn meddwl fasa well i mi archebu fy lle yno rŵan os oedd 'na gyfle.

'Cwestiwn mawr Nicodemus,' medda Mrs Prichard.

'A beth oedd yr ateb?'

'Cred yn yr Arglwydd Dduw a chadwedig fyddi.'

'Jest hynna?'

'Mae o'n dywyllodrus o syml, 'tydi?' medda Gwladys. 'Ond pan ydych chi'n credu yn bob dim, mae 'na lond gwlad o rwystrau eraill yn dod i'ch poeni.'

'Rwyt ti'n gryn arbenigwr ar y busnes, 'twyt?' meddwn wrth Gwladys, yn ceisio ysgafnhau'r sgwrs.

'Wedi fy magu efo fo,' meddai. 'Seiat, Cwrdd Gweddi, Dorcas a Chyfarfod Plant.'

'Ia, ia . . . ' Sut gallwn i anghofio?

'Ond er mynychu'r holl gyfarfodydd a'r holl gymdeithasau am bron i ddeng mlynedd ar hugain, dwi'n dal i gael fy mhlagio gan amheuon.'

'Rhyfedd 'te?' meddwn, heb syniad beth i'w ddweud.

'Dyna oedd yn dda am Canon,' meddai Mrs Prichard yn ddigalon. 'Roedd o mor sicr o'i bethau. Roedd ganddo fo afael ar rywbeth nad oedd yn perthyn i chi a mi.'

Nid ei ffansïo fo oedd hi, meddyliais. Roedd hi'n hanner addoli'r dyn.

Pennod 25

Euthum i dynnu'r dillad o'r peiriant sychu, gan geisio bod yn ddiolchgar am ddyfeisiadau modern a dychmygu Mrs Prichard ifanc yn sychu dillad efo mangl, a'r holl ddillad eglwys o'i chwmpas. Roedd ceisio dychmygu Mrs Prichard yn ifanc tu hwnt i mi. Sut yn y byd oedd hi'n edrych? Sut oedd hi'n symud? Fuo hi rioed yn wraig ifanc osgeiddig? Roedd yn anodd dychmygu.

Doedd y peiriant sychu ddim wedi gwneud joban wych ohoni. Oedd, roedd y dillad yn sych ac yn grimp – yn dal yn gynnes, ond gallwn daeru eu bod wedi mynd i mewn, doedd yr un graen ddim arnynt. Taswn i'n gwybod mai fel hyn y cawn hwy'n ôl, byddwn wedi eu golchi â llaw, er cymaint ro'n i'n casáu hynny. Gwyddwn nad oedd neb yn ein gweld yn fan hyn, ond doedd hynny ddim yn rheswm dros edrych fel bwgan brain, a'm dillad i gyd yn rhy fach.

Un o'r tasgau domestig yr oeddwn i'n eu mwynhau adref oedd rhoi dillad ar y lein. Teimlwn yn rhinweddol wedi gwneud y golchi; roedd popeth yn ffres ac yn lân, a gwerthfawrogwn y cyfle o sleifio allan o'r tŷ i gael bod yn yr awyr iach. Roedd fel chwarae triwant, cael dianc i'r ardd yng nghanol gwaith tŷ, ond gan wybod fod gen i berffaith gyfiawnhad dros wneud hynny. I gael aros allan gyhyd â phosib, byddwn wedi perffeithio'r dasg o roi dillad ar y lein. Byddai'n rhaid i bopeth fod yn dwt ac yn gymesur, ac roeddwn wrth fy modd fod rhywbeth mor syml â gwynt yn gallu troi pentwr o ddillad tamp i fod yn rhes o ddillad sych, yn barod i gael eu smwddio. Efo lot o waith tŷ, doeddech chi ddim yn gweld ôl eich gwaith, ond efo golchi dillad roedd yr holl broses o droi dillad budr yn bethau glân, llyfn, gwisgadwy yn joban werth ei gwneud. Byddai'n rhaid i mi fod yn ofalus, roeddwn yn dechrau swnio fel Mrs Prichard.

Ond y diwrnod hwnnw, wrth gerdded yn ôl i'r ward efo pentwr o ddillad newydd ddod allan o'r peiriant sychu, ni theimlais unrhyw foddhad. Doedden nhw ddim yn arogli'n dda nac yn teimlo'n esmwyth. Unwaith neu ddwy eto drwy'r fath broses, a byddwn yn dechrau amau gwerth eu gwisgo. Fyddai ganddyn nhw ddim ffasiwn beth â lein ddillad, debyg. Doedd ganddyn nhw ddim gardd gwerth sôn amdani. 'Gardd' yma oedd llecyn agored ar siâp hen bishyn tair yng nghanol yr adeilad. Doedd yna ddim gwyrddni, dim ond sgwariau wedi'u gwneud o frics i ddal tyfiant, a cherrig mân dan draed. Gardd nad oedd angen garddwr – dyna oedd y brif ystyriaeth wrth ei chynllunio, debyg – torri i lawr ar gostau cynnal a chadw. Roedd yna un goeden dila a sawl mainc wedi ei gosod yma a thraw, ond pwy yn ei iawn bwyll fyddai eisiau eistedd i lawr i edrych ar ffenestri wardiau eraill? Yr unig adeg y byddai pobl yn camu allan fyddai er mwyn cael smôc. Fedrwn i ddim cofio fy hun pryd y bûm allan yn yr awyr iach ddiwethaf. Dylent drefnu teithiau cerdded rheolaidd, inni gael gwerthfawrogi byd natur. Rywle yng nghanol y Strategaeth, mae'n siŵr fod rhywun wedi crybwyll y fath beth, ond doedd neb eisiau'r strach a'r cyfrifoldeb o fynd â llwyth o nytars allan am dro . . .

Sylwais nad oedd golwg o Bet wrth ei gwely nac yn y Lle Eistedd. Roedd mewn stad ddrwg yn syth ar ôl codi bore 'ma. Dyna oedd y drwg efo Bet, roeddech yn meddwl ei bod yn graddol wella, ac yna ambell fore byddai cynddrwg ag y bu erioed.

'Wyt ti'n iawn, Bet?' gofynnais, wrth ei gweld yn eistedd ar erchwyn y gwely y bore hwnnw. Roedd yn cael trafferth i gael ei gwynt.

'Nac ydw. Dwi ddim yn iawn o gwbl.'

'Eisiau i mi nôl rhywun?'

'Wn i ddim. Rydw i'n anobeithiol bore 'ma. Mae fy nerfau i'n racs. Mi leciwn i aros yn fy ngwely, ond fiw i mi.'

'Pam ddim?'

'Dydyn nhw ddim yn lecio i ti aros yn y gwely.'

'Mae Monica yn cael llonydd i aros yn ei gwely, 'twyt Monica?'

Trodd Monica i edrych arnom.

'Arhoswch yn eich gwely os ydych chi eisiau,' meddai Monica wrth Bet. 'Fedra nhw mo'ch gorfodi i wneud dim byd.'

Anwybyddodd Bet hi a dweud dan ei gwynt,

'Tydw i ddim 'run fath â Monica.'

Dal wyneb oedd yn bwysig i Bet. Hyd yn oed tase hi ar ei gwely angau, mi fyddai'n dal i wneud ymdrech i godi, i roi ei chôt wely amdani, ac i ymlwybro rywsut gyda'i bag molchi bach glas blodeuog efo llinyn crychu arno, tuag at yr ystafell molchi. Welais i rioed mohoni heb folchi a heb roi crib drwy ei gwallt. Ond bore 'ma, gan nad ydoedd wedi trin ei gwallt, edrychai'n druenus ac yn hen.

'Wn i ddim beth sy'n bod . . . dwi'n da i ddim bore 'ma. Fedra i ddim tynnu fy hun at ei gilydd o gwbl heddiw. Yr hen nerfau 'ma ydi o . . . '

'Wyt ti wedi cymryd dy dabledi?'

'Cha i ddim byd tan amser brecwast . . . '

'Paid â bod mor ddeddfol, Bet. Dos atyn nhw rŵan, deud sut wyt ti'n teimlo, a deud bod yn rhaid i ti gael rhywbeth i dawelu dy nerfau.'

'Dwi wedi bod ddwywaith yn ystod y nos, ond deud wrtha i am ddisgwyl tan amser brecwast ddaru nhw,' meddai'n druenus. 'Falle mai blinder ydi o, chysgais i ddim yn dda o gwbl.'

Hen g'nafon. Os oedd Bet gynddrwg, pam na fydden nhw'n rhoi rhyw fath o dawelyddion iddi? Os nad oedden nhw eisiau rhoi cyffuriau iddi, pam na fydden nhw'n rhoi tabledi ffug iddi – iddi deimlo'r budd seicolegol fod rhywun yn poeni ddigon am ei chyflwr i roi tabledi iddi? Fyddai Bet byth yn gofyn oni bai ei bod wirioneddol angen help.

'Dydi hi ddim ots ganddyn nhw, dwi ddim yn meddwl. Wn i ddim faint o weithiau ydw i wedi deud wrth y doctor 'na sut ydw i'n teimlo, neith o neud dim i newid y driniaeth.'

'Sut wyt ti'n teimlo rŵan?' gofynnais.

'Poeni ydw i. Bob dim yn faich arna i . . . Petha'n mynd rownd a rownd yn fy meddwl.'

'Biti drosto ti. Oes 'na rywbeth mawr yn pwyso arnat ti?'

'Na, dyna sy'n od. Pethau bach, bach. Poeni sut maen nhw adre. Pethau gwirion . . . ro'n i'n poeni am dri o'r gloch y bore beth oedd Gruff wedi'i gael i'w fwyta – fel taswn i'n gallu gwneud rhywbeth ynglŷn â hynny yn fan'ma . . . '

'Gofal gwraig ydi hynny, 'te – a chariad,' meddwn, er 'mod i'n teimlo tu mewn i mi mai wedi tendiad gormod ar Gruff oedd Bet wedi'i wneud, a'i bod yn methu delio â'r euogrwydd ddeuai yn sgil bod yn wraig mewn ward ysbyty, yn gwbl anabl i wneud dim.

Deuthum i'r casgliad mai'r gwendid mwya yn fan hyn

oedd y diffyg preifatrwydd. Wrth i mi gludo'r dillad yn ôl i'r ward daeth dynes gwbl ddieithr ataf a siarad efo fi fel tase hi'n fy nabod yn iawn. Dechreuais amau mai claf oedd hi nes i mi sylwi fod ganddi fathodyn, ac arno roedd y geiriau arswydus, 'Patricia Eastleigh, Art Therapist'. Daria, roedd hi wedi 'nal i.

'*You're a busy lady!*' meddai, fel petai'n ffrindiau gorau efo mi. '*I've been searching all over the place for you!*'

'*I've been washing,*' meddwn, yn union fel Beti Bwt, 'blaw 'daeth fy nillad i ddim efo'r afon, dim ond i'r peiriant anghywir a shrincio. '*I'm not usually busy.*'

'*Goody, goody,*' meddai. Rydw i'n casáu pobl sy'n siarad felly. '*Can we sit down for a chat?*' meddai, ac eistedd gyferbyn â Gwladys.

'*Hello,*' meddai wrth honno, '*we've already met, haven't we?*'

'*She's Polish,*' meddwn, fel petai hynny'n egluro popeth.

'*Really? How interesting . . . What part of Poland are you from?*'

'*Warsaw,*' meddwn gan sylwi ar y panig yn llygaid Gwladys, ac yn pitïo i mi ddechrau ar y celwydd. '*Why did you want to see me?*'

Estynnodd bentwr o ffurflenni a phapurau o'r bag ar ei hysgwydd, a dechrau ar ei thruth.

'*First things first,*' meddai, '*I'm Trish, and I'm involved with the Arts here.*' Fasa rhywun yn meddwl ein bod mewn prifysgol. '*And a little bird was telling me . . . *' meddai wedyn gan ysgwyd blew ei llygaid, '*that you'd shown an interest in the Craft Class . . . would that be true?*'

'*I don't want to make any more Christmas cards,*' meddwn. '*You see, as a Muslim, it's not really relevant to my beliefs, and I won't be going to those classes again . . . *'

Edrychai Gwladys yn hurt arnaf, a synnwn innau pa

mor rhwydd y deuai'r celwyddau yn rhubanau, ond byddai'n haws gen i lyncu'r Koran yn ei grynswth na wynebu Cwpwrdd Crefftau Elsie eto.

Gwenodd Trish. Cefais yr argraff annifyr nad oedd yn fy nghredu o gwbl.

'You've had the wrong end of the stick, pet. I'm not asking you to do any Christmas cards, or anything of the sort. You see, I'm an Aart Therapist, and this involves healing a person with psychiatric problems from within, through self expression with drawing and painting . . .'

Edrychais arni mewn rhyfeddod. Oedd hi o ddifri? Neu ai claf wedi dwyn bathodyn oedd hi? Roedd hi mor anodd dweud gydag ambell un.

'I'm not really into that kind of mystic thing,' meddwn, gan gofio'n sydyn 'mod i newydd ddatgan fy hun yn Fwslim. 'There's nothing wrong with me, actually, just a bit of post-natal depression, and the tablets are working wonderfully.'

'There's no reason to be afraid, pet,' meddai, gan fwytho fy mraich. 'It's supposed to be enjoyment, but as you create we can work things out for you which might make things a little more clear.'

Ro'n i mewn trap, a gwyddai Gwladys hynny. Edrychai arnaf yn amlwg yn teimlo drosof, ond yn methu gwneud dim i helpu.

'Shall I put your name down?' gofynnodd. 'Tell you what we'll do. I'll take your name, you come to the session tomorrow morning to see what it's like, and if you don't feel it's your cup of tea, we'll leave it like that. There's absolutely NO pressure on you, pet, to carry on, if you don't like it.'

'OK,' meddwn. 'Put my name down.' Ac i ffwrdd â mi. Mae'n debyg fod y drefn a'i cyflogai yn gweithio'n ddigon tebyg i warden traffig. Mwya o bobl oeddech chi'n rhoi eu henwau i lawr, mwya o bwyntiau oeddech chi'n eu cael. Affliw o ots am y bobl hynny wedyn, ond o leiaf roeddech chi wedi eu dal.

Y peth olaf oeddwn i eisiau oedd Art Therapist. Cedwais y dillad yn y cwpwrdd bychan. Daria, daria, daria. Os byddai pethau'n parhau fel hyn, mi fyddwn i'n bendant yn dianc oddi yma.

Pennod 26

Fy nhro i oedd poeni wedyn. Ddaru mi ddim byd wedyn ond eistedd yn y Lle Eistedd yn gwaredu at yr ymweliad â'r Art Therapist. A dim y hi fyddai'r olaf. Byddai'r gair yn mynd o gwmpas fod gen i ddiddordeb mewn therapi, a'r peth nesaf byddai rhyw ddewines Aromatherapi yn dod heibio i'm hudo. Cam bychan wedyn fyddai i rywun glywed 'mod i'n ymddiddori mewn Swynddewiniaeth, a felly mlaen nes byddai hanner dwsin o therapyddion yn fy arolygu, a byddwn i'n mynd yn wironeddol wallgof. Falle bod tri chwarter y bobl a ddeuai drwy ddrysau Rhydderch yn weddol normal, ond wedi ysbaid yn fan hyn byddai cant y cant wedi dioddef rhyw ffurf ar salwch meddwl difrifol. Tase hi'n dod i hynny, mae'r un peth yn wir am y brif ysbyty. Dod i mewn efo annwyd, cael MRSA tra oeddech chi ar y ward, a gadael mewn arch. Mae hi'n fusnes peryg mynd yn wael y dyddiau hyn.

Roedd Bet rhywfaint yn well yn y pnawn, er ei bod hithau'n ddigon tawedog. Doedd fy mhroblem i'n ddim o'i chymharu â'i chroes hi, mi wyddwn, ond doedd hynny ddim yn gwneud i mi deimlo'n well.

'Pâr o rai da ydan ni, 'te, Bet?'

Edrychodd Bet arnaf.

'Dan ni'n iawn os ydan ni fel si-sô, fi i lawr tra wyt ti ar i fyny, neu ffordd arall rownd, ond mae'n anobeithiol os ydi'r ddwy ohonon ni yn y gwaelodion.'

'Rwyt ti wedi bod yn dda iawn efo mi, cariad.'

'A titha ydi'r unig ffrind sydd gen i. Dwi mor falch dy fod yma.'

Bu'r ddwy ohonom yn synfyfyrio am beth amser wedyn, doedd gan yr un ohonom awydd darllen.

'Wyt ti'n cofio'r tro pan aethost yn sâl gyntaf?' gofynnais.

'Ydw, er mai peth graddol oedd y Felan 'ma yn dod drosof . . . '

'Ia, dwi'n rhyw amau ei fod o yn y cefndir ers tro efo minnau, fel dolur gwddw cyn troi i fod yn ddos o ffliw.'

'Colli blas ar bethau ddaru ti?'

'Ia, methu gweld pwrpas i ddim,' meddwn.

'Yn union fel fi. Ond tydi o'n goblyn o anodd disgrifio i eraill? Maen nhw'n disgwyl i chi ddweud yn iawn ble mae'r boen, a gallu disgrifio eich teimladau, ond ro'n i'n ei gael o'n amwys iawn. Unwaith roeddech chi wedi llwyddo i ddisgrifio sut oedd y cyflwr, roedd o'n newid i fod yn rhywbeth arall.'

'Fedr neb sydd heb fynd trwyddo ei ddeall,' meddwn.

'"Syrffed" oedd y gair ddeuai agosaf at ddisgrifio 'nghyflwr,' meddai Bet. 'Roedd o fel petai llen wedi ei thynnu oddi ar fy llygaid. Ro'n i'n gweld llawer mwy nag a welwn cynt, fel tasa'r awyr yn deneuach, neu fel tase pennau pawb wedi eu gwneud o wydr, a minnau'n gallu gweld tu mewn iddyn nhw.'

Doeddwn i ddim wedi profi hynny.

'Dwi'n cofio'n burion y teimlad nad oedd pwynt i ddim byd, a waeth beth ddywedai pobl eraill, ro'n i'n mynnu gweld yr ochr dywyll. Byddai hyn yn gwylltio pobl yn fwy na dim fel taswn i ddim yn trio bod yn hapus,' meddwn.

'A mae o'n ffeithio ar dy briodas, does dim gwadu hynny.'

'Faswn i wedi gadael Dafydd tase fo wedi mynd mor isel â mi. Fedrwn i byth fyw efo rhywun yn dioddef o iselder. Does gen i mo'r amynedd. Mi fyddwn i wedi hen ffrwydro!'

'Nhw sy'n ein nabod ni orau, 'te, a fedrwn ni ddim cuddio dim rhagddynt. Maen nhw'n byw efo ni, yn rhannu'r un aelwyd, yr un gwely. Cofiaf deimlo 'mod i a Gruff wedi cyrraedd pwynt lle roeddem ni'n dau yn gwylio ein gilydd fel cath a llygoden.'

'Ro'n i'n ysu weithiau adre am gael rhywle preifat i mi fy hun. Rhywle y medrwn guddio oddi wrth Dafydd a thorri 'nghalon, heb iddo gael ei frifo o 'ngweld i'n gwneud hynny.'

'Ond dyna ydi priodas, 'te – er gwell neu er gwaeth.'

'Ddychymygais i rioed y byddai yna uffern fel hyn i fynd drwyddi . . . os mai dyma ydi uffern ddaearol, wn i ddim beth ydi Uffern go iawn.'

'Hwn ydi o – cael ein torri i ffwrdd oddi wrth Dduw, heb unrhyw deimlad o obaith na gwaredigaeth. Roedd awduron y Beibl yn deall iselder yn burion.'

'Ella bod gen ti rywbeth yn fan'na Bet, synnwn i damaid.'

Yn y diwedd, dyma fi'n gwneud y daith faith i lawr y coridor i Stafell E4. Dyfalwn a oeddan nhw'n dal i roi sioc drydanol i bobl dan yr esgus fod hynny hefyd yn llesol i rywun. Tybed lle roedd y stafell honno? Fyddwn i ddim callach. Fydden nhw byth bythoedd yn rhoi label 'Stafell Sioc Drydan' ar y drws. Ddigon posib mai E4 oedd y stafell. Ys gwn i beth barai i bobl gytuno i gerdded drwy ddrws gan wybod eu bod am gael sioc drydan? Yr un dylni a barai iddynt gytuno i gael Art Therapy, debyg . . .

Curais ar ddrws E4.

'*Come in!*'

Bu bron y dim i mi redeg i ffwrdd, ond gwyddwn y

byddai'n fy nghanfod yn y diwedd. Roedd sêl genhadol yn perthyn i hon. Cerddais drwy'r drws, fel oen i'r lladdfa. Pam fod gen i gymaint o ofn?

'Hi, pet! I'm so glad you've come.'

Ofn iddi fy newid oeddwn i. Yr un teimlad oedd o â phan gymrais i'r tabledi am y tro cyntaf. Mae rhywun yn gyfforddus yn ei gymeriad ei hun, a dydi o neu hi ddim eisiau newid, hyd yn oed os ydi pawb arall yn deud eich bod chi'n rhyfedd. Oeddwn, roeddwn eisiau stopio crio, ond roedd yn gas gen i'r syniad o orfod dinoethi fy hun (unwaith eto) o flaen dieithryn llwyr.

'Don't look so worried . . . come in, sit down.'

Yn ei thridegau canol oedd Trish, efo gwallt hir tywyll, wedi ei glymu'n ôl yn rhannol efo rhuban. Eiddil ydoedd o ran corff, efo sgert laes a blows batrymog. Tybiwn ei bod mewn cariad efo'r cyfnod Cyn-Raphaelite, ac roedd ei thlysau'n cadarnhau hynny, yn ogystal â'r llun Byrne Jones ar y wal. Roedd y stafell fechan yn llawn o nialwch arlunio.

'Don't let all this stuff put you off,' meddai. *'It's just I've nowhere to put it. I could do with a room twice this size, but I suppose I'm lucky to have as much as this . . . Anyway, it's not me who should be talking . . . This is YOUR time.'*

Erbyn hyn, roeddwn wedi eistedd ar gadair wrth y bwrdd, a daeth hi i eistedd lle gallai weld fy wyneb.

'I should add as well,' meddai yn cofio'n sydyn, *'that I'm sorry I can't speak Welsh . . . apart from* Bore Da *and* Nos Da *and what have you. I really must get on with some kind of course, just that I haven't the time! Anyway – you talk now . . . '*

Doedd ei hwyneb ddim yn un y byddwn yn cymryd ato yn naturiol. A dweud y gwir, taswn i'n ei gweld wrth fwrdd mewn caffi, byddwn yn gwneud ymdrech fwriadol i'w hosgoi. Yn anffodus, roedd ganddi lygaid fel wenci ac roedden nhw'n llygaid oer . . . llygaid oedd yn ceisio'u gorau i ganfod beth oedd tu mewn i mi. Mae'n debyg mai'r modd y syllai arnaf a rôi'r argraff honno . . .

'*Tell me about yourself* . . .'

Rhoddais fy enw a'm manylion personol a deud lle roeddwn yn byw, ond doedd dim brwdfrydedd ynof. Ro'n i'n siarad yn union fel petawn yn rhoi'r un manylion i blismon wedi i mi gael fy nal yn goryrru. Aeth Trish i nôl papur mawr a'i osod ar y bwrdd.

'*What I want you to do now, pet, is to take any medium you want, and draw a picture. We've got coloured pencils, watercolours, pastels, wax crayons . . . chalk . . . in all these wonderful colours . . .*'

Roedd ganddi ddewis da, rhaid oedd cyfaddef. Roedd mwy o arian yn cael ei wario ar ddeunydd lliwio nag ar ddysgu Cymraeg, roedd hynny'n amlwg.

'*What would you like?*' Roedd yn dechrau swnio'n flinedig. Byddai'n rhaid i mi wneud mwy o ymdrech, ond ro'n i'n cael fy ngorfodi i wneud rhywbeth.

'*I'll try the pastels* . . .' meddwn.

'*Now, all I want you to do is to draw me a picture – it can be any kind of a picture. And it doesn't have to BE anything. You use these pastels now to express any emotions you want . . . you can use one colour, or as many as you wish. It's YOUR picture . . .*'

Edrychais ar y papur gwyn o'm blaen fel anialwch diddiwedd. Lle oedd rhywun yn dechrau oedd y cwestiwn mawr. Doeddwn i ddim wedi teimlo fel hyn ers imi fod mewn arholiad yn yr ysgol. Dyma'r papur . . . arno rhowch y dystiolaeth o'ch gallu ymenyddol. Byddwn yn cymryd y cyfan, a'ch asesu yn y man. 'Asesu' oedd un o'm cas eiriau . . .

Roedd yn rhaid i mi wneud rhywbeth, felly tynnais lun oren. Pam? Achos 'mod i'n hoffi orennau, ac wedi meddwl am y peth, doeddwn i ddim wedi blasu oren ers amser maith. Oren fyddwn i'n ei gael i frecwast yn aml adre. Ond yma, uwd neu dost oedd y dewis i frecwast, ac er bod sudd oren ar gael, doedd ffrwythau ddim yn tasgu o gwmpas y lle. Ddaru mi fentro holi pam unwaith, a'r ateb gefais i oedd nad oedd neb yn eu bwyta, ac nad oedd cael powlen o ffrwythau'n pydru yn gydnaws â'r rheolau iechyd a diogelwch. Affliw o ots am iechyd y cleifion; mi adawn i'r rheiny fod yn rhwym i dragwyddoldeb.

'*Can you tell me what's going on in your mind this very minute?*' medda llais Trish o rywle. Fedrwn i ddim dweud y gwir yn blaen, felly mi geisais ei ddweud mewn ffordd dderbyniol.

'*The health of the patients here.*'

'*Their mental health you mean?*'

'*No, just the fact that we should be eating more oranges.*'

'*Aaaaahh,*' meddai Trish, a'r sylweddoliad yn dod drosti. '*It's an orange . . . I thought you were portraying a vivid sunset . . .*'

'*I can do a sunset . . .*' meddwn yn hyderus.

'*No, no, everyone does sunsets, you carry on with what you had in mind . . .*'

Roedd hynny'n arwydd nad oedd un oren yn ddigon iddi fy nadansoddi, felly tynnais lun afal. Atgoffodd hyn fi o'r papur wal oedd yn ein stafell pan oeddem yn blant, felly dyma fi'n atgynhyrchu hwnnw gystal ag y gallwn. Cefais hanner awr o lonydd tra oedd Trish yn stwna ymysg ei phethau. A bod yn gwbl onest, mi ddaru mi fwynhau fy hun. O gael llonydd oddi wrth ei hen gwestiynau, ro'n i'n iawn. Rown i'n teimlo yn llawer mwy c'lonnog.

Ond mi ddifethodd Trish bopeth wrth ddod i eistedd reit wrth fy ymyl a rhythu ar y llun am amser maith.

'*Well done! That's a TRULY wonderful picture. All those colours . . . they're so vibrant . . .*' Edrychodd arnaf, '*Is that you?*'

Edrychais ar y llun. Beth a olygai?

'No, it's fruit,' meddwn, yn teimlo 'mod i'n datgan yr hyn oedd yn amlwg.

'I know that,' meddai, *'but is it YOU? Is that how you see yourself?'*

Roeddwn ar goll yn lân, a bu raid i mi gyfaddef hynny.

'What do you mean?'

'Looking at that,' meddai, *'I find it fun, colourful, vibrant, original – is that a description of you?'*

Wel, nac ydi'r hulpan, neu faswn i ddim mewn sefydliad fel hwn. Gwell oedd deud y gwir wrthi.

'It's not really original . . . it's a copy of the wallpaper we had in our bedroom when I was a child . . . '

'Aaahhh . . . so you're going back to your childhood . . . '

Deg allan o ddeg, Freud. Ro'n i'n dod i'r casgliad nad oedd hon yn gwybod fawr mwy na mi am seicoleg.

'Did you have a happy childhood?'

'Not particularly,' atebais. Cefais blentyndod di-fai, ond ro'n i wedi cael digon ar Trish, felly mi benderfynais ddifyrru fy hun. Fasa hi ddim callach, ac mi fyddai'n gwneud y sesiwn yn fwy diddorol. *'Actually it was quite traumatic . . . '*

'Was it?' meddai Trish, yn difrifoli a'r llygaid wenci yn culhau. Oedd hi'n fy amau? *'I don't remember reading about it in your notes . . . '*

Daria, anghofiais am y rheiny. Roedd hon yn gwybod mwy am fy nghefndir na fi fy hun, beryg.

'I've never mentioned it to anybody before. Not even to myself . . . ' Os oedd Rhydderch wedi dysgu rhywbeth i mi, ro'n i wedi perffeithio'r dechneg o ddweud celwydd.

'What was it, pet . . . abuse?' sibrydodd

'Good gosh, no!' meddwn, *'nothing like that . . . '* A sylweddolais fod hon yn hen gyfarwydd efo pob math o

erchyllterau a dyfnderoedd tywyll y natur ddynol. Doedd dim y gallwn i ei ddweud ei dychryn, waeth faint o gelwydd a ddywedwn.

'*Were you beaten?*'

Nodiais.

'*Badly?*'

Cefais ambell i slap fel plentyn, ond dim byd gwerth sôn amdano. Teimlwn 'mod i'n arwain fy hun i gors. Ro'n i eisiau stopio'r gêm.

'*You don't want to talk about it?*'

'*No.*'

'*Well, don't worry. That's what Art Therapy is about. Whatever you find difficult to express in words, you can convey it with images, colour, or of course absence of colour . . . *'

'*Absence of colour*', ro'n i'n lecio hynny. Dewisais ddarn o siarcol a gwneud llinellau mawr ar draws y papur. Drwy drugaredd, gadawodd Trish fi, a throi ei chefn.

Ceisais ddyfalu sut fath o erchylltra oedd wedi digwydd i mi yn blentyn, ond o'i gymharu â thrigolion y lle hwn, roedd fy mhlentyndod yn ymddangos yn nefolaidd. Yn y diwedd, dyma fi'n gwneud lot o rwtshi ratsh siarcolaidd, efo cymeriadau amheus yn y cefndir – rhyw gi efo dau ben a dannedd fel crocodeil a sliwan fygythiol oedd yn debycach i boa constrictor. Yn ôl y cloc, roedd awr bron â dod i ben, felly doedd fawr o ots be' fyddwn i'n ei wneud.

'*Can I go now?*' gofynnais, fel plentyn bach eisiau dianc o'r ysgol.

'*Let me see what you've done.*'

Edrychodd ar y llun ac eistedd i lawr. Daria. Ro'n i'n gobeithio y cawn osgoi sesiwn arall o ddadansoddi.

'*My word, this really does look grim,*' meddai. O edrych arno mewn gwaed oer, roedd o'n llun reit ddychrynllyd.

'*This is what "childhood" conveys to you?*'

Mwya sydyn, teimlwn yn euog.

'*The bad bits,*' meddwn, '*it wasn't all like that.*'

'*Tell me about the bad bits,*' meddai, gan setlo i lawr i wrando. Gwelodd fi'n edrych ar y cloc. '*Don't worry about the time, pet. That's what this is all about. I'm here to LISTEN . . .* ' Roedd rhaid i mi ddod allan o'r ponsh hwn yn gyflym.

'*I've had enough for one day,*' meddwn mewn llais digalon. '*All my energy went into the picture . . .* '

'*That's quite all right. And this being the first session and all . . .* '

'*First?*' 'Radeg yna y dychrynais go iawn. Doedd hi rioed yn golygu fod rhaid cyfarfod eto?

'*Will the same time be alright next week? By then, I'll have had time to study your drawing.*'

Nodiais, a mynd allan trwy'r drws. Roedd fy nghalon wedi suddo i'r gwaelodion. Doeddwn i byth eisiau gweld Patricia Eastleigh eto, ddim hyd yn oed yn fy hunllefoedd, taswn i'n cael rhai. Dyna un peth da am Rhydderch, ro'n i'n cysgu mor wael yma, doeddwn i ddim yn cael amser i freuddwydio, heb sôn am gael hunllefau.

Pennod 27

Mi wyddoch pan ydych chi mewn twll ac yn methu dod allan, ac yng ngwaelod y twll rydych chi'n gwneud eich gorau glas i ddod ohono – dyna oedd holl fusnes y mabwysiadu 'na. Ond pan mae pob ymgais i ddianc yn methu, gwyddoch nad oes dim fedrwch chi ei wneud ond eistedd yng ngwaelod y pydew. Ac yn y pen draw mae pethau'n mynd yn drech na chi. Hyn a hyn fedr pawb ei ddioddef cyn rhoi'r gorau iddi. Y cwbl ydach chi eisiau ydi i'r dioddef ddod i ben.

Cofiaf y bore fel tase fo wedi digwydd ddoe. Dihunais a sylweddoli nid yn unig fod Lora yn dal yn fyw, ond, yn waeth byth, 'mod innau hefyd. Ac wrth i donnau mawr y syrffed godi oddi mewn i mi gan achosi'r teimlad o gyfog, gwyddwn i sicrwydd na allwn i gymryd dim mwy. Roedd yn rhaid iddo ddod i ben.

Gwibio heibio wnaeth y syniad gyntaf, cyn dod rownd fy mhen yr ail dro. A'r tro hwnnw, doedd dim amwyster. Roeddwn i godi, mynd i'r gegin, a rhoi cyllell ar fy ngarddwn. Gadewais i'r syniad fynd heibio . . . rownd â fo, a dod yn ôl y drydedd waith. Codi . . . mynd i'r gegin . . . gafael mewn cyllell . . . a thorri. Nid fi oedd yn ewyllysio, yr ellyllon oddi mewn oedd yn dweud wrthyf. A dyna sut y bu am ddeng munud. Roedd Dafydd yn cysgu wrth f'ochr, a Lora yn y crud wrth draed y gwely – hithau'n cysgu'n drwm. Dim ond y fi

oedd ar ddi-hun. Codi . . . mynd i'r gegin . . . torri . . . codi
. . . mynd . . . torri. Rownd a rownd fel meri-go-rownd, yn
gryfach, yn daerach, codi-mynd-torri. Nes yn y diwedd,
dyna ddaru mi. Ufuddhau i'r llais. Codi. Mynd. Torri.

Yn y meddwl, roedd hi'n weithred sydyn, lân. Dim
ond i mi gael y cryfder i'w gwneud, a byddai'r cyfan
drosodd. Byddai'r toriad yn llyfn a thawel, byddai'r
gwaed yn llifo allan, a byddai hynny'n arwain at
ryddhad. Doedd realiti ddim mor rhwydd. Falle mai
diffyg min oedd ar y gyllell, ond y cyfan a lwyddais i'w
wneud oedd crafu'r croen. Ei grafu yn o ddrwg, ond
ddaru mi ddim hyd yn oed dynnu gwaed. Eto, eto, eto.
Rhoi llafn y gyllell ar y croen, a gwasgu i lawr. Dim ond
un crafiad arall. Ond roedd y crafiad yn brifo, yn llosgi,
yn boenus iawn. Crafiad, un arall, un arall, a dim ond
mwy o boen. Rhoddais y gorau iddi a mynd yn ôl i'r
gwely.

Ddaru mi ddim ceisio celu'r ffaith. Y munud y
deffrodd Dafydd, dywedais wrtho.

'Rydw i wedi torri fy hun.'

Roedd yn gytgan wahanol i 'Rydw i eisiau i Lora gael
ei mabwysiadu,' ond does 'na neb eisiau deffro i glywed
ei gymar yn llefaru'r fath frawddeg. Deffrodd yn sydyn,
edrych arnaf yn hurt, a dangosais y difrod.

'Pam?'

'Wn i ddim. Dim ond gwneud ddaru mi.' Soniais i
ddim am yr ellyllon, byddai hynny wedi swnio'n rhy
ddramatig.

Ond esgorodd yr un weithred fach wirion honno ar
lond gwlad o broblemau. O hynny ymlaen, doedd
Dafydd ddim am fy ngadael fy hun. Aeth o ddim i'r
gwaith, ac arhosodd adref efo mi drwy'r dydd. Pan aeth
i nôl neges, gofynnodd i gymdoges ddod i eistedd gyda
mi. Doedd neb yn cymryd arno fod ymddygiad fel hyn

yn anghyffredin, roedd pawb yn cymryd arno mai dyma oedd y peth mwyaf naturiol yn y byd. Pan fu raid i Dafydd fynd i bwyllgor, daeth 'Nhad i'm gwarchod. Pan welais o'n dod drwy'r drws, euthum ato a gorffwys fy mhen ar ei fynwes. Doeddwn i ddim wedi gwneud hynny ers tua chwarter canrif, ond doedd dim ots gen i. Roeddwn eisiau cysur, eisiau teimlo'i goflaid, eisiau iddo afael amdanaf a chymryd y boen i ffwrdd.

Nid dyna'r unig dro i mi afael mewn cyllell. Digwyddodd eto, ac eto, a bob tro roedd yna halibalŵ, lot o ddagrau a minnau'n addo i Dafydd na fyddwn i byth yn gwneud y fath beth, byth byth eto. Ond, amla'n y byd ro'n i'n ei wneud o, lleiaf o ffydd oedd gan Dafydd yn fy ngair, ac fe'i gwelwn yn mynd yn is ac yn is o flaen fy llygaid. Ar adegau drwg iawn byddai fy nghalon yn gwaedu drosto — gwelwn yr effaith a gâi arno. Ond, y tro nesaf y deuai'r ysfa, diflannai pob consÿrn am bobl eraill. Yr unig beth oedd ar fy meddwl oedd torri fy hun.

Dwi'n meddwl mai hyn yn anad dim a'm harweiniodd i Rhydderch. Pan glywodd yr ymwelydd iechyd, dychrynodd, ymddiheurodd, ond dywedodd y byddai'n rhaid iddi gael Noreen i ddod i'm gweld. A phan fethodd Noreen, hi ddaru fy mhasio mlaen i Dr Keswick, a cham bach o fynd i'w weld o oedd mynd drwy ddrysau Rhydderch.

Ro'n i'n dra awyddus i ddod â'm bywyd i ben. Nid mater o ddyfalbarhau efo bywyd ydoedd, fel y mynnai pawb ddweud wrthyf. Roedd dal ati yn rhy boenus, ac roeddwn wedi cael digon. Rhoi diwedd ar y boen a'r syrffed oedd y flaenoriaeth. Yn y diwedd, byddai hyn yn llenwi fy mhen bedair awr ar hugain y dydd. Sut . . . sut . . . fedrwn i ddianc? Ond doedd o ddim yn gyfrinach – dyna oedd mor od. Bûm dan yr argraff erioed fod y sawl oedd am ladd ei hun yn llawn cynlluniau, ond yn cadw'r cyfan yn gyfrinach – rhag ofn i rywun ddifetha'r cynllun. Doeddwn i ddim felly o gwbl. Ar bob ymweliad, byddai Dr Keswick yn holi,

'*Any suicidal thoughts*?' fel tase fo'n holi sut oedd fy nain, a byddwn innau'n adrodd wrtho yr holl wahanol syniadau a gawswn yr wythnos honno sut i ddifa fy hun. Yna, byddai Dr Keswick yn fy holi amdanynt mewn mwy o fanylder, ac mi fyddwn innau yn dweud wrtho. Cofnodai Keswick bob manylyn ar bapur, cael rhywun i'w teipio, cyn eu hanfon yn ôl ataf i. Roedd yn ddefod od.

Mewn car yr oedd y rhan fwyaf o gynlluniau. Mae'n o beryg bod mewn car beth bynnag, felly, gyda pheth ymdrech, ni ddylai fod yn anodd iawn gwneud difrod parhaol i mi fy hun, difrod angheuol. Gyrru'r car i mewn i wal oedd yr un hawsaf yn fy meddwl, ond roedd gen i'r opsiynau eraill megis ei yrru i afon, gyrru i'r môr, neu yrru oddi ar bont. Yna, roedd yr opsiwn o barcio'r car, a dim ond y fi i neidio dros bont. Meddyliau oedd y rhain, ddaru mi ddim gweithredu yr un ohonynt (neu fyddwn i ddim yma i adrodd y stori), ond wrth eu cofnodi ni fyddai Keswick yn troi blewyn. Dyna barodd i mi feddwl ei fod yn ymddygiad cwbl normal i rai yn fy nghyflwr i.

Ar fy mhen fy hun fyddwn i'n cael y meddyliau hyn, byth pan fyddwn i'n teithio efo Lora yng nghefn y car. Bryd hynny, gwyddwn fod gen i gyfrifoldebau ehangach, a pha syniadau gwirion bynnag oedd yn mynd drwy fy mhen, gwyddwn nad oedd yn iawn i Lora ddioddef yn fy sgil. Dyna i mi oedd y prawf nad oeddwn yn wallgof . . .

* * *

Doeddwn i ddim wedi gweld Bet drwy'r pnawn, a phryderwn amdani pan ddaeth drwy ddrws y ward yn edrych tipyn siriolach a thusw mawr o flodau yn ei breichiau.

'Bet! Lle wyt ti wedi bod yn mwynhau dy hun?'

'Gruff alwodd i'm gweld, a dod â'r rhain i mi.'

'Rhamant yn dal yn fyw . . . '

'Nid gan Gruff maen nhw, siŵr . . . '

'Wil?' holais yn ddireidus gan godi fy aeliau.

'Gan blant y capel maen nhw . . . 'tydi hynny'n glên?'

'Dangos bod ganddyn nhw feddwl ohonot.'

Gwyliais hi'n eu gosod mewn fâs, gyda rhwyddineb un oedd yn hen gyfarwydd â'r dasg.

'Mi ddaru nhw berfformio drama gen i neithiwr. Byddwn wedi rhoi'r byd am gael bod yno.'

'Wyddwn i ddim dy fod wedi sgwennu drama.' Yr oedd ambell i sioc yn dod o du Bet weithiau.

'Dim ond drama fechan – yn arbennig ar eu cyfer nhw, a Gruff yn ei chynhyrchu. Roedd y festri yn llawn.'

'Dwi'n falch drosot ti, Bet. Falle gwnawn nhw ei pherfformio eto wedi iti ddod o fan hyn.'

'Wn i ddim wir, ond mae o'n deimlad braf iawn ei bod wedi cael ei llwyfannu. Mi wnaiff o rywbeth i mi gael cnoi cil arno, rhywbeth braf am unwaith.'

'Rwyt ti'n edrych yn ddynes wahanol i'r hyn oeddet ti bore 'ma? Hoffet ti ddod trwodd i'r Lle Eistedd?'

'Mi ddof i – rho funud bach i mi bicio i'r stafell molchi.'

Cesglais fy mhethau, a'u cadw yn y drôr.

'Sut wyt ti'n gallu bod mor neis efo pawb, dywed?' gofynnodd Monica.

'Paid â mwydro,' meddwn innau, gan synnu ataf fy hun. Fyddwn i byth wedi breuddwydio siarad efo hi felly dair wythnos yn ôl.

Yn y Lle Eistedd yr oedd Gwladys, yn edrych i nunlle.

'Pnawn da, Gwladys, gawn ni ymuno efo ti?'

'Cewch.'

'Mae Bet ar ei ffordd, wedi cael tusw o flodau gan blant y capel.'

'Do, mi sylwais. Dyma hi'n dod rŵan.'

Cynigiodd Bet wneud paned i'r tair ohonom, ac ro'n innau'n falch. Ro'n i eisiau i Gwladys a Bet ddod yn ffrindiau. Aeth Bet i nôl pecyn o fisgedi hefyd, rhodd gan Gruff. Mwya sydyn, roedd y lle wedi troi'n llawer mwy diddos.

'Dwi'n teimlo'n gas yn peidio rhannu efo Mrs Maciwan,' meddai Bet, 'ond mae gas gen i'r ddynes.'

'Mae hi'n bwyta'n ddi-baid,' meddai Gwladys.

'Rydw i wedi dod yn eitha ffrindiau efo hi. Ond faswn i ddim yn poeni gormod, mae hi'n reit ffond o'i chwmni ei hun.'

'Cymrwch fisgeden arall, Gwladys,' meddai Bet, 'maen nhw'n dda. Taswn i 'mond yn cael Nel y gath wrth fy ymyl i rŵan, a mi fyddwn yn fwy na bodlon.'

'Sut hwyliau oedd ar Gruff?'

'Iawn. Prysur . . . gormod i'w wneud . . . gormod o ofynion arno.'

'Mi fydde Gwladys yn deall yn iawn. Mae hi'n ferch i'r Parch. Thomas Rhys.'

'Thomas Rhys, Horeb ar y Rhos?'

Nodiodd Gwladys.

'Wel, wel, merch Thomas Rhys ydych chi? Wyddwn i ddim.'

Gwenais. Dwi'n siŵr pe canfyddwn fy hun ar ynys bellennig efo dim ond hanner dwsin o Gymry arni, y byddai o leiaf dau ohonynt yn ddisgynyddion i weinidogion yr Hen Gorff.

'Lle rhyfedd inni gyfarfod,' meddai Bet yn fyfyrgar.

Nodiodd Gwladys eto.

'Ydych chi'n teimlo rhywfaint gwell ers dod yma?'

holodd Bet, yn ceisio'i gorau i gynnal sgwrs.

'Does yna ddim gwellhad o'm cyflwr i,' meddai Gwladys yn ddwys, 'ond mae rhai dyddiau yn well na'i gilydd.'

'Felly mae hi'n fa'ma hefyd.'

Mentrais wthio'r cwch i'r dŵr,

'Mae Bet wedi bod yn cael amheuon efo'ch ffydd, yn tydach, Bet?'

'Do, er mawr gywilydd i mi.'

'Dwi wedi bod yn trio deud wrth Gwladys nad ydi o'n beth anghyffredin cael amheuon, hyd yn oed os ydych chi'n wraig neu'n ferch i weinidog . . . '

'Roedd Job yn cael amheuon, dyna fyddai Gruff wastad yn ei ddeud.'

'Rydw i wedi pori llawer iawn yn Llyfr Job,' meddai Gwladys.

Daeth syniad abswrd i mi, 'Ydych chi'n darllen unrhyw beth 'blaw y Beibl, Gwladys?'

'Mi fydda i'n darllen esboniadau . . . a llyfrau defosiwn . . . a phregethau.'

'Ond beth am nofelau?'

'Bobl, nac ydw, fydda Tada ddim yn caniatáu pethau felly adra.'

'Fyddwch chi ddim yn mynd i'r llyfrgell?' holodd Bet yn syn.

'Na fydda, mae 'Nhad yn cadw llygad barcud ar fy neunydd darllen. Mae'n rhaid iddo fo neu Mam sicrhau fod y deunydd yn addas i rywun fel fi.'

'Beth am farddoniaeth?' gofynnodd Bet, 'ydi Williams Parry yn weddus . . . neu Parry-Williams?'

'Rioed wedi clywed amdanynt.'

Edrychodd Bet a minnau ar ein gilydd a'r un syniad ddaeth inni'n syth. Roedd yn rhaid rhyddhau'r ferch.

Cododd Bet ar ei thraed.

'Lle wyt ti'n mynd, Bet?'

'I nôl dipyn o ddeunydd anllad,' meddai efo winc, ac mewn dim o dro roedd hi'n ôl efo'r gyfrol o Parry-Williams ddaeth Gruff efo fo. Pleser digymysg oedd gwrando ar lais annwyl Bet yn darllen,

'Na alw monom Duw yn ddrwg a da
Saint a phaganiaid, ffyddiog a di-ffydd
Yn hytrach Arglwydd, canfod yma rai
Ymysg trueiniaid daear . . .'

Gwylio wyneb Gwladys ddaru mi, ar y llygaid llwyd di-fywyd yna yn symud, yn syllu, yn deffro o glywed y geiriau. Hoeliodd ei sylw ar Bet a drachtio'r syniadau yn eiddgar, fel rhywun fu'n sychedig am amser maith yn dod ar draws ffynnon.

'Darllenwch hi eto,' meddai, a bu raid i Bet druan ei hadrodd bump o weithiau.

'Mae'n mynegi yn union sut ydw i wedi bod yn teimlo,' meddai'n dawel ar y diwedd.

'Wel paid â theimlo mor ddychrynllyd o euog, 'ta,' meddwn innau, fel taswn i'n rhoi'r wers gyntaf ar ryw i blentyn ifanc.

'Ydi eich gŵr chi'n ddig iawn eich bod chi'n amau?' holodd Gwladys Bet.

'Doedd hi ddim yn hawdd i'r un ohonom,' atebodd. 'Mi ddaeth pethau i ryw fath o ben pan euthum i ar streic a gwrthod mynd i'r cyfarfod gweddi.'

Cododd aeliau Gwladys.

'Allwn i byth wneud hynny. Beth wnaeth o?'

Fedrwn i ddim fy rhoi fy hun yn esgidiau'r naill na'r llall, nac ymdeimlo â chyffro'r ddrama. Rhoddais y gorau i fynychu oedfaon yn un ar bymtheg, a ddeudodd neb ddim bw na be.

'Mi ddeudais i mai Rhagrith oedd gweddïo'n gyhoeddus pan mae Duw yn gallu gwrando arnom yn ein stafelloedd. Safbwynt Gruff oedd na ddylwn i farnu pobl eraill ac na wyddom beth sy'n digwydd yng nghalonnau pobl eraill.'

'Oeddech chi'n teimlo'n ddychrynllyd yn cadw draw o'r moddion?'

'Nac oeddwn i wir, mi wnes i de bach i mi fy hun a mwynhau smôc.'

'A doeddech chi ddim yn teimlo'n fudr, nac yn aflan?'

'Nac oeddwn, Gwladys, a ddyliech chithau ddim chwaith. 'Randros, ro'n i'n meddwl fod gen i ymdeimlad o ddyletswydd, ond dwi'n teimlo fel pagan yn eich ymyl chi!'

'Ond dyna ddechreuodd fy mhoeni. Oeddwn i'n mynd i'r holl gyfarfodydd hyn am 'mod i'n ferch i weinidog? Pryd mae o'n troi'n ddyletswydd yn lle ffydd?'

'Fydda i'n holi hynny i mi fy hun wrth edrych ar Gruff, a'i weld o'n dyfalbarhau. Faint o ddewis sydd ganddo, a holl drefniadaeth Methodistiaeth yn efynnau am ei ddwylo a'i draed? Alle fo byth ddweud nad oedd ffansi mynd i seiat neu bregeth neu angladd arno. Mae'n rhaid iddo fo gario mlaen!'

'Ond does dim rhaid inni ferched, nag oes?' meddwn yn fwya sydyn. 'Pam 'dan ni'n mynnu glynu wrth reolau dynion drwy'r amser, boed hwy'n weinidogion neu athrawon neu ddoctoriaid? Pam na wnawn ni ein synnwyr ein hunain o fywyd?'

Edrychodd y ddwy arnaf.

'Wyddost ti beth?' meddai Bet, 'dwi'n eitha lecio'r syniad yna!'

Pennod 28

Sylwais ar Gwladys yn edrych tu hwnt i mi a'i hwyneb yn gwelwi,

'O, diâr, edrychwch arni, gr'adures,' meddai Gwladys, a dyma ni'n tair yn troi i weld Mrs Prichard yn ei choban yn dod tuag atom, ei gwallt dros bob man, a'i llygaid yn llawn galar. Safodd o'n blaenau a syllu arnom.

'Mae o wedi marw . . . wedi marw . . . Llnau carreg y drws o'n i pan glywais i sŵn sgidiau hoelion mawr, a fan'no oeddan nhw – ffrindiau i John – a finna methu deall . . . ac wrth gwrs eisiau torri'r newydd oeddan nhw, fod John wedi ei ladd yn chwaral . . . wedi ei ladd, goeliech chi?'

Gafaelai yn ei hances a'i thylino'n ofidus.

'Steddwch i lawr, Mrs Prichard,' medda Bet, ond doedd hi ddim fel tase hi'n ei chlywed.

'Does 'na ddim John rŵan, mae o wedi mynd . . . wedi mynd . . . Mae o wedi mynd am byth bythoedd, a wela i m'ono fo. Mae o wedi 'ngadael i . . . wedi 'ngadael i a thri o blant bach, be ddaw ohonon ni?'

Dechreuodd Bet grio ac roedd Gwladys yn wyn fel y galchen,

'John bach, rwyt ti wedi mynd . . . wedi mynd.'

Codais, gafael yn ei braich, oedd fel asgell dryw bach, a'i thywys at ei gwely. Dwi'n credu mai dyna pryd y sylweddolais i nad oedd pen draw i drallod Mrs

Prichard. Pan mae rhywbeth mor ddychrynllyd yn digwydd i wraig, does yna ddim gwaredigaeth iddi. Nid un digwyddiad oedd y ddamwain yn y chwarel, nid un foment mewn amser oedd yn digwydd ac yn darfod. I Mrs Prichard, honno oedd y Foment Fawr oedd yn cael ei chwarae a'i hail-chwarae drosodd a throsodd ar sgrin ei meddwl, a doedd dim dianc. Roedd wedi ei serio ar ei chof, a fyddai hi byth yn dod i delerau â hi, byth byth yn dod i ddeall. Doedd yna ddim deall arni, roedd yn beth erchyll o greulon i ddigwydd i unrhyw un.

'Ydych chi'n meddwl y daw o heno?' gofynnodd i mi.

'Does ond gobeithio,' meddwn, a thynnu'r cynfasau drosti a thacluso'r gwely.

'Ydych chi'n credu mewn atgyfodiad?'

'Mrs Prichard . . . gorffwyso sydd eisiau i chi wneud rŵan.'

Gollyngodd ei phen ar y gobennydd, a gwelais ei gwallt yn llifo drosto a llonyddu.

'Does yna ddim creithiau ar wynebau pobl yn y Nefoedd, wyddoch chi . . . '

Gosodais y cwilt yn ei le a phlygu'r corneli.

'Fyddet ti'n gwneud nyrs dda,' meddai Monica wrth edrych arnaf.

'Fedra i ddim rhoi stop ar ei gwewyr hi, g'radures,' meddwn.

'Galwa ar rywun, fyddan nhw fawr o dro yn rhoi *injection* iddi . . . mi gysgith wedyn,' medda Monica, fel tase hi wedi hen arfer efo'r drefn. Ac yn wir, wedi i mi nôl nyrs, dyna ddaru nhw.

Euthum yn ôl i'r Lle Eistedd, ac roedd Bet wedi dod ati ei hun, ond roedden ni gyd wedi cael 'sgytwad.

'Maen nhw wedi rhoi rhywbeth i'w thawelu,' meddwn, 'felly mi gaiff hi waredigaeth dros dro.'

'Fedra i ddim deall sut mae cyffuriau yn gallu bod

219

mor bwerus,' meddai Gwladys.

'Dydi o ddim yn gwneud synnwyr ein bod yn llyncu tabledi, a bod hynny'n effeithio ar y modd rydan ni'n meddwl ac yn ymddwyn . . . '

'Diolch eu bod nhw'n gallu trin pobl ydw i,' meddai Bet, 'mae trio deall sut ymhell tu hwnt inni.'

'Ond ydi o'n iawn ydi'r cwestiwn, Bet? I be ydan ni'n brwydro yn erbyn ein natur a'n hen ffyrdd os gall 'chydig o dabledi wneud y gwaith yn fwy effeithiol? Mae o fel petai'n gwneud sbort o unrhyw hunanddisgyblaeth.'

Teimlwn weithiau fod Gwladys yn meddwl gormod.

'Sâl ydan ni, Gwladys,' meddai Bet, 'a does nelo ein hiselder ni ddim oll â hunanddisgyblaeth. Rydan ni'n gwella rhyw fymryn o gael y cemegau 'ma, a dwi'n fodlon cymryd unrhyw beth fedar fy nghodi o lyn cysgod angau.'

'Oeddan ni i fod yma yn y lle cyntaf? Dyna ydi 'mhenbleth i,' meddwn. 'Dynion – yn wŷr a doctoriaid a ballu benderfynodd mai dyma oedd ein lle. Mewn cymdeithas fyddai'n deall gwragedd, dw i 'mhell o fod yn siŵr a fydden ni mewn ysbyty o gwbwl."

'Byddai'n braf meddwl am gymdeithas ddelfrydol na fyddai'n rhoi cymaint o faich ar wragedd,' meddai Bet. 'Cymdeithas fyddai'n deall pa mor unig ydi hi weithiau i fagu plant a chadw tŷ, a bod yn wraig rinweddol, beth bynnag ydi ystyr hynny.'

Cytunais yn llwyr. Dywedais na fyddai Mrs Prichard yn agos at ysbyty meddwl petai Bywyd neu Ffawd wedi bod yn gleniach efo hi, a phetaem yn byw mewn cymdeithas fwy gwâr. Ro'n i'n digwydd credu fod hynny'n wir yn achos pob un ohonom.

'Ond mae'r Beibl yn dweud nad ydan ni'n cael ein profi tu hwnt i'n gallu,' meddai Gwladys. 'Ni ad eich temtio uwchlaw yr hyn a alloch,' ddeudodd Paul. 'Rydan ni'n cael nerth i fynd drwy brofiadau bywyd.'

'Mae 'na bobl eraill wedi penderfynu drosom ein bod wedi ein profi tu hwnt i'n gallu, a rydan ni wedi dod i fan hyn,' meddwn. 'A hyd y gwela i, mater i ni ydi sut mae dod allan. Mae'n rhaid inni weithio ar ryw fath o waredigaeth, achos oni wnawn, fan hyn fyddwn ni.'

'Dwi'n cytuno efo Gwladys,' meddai Bet. 'Os ydi Duw yn ein caru ni, mi wnaiff o ein gwella, a dyna fydd ein rhyddid ni. Beth ydi'r adnod am gystudd ysgafn?'

' "Canys ein byr ysgafn gystudd ni sydd yn odidog ragorol yn gweithredu tragwyddol bwys gogoniant i ni" . . . ' adroddodd Gwladys.

Beth bynnag am dragwyddol bwys gogoniant, cawsom ryw ffurf ar gytundeb yn diwedd, ein bod ni i gyd eisiau ein rhyddid, efo neu heb help Duw a Drygs, a'n bod am wneud popeth o fewn ein gallu i hwyluso'r broses.

'Mi fedra i dderbyn y syniad o dduw sy'n cynrychioli cariad,' meddwn, 'ond does gen i fawr i'w ddweud wrth yr holl gyfundrefn sydd wedi ei heijacio. Dod i nabod y cariad hwnnw sy'n bwysig – ddim cynnal rhyw system sydd wedi hen oroesi ei defnydd.'

'Dyna ddaru Tadau Methodistiaeth,' medda Gwladys yn reit bendant. 'Gadael y Fam Eglwys a sefydlu trefn oedd yn rhoi llawer mwy o bwyslais ar ffydd.'

'Ond mae hi angen ei hysgwyd eto,' atebais.

'Gan famau Methodistiaeth y tro hwn,' ychwanegodd Bet gyda gwên.

Pennod 29

Yn y diwedd roedd fy nghorff yn crefu am noson gyfan o gwsg di-dor, ond dymuno'r amhosibl oedd hynny yn Rhydderch. Deuthum i dderbyn tarfu cyson y nyrsys gyda'u golau, a sŵn cyson Heledd naill ai'n malu papur, rhwygo cynfasau, ffonio, cerdded 'nôl a mlaen, 'nôl a mlaen. Gobeithiwn y byddai fy nghorff yn y diwedd yn addasu i'r synau hyn ac yn mynd i gysgu er eu gwaethaf, ond roedd yna bryder cyson fel na allai fy nghorff ymlacio. Roeddwn ar fy ngwyliadwriaeth drwy'r amser, achos doeddwn i rioed wedi dysgu ymddiried yn y ward. Petai rhyw argyfwng yn digwydd, byddwn yn barod amdano, oherwydd doedd fy nghorff byth yn diffodd yn llwyr ac yn ymollwng i gwsg.

Y noson arbennig honno, gorweddwn yn y gwely yn gwrando ar y gwahanol synau, sŵn y lamp nos yng nghanol yr ystafell, synau'r nyrsys nos yn siarad, synau eraill yn troi a throsi neu'n chwyrnu'n ysgafn, a sŵn traed rhywun. Sylwais yn syth nad traed Heledd mohonynt; adwaenwn sŵn y rheiny yn well na dim erbyn hynny. Sŵn traed noeth oedden nhw, nid sŵn sodlau. Yr oeddynt yn beryglus o agos i'm cyrtan i, a theimlais fy nghalon yn fy ngwddf wrth feddwl fod Sali wedi penderfynu dial arnaf am rywbeth neu'i gilydd. Codais ar fy eistedd,

'Pwy sydd yna?' sibrydais.

Peidiodd y sŵn, ond gallwn ymdeimlo â phresenoldeb rhywun.

'Sali, dwi'n gwybod eich bod yna . . . '

Sibrydodd llais yn ôl,

'Nid Sali ydw i.'

'Pwy, 'te?' gofynnais yn daer.

'Gwladys.'

Rhoddais ochenaid o ryddhad.

'Tyrd yma, 'neno'r tad.'

'Dydw i ddim eisiau eich cael i drwbwl.'

Agorais y llenni a dweud wrth Gwladys am eistedd ar y gwely.

'Ddylwn i ddim tarfu arnoch chi, ond yn y nos mae'r ofnau waethaf . . . '

'Dwi 'di deud wrthyt droeon am ddod ataf os ydi pethau'n ddrwg.'

'Mae 'na gymaint o syniadau newydd yn fy mhen i bellach, dwi'n cael trafferth delio efo nhw, ac er 'mod i'n reit eofn a dewr yn y dydd, pan gaeaf fy llygaid, gwelaf wyneb fy nhad yn gwgu arna i, ac mae'r breuddwydion a gaf yn peri i mi ddeffro mewn chwys oer.'

Er nad oeddwn yn adnabod y Parch. Thomas Rhys, teimlwn y gallwn ei dagu weithiau.

'Mae pawb yn meddwl amdanaf fel hogan dda . . . fel merch rinweddol,' meddai Gwladys.

'Wrth gwrs ein bod ni, mae gan bawb ohonom feddwl uchel iawn ohonot.'

'A rydach chi'n meddwl amdanaf fel rhywun glân a diniwed . . . ond dydw i ddim!'

Ac adroddodd Gwladys yr hanes. Wn i ddim faint a ddeallais, gan mor gymysglyd ydoedd. Fe'i cawn yn anodd dychmygu ei hamgylchiadau gartref, gan mor ddychrynllyd o gaethiwus oeddynt. Fydde waeth iddi fod mewn carchar ddim, roedd llygaid un o'r ddau riant arni yn wastadol.

'Ond pan soniodd Bet amdani ei hun yn cadw draw o'r cwrdd gweddi rhyw noson, ddaru minnau rywbeth tebyg . . . '

Gwrando oedd y peth gorau fedrwn i ei wneud, a gadael iddi fwrw ei gofidiau.

'Fûm i ddim mor ddewr â Bet, ddaru mi ddim deud 'mod i'n methu credu, dim ond cymryd arnaf fy mod i'n teimlo'n wael, a chael fy arbed rhag mynd i'r moddion.'

Edrychais arni. Pe na bai ei hwyneb mor ofidus, gallai fod yn wyneb tlws. Roedd diffyg lliw ar ei bochau, a'i gwallt wedi ei dynnu'n rhy dynn o'i hwyneb. Ond yn ei choban fel hyn, a'i gwallt yn donnau dros ei hysgwyddau, roedd rhywbeth tlws ryfeddol yn ei chylch . . .

'Ond wrth ddweud hynny, dydw i ddim yn dweud y gwir i gyd . . . '

'Dos ymlaen.'

'Yn y gynulleidfa yn Horeb, roedd dyn, dyn y gwelwn ef yn rheolaidd ym mhob gwasanaeth . . . dyn caredig iawn . . . Edrychai yn aml arnaf. Roedd ein sedd ni yn wynebu'r pulpud, ac roedd o yn y sedd ochr. Cawn y teimlad fod ei lygaid yn gyson arnaf . . . '

'Ddaru ti siarad efo fo o gwbl?'

'Deuai ataf weithiau ar ddiwedd oedfa, ond roedd o'n swil iawn, a minnau'n waeth, a byddai Mam yn dod ataf yn sydyn, a thorri unrhyw sgwrs yn ei blas.'

'Ddaru o ofyn am dy gyfarfod?'

'Do, sawl gwaith, ond eglurais ei bod yn amhosibl. Gofynnodd fyddai yna adeg y gallai fy ngweld yn fy nghartref pan nad oedd fy rhieni adref, ond dywedais eu bod wastad adref . . . oni bai am amser Seiat, Cwrdd Gweddi, Oedfa, Cwrdd Plant ac unrhyw gyfarfod arall yn y capel. Dywedodd y byddai'n galw heibio'r nos Sul ganlynol, os gallwn i ganfod esgus i aros gartref . . . '

'Rhamantus iawn. Ddaru chi lwyddo i gyfarfod?'

'Ddyliwn i fyth fod wedi twyllo fy rhieni i'r fath raddau, na fy hunan, yn enwedig ar y Sabath – ro'n i'n rhoi tragwyddol ryddid i'r Diafol. Ond swynwyd fi'n llwyr gan y gŵr hwn, roedd fel petai ganddo ryw afael drosof, roedd hud y gwaharddedig ganddo, ac ro'n i eisiau – unwaith yn fy mywyd – teimlo breichiau yn fy nghofleidio a sut brofiad ydoedd i gael cusan . . . '

'Sydd ddim yn rhywbeth annaturiol ddychrynllyd mewn merch sengl ddeg ar hugain oed . . . '

'Sefais wrth ffenest y parlwr yn syllu i'r nos am dros hanner awr, ro'n i wedi diffodd y golau, ond wedi gosod cannwyll yn olau wrth y ffenest. Roedd hi'n bwrw eira yn o drwm, a chofiaf glywed talpiau o eira yn disgyn oddi ar y coed pin . . . '

Erbyn hyn, roedd wedi hawlio fy sylw yn llwyr. Trodd i'm hwynebu, a'i llygaid yn llawn poen.

'Am eiliad, dychmygais 'mod i wedi gweld rhyw gysgod yn y pellter, llonyddodd popeth, a diffoddodd y gannwyll. Gwyddwn yn fy nghalon ei fod wedi cyrraedd. Ond collais olwg ar y cysgod, fe'i llyncwyd gan y nos, a dechreuais innau hel meddyliau. Doedd dim amdani ond ailgynnau'r gannwyll a mynd i chwilio amdano, ac euthum allan i'r tywyllwch . . . '

'Gefaist ti hyd iddo?'

'Nid i mi allu cofio. Mae fy nghof o'r noson mor lân a difynegiant â'r eira ar y rhos . . . '

'Ar y rhos?'

'Ie, cerddais am oriau, allan drwy'r giât, ar hyd y ffordd, i fyny at y rhos, ond welais i byth mohono wedyn . . . rhaid 'mod i wedi llwyr ddiffygio, achos fe lewygais a syrthio . . . ac oni bai i rywun ddod o hyd i mi, byddwn yn farw gelain yn yr eira.'

'Pwy ddaeth o hyd i ti?'

'Wn i ddim, ond cefais fy anfon yn syth i'r ysbyty yn dioddef o hypothermia difrifol, ac o fanno yn syth i fan hyn – *acute depression*.'

'Beth ddywedodd dy rieni . . . ydyn nhw'n gwybod?'

'Dyna'r peth gwaethaf, rydw i'n eu twyllo hwy . . . wyddan nhw ddim pam yr euthum allan a minnau mewn gwendid . . . '

'Ond wydden nhw ddim am y llanc?'

'Na wyddent. A beth sy'n waeth, wn innau ddim chwaith. Efallai inni gwrdd, efallai inni gofleidio a chusanu, efallai mai ef a'm gadawodd yn yr eira gwyn, pwy ŵyr?'

'Gwladys . . . ' meddwn, a gafael amdani.

'Ond mae chwenychu dyn cyn waethed â chyflawni anfadwaith yn y cnawd, felly rydw i'r un mor euog hyd yn oed os na ddaru ni gwrdd . . . '

'Pwy sy'n dweud?'

'Y Beibl. "Os dy lygad deau a'th rwystra, tyn ef allan a thafl oddi wrthyt: . . . canys da i ti golli un o'th aelodau, ac na thafler dy holl gorff i uffern".'

'Does dim byd o'i le efo teimlo serch tuag at rywun arall, siŵr iawn.'

'Ond doedd o ddim yn serch pur. Ro'n i eisiau i rywbeth corfforol ddigwydd, ro'n i'n ysu am gael fy ngharu – ym mhob ystyr o'r gair . . . Beth petai 'Nhad yn gwybod hynny? A beth bynnag am fy nhad, mae'r Bod Mawr yn gwybod, mae o'n gwybod "cudd feddyliau'r galon".'

Trois i'w hwynebu ac edrych i'w llygaid,

'Dwyt ti ddim wedi gwneud rhywbeth drwg, Gwladys! Mae'n rhaid i ti sylweddoli hynny! Rhaid i ti gael gwared o'r baich euogrwydd dychrynllyd 'ma . . . Mae o'n berffaith naturiol i deimlo tynfa tuag at ddyn – felly y gwnaeth Duw ti, yn berson o gig a gwaed, efo teimladau a nwydau yn ogystal â chydwybod. Ond mae'n rhaid i ti ganfod beth ddigwyddodd ar y noson honno, ac mae'n rhaid i ti ganfod y gŵr 'ma y buost yn disgwyl amdano . . . neu chei di byth dawelwch meddwl!'

'Falle mai dychmygu'r cwbl ddaru mi,' meddai, a chodi ar ei thraed, 'ond diolch am wrando arnaf. O leiaf dwi wedi cael siarad â rhywun . . . '

A thoddodd i'r llenni mor ddirybudd ag y daeth, nes 'mod i fy hun yn dechrau amau a gefais y fath sgwrs.

Pennod 30

Hyd heddiw, wn i ddim a ddigwyddodd o ai peidio. Dydw i ddim yn un sy'n credu mewn gweledigaethau. Ond rhaid fod rhywbeth wedi digwydd, neu ni fyddai gen i atgof mor fyw ohono. Mae'n ddigon posib mai breuddwyd ydoedd; anodd iawn yn Rhydderch oedd dweud y gwahaniaeth rhwng rhith a realiti. Yr unig beth a bair i mi feddwl nad breuddwyd mohono oedd mai anaml y cysgwn i'n ddigon hir ar y ward i freuddwydio.

Ond yn y gwyll un noson deffrois i weld y cyrtan drws nesaf yn symud. Roedd fel petai'n symud yn ôl ac ymlaen mewn gwynt, er na theimlwn chwa o unman. Yna, trodd yn ddeunydd gwisg, a mwya sydyn sylweddolais mai am gorff Heledd yr oedd. Siglai hwnnw'n rhythmig, a'i gwallt lliw banadl yn symud hefyd wrth iddi droi'i phen o amgylch. Rhyw ffurf ar ddawns ydoedd, gan ei bod yn codi'i breichiau i'r awyr, ac yna yn plygu i lawr, fel rhywun yn lloffa. Er i Monica sôn fod Heledd yn dawnsio yn y nos, doeddwn i erioed wedi gweld y perfformiad o'r blaen. Dychwelodd tu ôl i gyrtan y gwely fel na fedrwn i weld dim ond silowét. Cododd ei breichiau eto, ac edrychai fel aderyn ar fin hedfan. Roedd ei symudiadau yn osgeiddig iawn. Symudai o un gwely i'r llall yn dawel gan ddawnsio, stopio, troi yn ei hunfan a siglo gwallt ei phen. Pan ddaeth at droed fy ngwely, roedd gen i ofn iddi 'nghanfod i'n sbecian arni. Daeth yn nes, ac edrych i fyw fy llygaid. Am lygaid trist! Roedd fel petai tristwch y cenedlaethau yn cronni ynddynt.

'Heledd . . . ' mentrais, ond doedd hi ddim fel petai'n ymwybodol ohonof. Roedd ei llygaid dolefus yn edrych yn syth drwof.

Estynnais fy llaw ati a gafaelodd ynddi, cusanodd hi'n ysgafn ac aeth ymlaen â'i dawns. Camodd i ganol y ward, a dawnsio am hydoedd, o amgylch ogylch, rownd a rownd, 'nôl a mlaen. Synnwn fod gan gorff mor eiddil y nerth i ddyfalbarhau. O'i gwylio, ceisais ganfod beth oedd ystyr y ddawns, pam oedd hi'n codi'i dwylo i'r awyr, pam oedd hi weithiau yn siglo'i dyrnau, pam oedd hi'n rhoi ei phen yn ei dwylo a'i siglo ei hun 'nôl a mlaen, 'nôl a mlaen. Safai weithiau, a'i dwylo dan ei gên, yn edrych ar y to ac yn symud ei phen o un ochr i'r llall. Rhaid bod rhyw arwyddocâd i hyn i gyd, ond fedrwn i yn fy myw ddeall beth.

Mwya sydyn, trodd a wynebu gwely Monica. Cefais syndod fod Monica ar ddi-hun, ro'n i wedi cymryd mai dim ond y fi oedd yn dyst i'r sioe. Gafaelodd yn llaw Monica, ei chusanu fel y gwnaeth efo fi, ond roedd fel petai'n ceisio tynnu Monica i'w thywys i rywle. Gwrthwynebu wnaeth Monica a bu raid i Heledd adael iddi fod.

Yna, diflannodd Heledd mor dawel ag y daethai. Edrychais tua'r cyrtans o amgylch ei gwely, ond doedd dim i'w weld, dim hyd yn oed gysgodion. Tybed oedd hi wedi mynd i aflonyddu ar bobl mewn ward arall?

Rhaid 'mod i wedi cysgu rhywfaint y noson gythryblus honno, gan i mi ddeffro yn cael fy ysgwyd bron gan y sŵn mwyaf annaearol. Fedrwn i ddim dychmygu beth ydoedd. Roedd fel petai holl glychau a seirens y greadigaeth yn cael eu canu reit wrth fy nghlust.

Efallai mai hwn oedd y sŵn i ddynodi Dydd y Farn. Wrth i mi hel meddyliau gwawriodd arnaf yn sydyn mai sŵn larwm tân ydoedd. Rhuthrodd nyrs i mewn a gweiddi arnom i godi a gadael y ward yn syth, ond roedd pawb fel petaent mewn perlewyg ac yn hanner cysgu. Yn y diwedd, dyma un yn dod ataf a'm llusgo allan gerfydd fy mraich. Dim ond yr adeg honno y sylwais mai ger fy ngwely i oedd y mwg.

'*Get OUT! For heaven's sake!*' bloeddiodd y nyrs. '*Can't you see it's an emergency?*'

Lluchiodd y cwrlid ataf a lapiais fy hun ynddo, ond chefais i ddim cyfle i estyn fy sliperi a bu raid cerdded yn droednoeth drwy'r Lle Eistedd ac allan drwy'r drysau gwydr.

'*Don't panic!*' gwaeddodd rhywun arall. '*There's a fire . . . please evacuate the ward . . . everyone, leave your belongings and go out to the quad . . . Don't panic . . .* '

Gwthiwyd gwelâu Mrs Prichard a Monica o'n blaenau a chwiliais am y lleill.

'Bet!' gwaeddais wrth ei gweld yn edrych yn gwbl ar goll ac yn bustachu efo'i chôt gwely. 'Gadwch i mi eich helpu . . . '

'Oes rhywun wedi brifo?' gofynnodd Bet.

'*Out!*' gwaeddodd y Nyrs Nos, a mwya sydyn roedd pawb yn gwasgu i fynd allan drwy'r drysau.

Gwelais Gwladys yn sefyll yno yn ei choban, ei phen i lawr, ac wedi llwyr ymlâdd.

'Heledd roddodd ei gwely ar dân yn ôl y sôn,' meddai. 'Ydych chi'n iawn?'

'Ydan,' meddwn, a theimlo braich Bet yn crynu wrth afael yn f'un i. Heledd? Oni welais i hi'n dawnsio o'r ward, ac yn diflannu?

'Ydi Heledd ei hun wedi brifo?' gofynnodd Bet, ond wyddai neb, a doedd gan neb mewn awdurdod amser i siarad.

Wn i ddim am ba hyd y buom yn sefyll tu allan yn ein cobenni a'n blancedi tra oeddent yn mynd â gwely Heledd o'r ward a chael gwared o'r cyrtan. Roedd hwnnw wedi llosgi'n ddrwg. Daeth yr injân dân, a gwylio'r cyfan ddaru ni yn gegrwth, rhai'n poeni am eu heiddo, ond diolch yn ddistaw bach oeddwn i nad oedd hi lawer iawn gwaeth. Be' ar y ddaear oedd Heledd wedi ei wneud? Sut y llwyddodd i gynnau tân? Beth fyddai'n digwydd iddi yn awr?

Euthum at Mrs Prichard, ac roedd hi wedi ffwndro'n lân. Roedd hi'n mwydro am fabi bach a sylweddolais yn sydyn fod y cyfan wedi ailgynnau'r atgof am y noson honno cyn angladd ei gŵr pan aethai ei thŷ ar dân.

'Pum mis oedd y babi bach yn fy mreichiau . . . ac roedd y stafell wedi llenwi efo mwg, ond 'daethwn i ddim allan heb fy nau blentyn bach – roeddan nhw'n cysgu yn y siambr. Tasa'r Hollalluog wedi crefu arna i, faswn i ddim wedi eu gadael nhw yn y tân . . . peth rhyfedd ydi greddf mam, 'te?'

Mwythais ei llaw, dyna'r unig beth fedrwn i'i wneud, tra oedd hi'n ail-fyw'r noson hunllefus honno cyn angladd ei gŵr.

'Nid John oedd yr unig un yn yr arch, wyddoch chi.'

Edrychais arni. Ddim rŵan, ddim allan yn fan hyn. Doeddwn i ddim yn credu y gallwn oddef Mrs Prichard yn cael un o'i ffitiau rhyfedd, allan yma, a ninnau'n fferru. Ac yn sicr, doeddwn i ddim eisiau stori arswyd.

'Be ydych chi'n ei feddwl, Mrs Prichard?'

'Roedd yna fabi bach yn yr arch. Ddaru ni benderfynu eu claddu nhw efo'i gilydd . . . '

'Babi bach pwy?'

Ochneidiodd. 'Fy nghyntaf-anedig. Ddaru ni ei drosglwyddo o'i arch a rhoi'r ddau efo'i gilydd.'

Yn sydyn, doedd dim byd arall yn cyfrif. Doedd 'na

ddim pobl eraill, dim oerfel, dim cynnwrf. Dim ond y ni'n dwy. A doedd Mrs Prichard ddim yn mwydro o gwbl. Dim ond yn ail-fyw pennod arall o'i bywyd gofidus.

'Gafodd o'i eni?' gofynnais yn dawel.

'Do – hogyn bach, a dyma ni'n ei alw yn William. Roedd o'n ddigon o ryfeddod – y peth tlysa fyw. Fedrwn i ddim credu mai fi oedd pia fo, mai fi oedd wedi ei greu, a 'mod i'n cael ei gadw . . . ' Tynnodd ar ei hances. 'Ond wrth gwrs, ches i mo'i gadw. Mi cymrwyd o oddi arnaf ar Ebrill y chweched ar hugain – yn bum wythnos oed.'

Pan brofais i'r peth tristaf ddigwyddodd i mi erioed, credais 'mod i wedi cyrraedd pen draw digofaint ac na allai pethau fod yn waeth. Saith wythnos y bûm i'n cario'r babi bach hwnnw. Taswn i wedi ei gario am naw mis, wedi ei eni, a chael ei gwmni am bum wythnos – sut ar y ddaear y byddwn i'n byw wedyn?

Soniais am fy ngholled innau a chydiodd Mrs Prichard yn fy llaw.

'Tydan ni byth yn eu hanghofio, nac ydan? Waeth pa mor fach oeddan nhw. 'Daiff yr un diwrnod heibio nag ydw i'n meddwl am William. Does neb arall yn gwybod, cofiwch. Ond dwi'n meddwl ei fod o'n help i John ein bod ni wedi claddu Wili efo fo.'

Arhosais wrth ei gwely, y ddwy ohonom yn rhannu gofidiau ac atgofion ein gilydd. Wyddoch chi byth, wyddoch chi byth beth mae eraill wedi bod drwyddo.

Sefyll fûm i wedyn, sefyll yn eu gwylio i gyd . . . y bobl hyn oedd wedi dod yn gymdogion ac yn ffrindiau i mi yn ystod yr amser y bûm i yn yr ysbyty. 'Oll yn eu gynau gwynion' meddyliais, ac roedd golwg go druenus arnom, yn hanner effro, yn ein cobenni, ein wynebau mewn sioc a'n gwalltiau'n flêr, fel cymeriadau mewn rhyw lun Beiblaidd yn disgwyl Y Farn, a phawb yn llawn pryder ac ofn. Deuthum i'r casgliad nad oedd llawer o bethau mwy pathetig na thân mewn ysbyty meddwl. Pan mae pethau yn mynd yn ddrwg, rydan ni'n gwbl anabl i wneud dim drosom ein hunain.

Ac eto, nid pob un ohonom. Oedd, yr oeddem i gyd wedi brygowthan yn erbyn Rhydderch, ond wnaethon ni ddim byd. Eistedd mewn cadeiriau cyfforddus fuom ni, yn sibrwd ein cwyn wrth y clustogau. A mwya sydyn, dyma'r tawelaf yn ein mysg yn codi a gwneud rhywbeth. Heledd o bawb! Heledd ddistaw, ofidus, oedd rioed wedi gwneud mwy na deialu a dawnsio hyd yma; roedd hi wedi gweithredu! Rhywsut, daethai o hyd i fflam a digon o wres argyhoeddiad, ac mi roddodd yr hen le ar dân, neu mi wnaeth ymgais go lew. Ninnau wedi meddwl bod galar yn dy fwyta di'n fyw, a'th fod yn graddol ddiflannu. Ond, na – mi ddangosaist ronyn o benderfyniad, a dewrder i'w weithredu. Go dda ti, 'rhen hogan!

Pennod 31

Drannoeth y tân roedd popeth wyneb i waered. Os mai dyma sut oedden nhw'n ymateb i fatres yn mynd ar dân, hoffwn i ddim bod yno pan oedd argyfwng gwirioneddol yn digwydd. Cawsom ein rhoi yn y stafell deledu dros dro, ond braidd yn gyfyng oedd hi rhwng pawb. Aeth deuddydd heibio cyn inni gael dychwelyd i'n hen ward.

Wrth gwrs, roedd popeth a berthynai i Heledd wedi diflannu yn ebrwydd. Pan euthum yn ôl i'r ward, yr unig beth i ddangos iddi fod yno oedd ei ffôn symudol, wedi ei adael ar y llawr. Pam yn y byd nad oeddent wedi ei roi iddi? Rhaid eu bod yn gwybod ei bod yn bwysicach na dim i Heledd. Byddai'n mynd yn wallgof hebddo. Hwn oedd wedi ei chynnal ar hyd yr amser y bu yn Rhydderch; glynodd fel gelen iddo, er ei fod yn declyn mor ddiwerth iddi. Drwy gydol yr wythnosau y bûm yn cysgu y drws nesaf iddi, chlywais i erioed mohoni yn cael sgwrs â neb. Ond nid dyna'r pwynt, roedd fel dymi i fabi, a fedrwn i ddim dychmygu cyflwr ei meddwl hebddo. Euthum ag o at y nyrs, ond roeddwn yn bur amheus a fyddai'n cyrraedd ei berchennog.

Wrth eistedd ar fy ngwely y bore hwnnw, teimlwn ei cholli yn fawr. Roeddwn fel cymeriad mewn stori yn byw mewn tŷ yng nghwmni llygoden fach, ac wedi arfer efo sŵn ysgafn y traed a'r ymbalfalu diddiwedd. Niwsans oedd y llygoden tra oedd yno, ond unwaith y diflannodd teimlwn ei cholli. Tybed lle roedd y greadures wedi cael ei rhoi erbyn hyn? Gobeithio nad oeddent wedi ei rhwymo mewn gwasgod gaeth.

Aeth Bet, Gwladys, Mrs Prichard a minnau i'r Lle Eistedd ar ôl brecwast.

'Wel, dyna hynny o ddrama gawn ni am eleni,' meddwn. 'Go brin y bydd rhywbeth mor gynhyrfus â hynny'n digwydd eto yn fuan.'

'Diolch byth,' meddai Mrs Prichard, 'fuo fo bron â 'ngorffen i.'

'Rhai rhyfedd ydan ni, 'te,' meddai Bet, 'yn cwyno fod popeth yn ddiflas a 'run fath ddydd ar ôl dydd, ond pan mae cynnwrf mawr yn ein taro, rydyn ni eisiau rhuthro 'nôl i'n bywydau undonog bob dydd . . . '

'Doedd o ddim yn gynnwrf mawr iawn, Bet,' meddwn. 'Dim ond matres yn mynd ar dân. Ac mae'n gas gen i undonedd bywyd bob dydd. Dyna sy'n gwneud bywyd mor ddiystyr.'

Cododd Gwladys ei phen o'i llyfr.

'Mi ddyweda i Amen i hynny,' meddai. 'Does dim yn fwy blinedig a diflas na dilyn yr un patrwm ddydd ar ôl dydd ar ôl dydd, a methu ei newid. Be ddeudwch chi, Mrs Prichard?'

'Does gan wragedd ddim dewis,' atebodd Mrs Prichard. 'Rydach chi'n golchi ddydd Llun, smwddio ddydd Mawrth, trwsio ddydd Mercher, llnau ddydd Iau a phobi a siopa ar ddiwrnod tâl. Os na wnewch chi bopeth yn ei dro, aiff pethau'n llanast.'

Edrychodd pawb ar ei gilydd.

'Ia, felly roedd hi, 'te?' meddai Bet. 'Ddaru Mam erioed gwestiynu'r drefn, dim ond lladd ei hun efo gwaith. Dydw i'm yn cofio hi'n cael gorffwys. O leiaf roedd fy nhad yn cael rhyw awr neu ddwy ar ôl gorffen gwaith, ond am Mam, doedd hi ddim yn stopio.'

'Oedd hynny'n beth da?' gofynnais, yn trio meddwl beth wnawn i efo'r fath faich.

'Roedd hi'n cael ei hystyried yn wraig rinweddol,' meddai Bet, 'oherwydd ei bod yn weithgar. Ond fedra i ddim meddwl ei fod o'n beth da i'w hiechyd – yn gorfforol nac yn feddyliol. Rhaid i mi ddweud fy mod i'n cael help gan wraig sy'n glanhau. Siŵr fod eich mam chwithau, Gwladys . . . '

'Ydi. Ond mae 'na garchar gwaeth na gwaith diddiwedd. O leiaf rydych chi'n ateb rhyw ddiben wrth fagu plant a chadw tŷ Ond rydan ni ferched yn cael ein carcharu yn waeth drwy fethu cael cyfleoedd . . . cyfleoedd i gael addysg, i gael gweithio fel y mynnwn, i gael teithio, i ddarganfod llefydd newydd, i wneud pethau, i sgwennu llyfrau . . . i lywodraethu gwlad.'

Prin y gallwn gredu fy nglustiau wrth wrando ar Gwladys yn siarad fel hyn.

'Mi garwn i sgwennu mwy,' meddai Bet. 'Wn i ddim am lywodraethu gwlad, ond mi ges i foddhad di-ben-draw yn sgwennu drama, a mae 'na wefr i'w chael o gyfansoddi. Tasen ni ddim yn gorfod cario baich gwaith tŷ a magu plant, mae'n siŵr y bydden ni wragedd yn gallu cyflanwi cymaint mwy.'

'A tasen ni'n llywodraethu, fasan ni ddim yn gallu gwneud gwaeth llanast na mae gwleidyddion heddiw yn ei wneud ohoni. Taswn i yn y Senedd, mi wnawn i'n siŵr na fyddai'r un hogyn yn gorfod mynd i ryfel.'

Myn coblyn i, roedd Mrs Prichard yn troi yn syffrajét hefyd.

Edrychais arnynt yn dadlau'n frwd ymysg ei gilydd am y pethau y gallai merched eu cyflawni, tasen nhw'n cael y cyfle i wneud hynny. Gymaint oedd wedi newid ers yr adeg honno yr oeddwn i'n edrych arnynt ac yn methu meddwl am griw mwy anobeithiol i fod yn eu mysg. Deuthum i'w hadnabod mor dda, buont yn brwydro yn erbyn y fath anawsterau, ac roedd yn wefr eu gweld yn datblygu fel hyn. Dyma oedd ystyr chwaeroliaeth, debyg – merched yn cynorthwyo'i gilydd, yn ysbrydoli'i gilydd, ac yn tyfu yn y broses o wneud hynny.

Mwya sydyn, ro'n i eisiau trafod hyn, dweud hyn wrth rywun, rhannu fy meddyliau, a chefais y syniad o sgwennu llythyr at Dafydd. Hyd yn awr, doeddwn i ddim wedi cael unrhyw awydd i rannu dim o 'mhrofiadau gydag o. Fydda fo ddim yn deall, a fydda fo ddim eisiau gwybod p'run bynnag. Hyd yn oed petaen nhw'n caniatáu i blant ddod i Rhydderch, fyddwn i ddim wedi bod eisiau gweld Dafydd a Lora. Fy salwch i oedd o, fy mhroblem i, fy myd i, a doeddwn i ddim am iddynt hwy ddod i darfu arno. Cefais yr awydd i anfon gair at Dafydd. Byddem yn llythyru'n gyson wrth ganlyn, ac roedd mwynhad i'w gael o sgwennu llythyr. Euthum i'r ward i nôl papur sgwennu.

Edrychodd Monica arnaf yn dod i mewn. Os oedd bywyd yn Rhydderch yn undonog i ni, dyfalwn gymaint gwaeth oedd o i Monica. Doedd hi ddim yn cael diddanwch sgwrs yn aml iawn, na chynhesrwydd cwmnïaeth. Roedd byd Monica yn fyd oer, unig.

'Rydw i wedi cael awydd i sgwennu llythyr at Dafydd,' meddwn. 'Mae hwnnw'n arwydd da, 'tydi?'

'Ydi, debyg,' atebodd, yn ddiffrwt.

'Dydi o'm yn ddim byd mawr, dwi'n gwybod . . . ond yn y newidiadau bach mae rhywun yn sylwi, 'te? Dwi'n dechrau cael blas ar sgwrs unwaith eto, dechrau mwynhau ambell i bryd . . . edrych ymlaen at bethau . . . dechrau teimlo'n fyw am y tro cyntaf ers cantoedd.'

'Braf arnat ti.'

'Dwi hyd yn oed yn dechrau ymbaratoi ar gyfer mynd

adre . . . dechrau sylweddoli na fydda i yma am lawer hwy. Dwi'n meddwl fod y lleill yn dechrau gweld fod y peth yn bosibl.'

'Mi colla i chi i gyd wedi i chi fynd.'

Dyna rywbeth fyddwn i ddim wedi gallu dychmygu Monica yn ei ddweud rai wythnosau ynghynt. Euthum at ei gwely.

'Fyddi di ddim yma i'n colli ni . . . fyddi dithau'n gadael hefyd.'

'Mewn arch falle.'

Penderfynais ei hanwybyddu. Roedd awydd Monica i siocio yn fwy nag y gallwn ei oddef ambell waith.

'Dwi'n meddwl y byddaf yn colli cwmnïaeth y merched,' meddwn. 'Rydan ni wedi dod i nabod ein gilydd mor dda.'

'Rydw i wedi bod yn gwrando ar eich sgyrsiau chi . . . gan nad oedd dim yn fy rhwystro . . . Dwi'n teimlo 'mod innau yn eich nabod chi i gyd erbyn hyn.'

'Rwyt ti'n rhan ohonon ni, wrth gwrs,' meddwn. Petrusais. 'Wyt ti'n gliriach yn dy feddwl bellach beth sydd o dy flaen?'

'Dwi'n gwybod fod pawb eisiau i mi gael y babi 'ma,' meddai Monica. 'Dyna fyddai'r diwedd hapus fyddai'n weddus i'r stori. Ond dydi o ddim am ddigwydd. Ddylet ti o bawb weld fy safbwynt i.'

Oedais. Ro'n i wedi addo dweud y gwir wrth ferched beichiog.

'Dwi'n meddwl fy mod i,' meddwn, 'a fynnwn i byth i ti ddioddef yr hyn a ddioddefais i . . . dim ond, mae gan y byd yma ffordd o fynd yn ei flaen, beth bynnag fo'n dymuniadau ni. Yn y bôn, dwi'n amau faint o ddewis gei di. Fydd o jest – yn digwydd.'

Edrychais arni. Roedd mewn cyflwr mwy truenus nag arfer. Roedd ei gwallt yn gudynnau blêr, ei cholur yn hen a budr, a chyflwr ei dillad a'i gwely yn warthus.

'Monica, garet ti i mi dacluso'r gwely 'ma, a'th wneud di'n fwy cyfforddus?'

Anghofia i fyth yr edrychiad roddodd i mi.

'Wnei di byth ddysgu, na wnei? Fod yna rai pethau na fedri di hyd yn oed eu newid . . . '

Teimlais fod 'na sarff wedi fy mrathu. Beth yn y byd a barai'r fath chwerder?

'Oes rhywbeth yn bod, Monica?'

Ochneidiodd ac edrych ar y cynfasau. Sylwais fod y blodau ger ei gwely wedi pydru erstalwm. Rhaid fod y staff yn gadael ei phethau i fod. Efo tafod mor finiog, dydw i ddim yn eu beio.

'Wedi cael digon ydw i,' atebodd, heb edrych arna i. 'Ddylwn i ddim bod yn gas efo ti, chwaith. Ond mae'n amlwg nad wyt yn sylweddoli pa mor wael ydw i. Rydw i'n ddifrifol wael, a waeth i ti ddweud wrth y lleill. Does gen i fawr o amser yn weddill.'

Eisteddais ar erchwyn y gwely. Wyddwn i ddim beth i'w ddweud. O edrych yn iawn arni, roedd yn berffaith amlwg ei bod mewn cyflwr drwg. Roedd wedi colli pwysau yn yr wythnosau diwethaf.

'Dwi'n teimlo mor ddiwerth. Taswn i ond yn gallu gwneud rhywbeth . . . dydw i ddim eisiau dy golli di, Monica.'

'Paid â chymryd cymaint ar dy ysgwyddau dy hun, da ti. Rydw i wedi byw fy mywyd, a rŵan mae o ar ben – dydi o ddim cymaint o ots. Rydw i'n barod i farw.'

'Rydw innau wedi dweud hynny droeon – wedi trio rhoi pen ar y mwdwl hyd yn oed, ond ddaru mi ddim llwyddo. Dim ond ysfa dros dro ydi hi . . . ddaw pethau'n well.'

Pam oeddwn i gymaint ar dân eisiau rhwystro Monica rhag gwneud yr union beth a wnes i? Doedd o ddim yn gwneud synnwyr, a doedd Monica ddim yn fy neall. Tan pryd oeddwn i eisiau byw? Oeddwn i eisiau byw drwy'r profiad o weld fy nghorff yn dadfeilio, fy nghroen yn llacio, fy ngwallt yn gwynnu? Roedd pawb yn marw'n raddol, doedd dim modd ei osgoi.

'Rwyt ti'n ei deimlo ym mêr dy esgyrn,' meddai. 'Rwyt ti'n gweld dy hun yn mynd yn llai atyniadol. Cofiaf edrych arnaf fy hun yn y drych unwaith, a sylwi ar y gwahaniaeth. A dyna pryd sylweddolais i, debyg – peidio â blysio ydi dechrau marwolaeth. Unwaith mae'r broses wedi cychwyn, mae'n gwbl, gwbl ddidrugaredd . . . Fedra i ddim dirnad neb sy'n dewis mynd yn hen.'

'Ond dydyn ni ddim yn cael y dewis, nac ydym?' dadleuais. 'Wrth gwrs y carai pawb deimlo'n atyniadol ac yn dragwyddol ifanc, ond nid byd felly ydi o! A mae byw efo holl feichiau henaint ganmil gwell na wynebu bywyd wedi marw . . . '

Edrychodd ar ei chynfasau, ar y dryswch blancedi oedd i fod yn wely iddi. Rhaid ei bod yn gweld faint o lanast oedd hi ynddo. Sylwais fod ôl saim ar ei choban.

'Dydw i ddim yn credu fod dim byd ar ôl marw.'

Fe'i dywedodd mor ddi-hid, mor ysgafn, fel y llwyddodd i'm dychryn. Popeth ro'n i wedi ei ddysgu erioed, popeth ro'n i wedi'i ofni, ei barchu, ei addoli, popeth oedd yn gymaint o wewyr i Bet, i Mrs Prichard, i Gwladys druan . . . gallai hon ei daflu o'r neilltu mor rhwydd â hynny. Oeddwn, roeddwn wedi mynd i'w amau'n ddiweddar, ond fedrwn i byth bythoedd ganfod yr hyfdra i ddatgan yn gwbl eofn nad oedd dim tu draw i'r bedd.

'Beth fydd yn digwydd i ti, felly, wedi marw?' gofynnais yn dawel.

Trodd i edrych arnaf. Lluchiodd gudyn o wallt yn ôl a syllu i fyw fy llygaid,

'Dim. Dim oll.'

Am eiliad, ro'n i'n cenfigennu wrthi, yn cenfigennu iddi gael magwraeth go wahanol i mi, debyg. Chafodd hi o bosib mo'i hanfon i'r Ysgol Sul, fuo dim rhaid iddi hi lenwi'i chof ag adnodau. Ni fu'n raid iddi fynychu capel deirgwaith y Sul, dod i ofni Duw ac addoli'r Drindod. Doedd Iesu Grist ddim wrth erchwyn ei gwely bob nos, ond fu dim rhaid iddi brofi gwewyr euogrwydd efo pob cam o dyfu. Ddaru hi rioed weld fflamau Uffern fel bygythiad, na Nefoedd fel man gorffwys, a fuo dim rhaid i'w meddwl ymgodymu â phroblemau pechod a maddeuant a ffydd. Iddi hi, coel gwrach oedd y cyfan.

Ond, wrth edrych ar y corff truenus, y pen styfnig, y dwylo eiddil ar y cwrlid, fedrwn i ddim peidio tosturio wrthi chwaith. Monica oedd yr enaid mwyaf unig y deuthum ar ei draws. Iddi hi, roedd holl ystyr bod mor annioddefol o ysgafn nes gwneud bywyd yn ddiystyr. Pa ryfedd ei bod yn chwenychu darfod? Pwy oedd yna, yn ysbrydol neu'n ddaearol i hidio amdani? Byddwn i fy hun, debyg, yn teimlo'r brofedigaeth yn fwy na neb.

Rhaid ei bod yn synhwyro fy loes.

'Paid ag edrych mor uffernol o ddigalon, wnei di? Dydi bywyd ddim cymaint o "big deal" â hynny, 'sti.'

'Ella ei fod o i dy fabi di.' Mater iddi hi oedd gorffen y sioe, ond roedd 'na un na châi'r siawns i gychwyn hyd yn oed.

'Anghofia'r babi, da ti. Camgymeriad oedd o yn y lle cyntaf.' Edrychodd tua'r ffenest a dweud wrthyf mai'r babi oedd ei phryder lleiaf. Roedd pethau'n llawer gwaeth nag a dybiwn. Roedd Bob ei gŵr wedi bod yn anffyddlon, ond nid dyna ddiwedd y stori. Wrth fynd drwy ei bethau ryw noson, sylwodd ar ddeunydd gan y doctor a chanfod ei fod yn dioddef o afiechyd gwenerol. Ffrwydrodd mewn dicter a phenderfynu mynd ar ei ôl.

Fyddai dim yn ei rhwystro rhag ei ddal yn ei gwe, ei groesholi a chael pob manylyn allan ohono. Wedyn, fe fyddai'n rhoi'r cyfan yn nwylo'r gyfraith, ac yn sicrhau ysgariad. Ond y noson y canfu dŷ'r doctor a gweld ei gŵr yn dod allan, daeth pwl drosti a syrthiodd i'r llawr yn anymwybodol.

'Wrth gwrs, galwyd ambiwlans a'm cludo i'r ysbyty, ond fuo Bob fawr o dro yn egluro fy nghyflwr, a thrwy ei gynllwyn ef a'm doctor, cefais fy rhoi yn y ward hon. Rŵan – fedri di amgyffred maint fy nhrafferthion?'

Fedrwn i ddweud dim. Ro'n i wedi dod ar draws sawl hanes trist yn Rhydderch, ond dim i'w gymharu â stori Monica. Roedd Ffawd wedi bod yn eithriadol o greulon efo hi. Ond yr un oedd wedi ei thrin yn fwy ffiaidd na neb oedd Bob Maciwan. Pe cawn i fy ffordd, byddwn yn ei ddiberfeddu'n gyhoeddus, yn hanner ei grogi, a'i losgi – heb deimlo unrhyw edifeirwch. Eto, mwy na thebyg na fyddai dim yn digwydd iddo, byddai'r prif dyst i'w droseddau a'i anfadwaith wedi marw.

'Wel?' meddai Monica, 'does gen ti ddim gair o gysur?'

'Dwi'n meddwl dy fod yn ildio yn rhy hawdd,' meddwn wrthi. 'Er ei fod yn colli ei blentyn, rwyt ti'n gwneud pethau yn llawer rhy rwydd i Bob drwy gytuno i farw. Chollith o fawr o ddagrau ar dy ôl. Cwffia yn ei erbyn, Monica! Dangos fod yna fwy o dân ynot! Dyna'r ffordd eithaf o ddial ar Bob Maciwan!'

Gwenodd Monica yn wan.

'Wn i ddim faint o dân sydd ynof mwyach . . . Mae'r babi wedi sugno pob egni oedd gen i. Rydw i wedi blino gormod i wneud dim, mae hi'n rhy hwyr . . . '

'Beth bynnag sydd o'th flaen, Monica, ddylet ti ddim gorfod treulio dy ddyddiau olaf mewn ward i rai gwan eu meddwl. Does dim byd yn bod ar dy feddwl di! Mae gen ti'r hawl i gael dipyn o urddas yn dy ddyddiau diwethaf. Mi wnawn ni gais i dy symud i ward gyffredin.'

Croesodd ei haeliau, a rhythu arnaf,

'Na . . . na . . . fyddai hynny ddim yn iawn o gwbl,' meddai. 'Fiw i hynny ddigwydd. Os caf i driniaeth dan law meddyg, ddof i byth drwyddi. Ti'n gweld, mae gen i fwy o ofn hynny na dim.'

Doeddwn i ddim yn gweld, ond gallwn synhwyro'i hofn. Roedd ei llygaid yn erfyn arnaf. Teimlwn yn sydyn 'mod i'n edrych ar anifail gwyllt wedi ei ddal mewn trap, ac nad oedd ganddo unman i ddianc iddo.

'Fel y dymuni di, Monica, ond nid dyma dy le. Mi rown i rywbeth . . . unrhywbeth, i dy gael di o'r twll yma, i dy berswadio i ddianc oddi yma efo'r gweddill ohonom.'

Petai ganddi'r nerth, byddai Monica wedi chwerthin yn chwerw, ond wnaeth hi ddim.

'Un dda wyt ti, dwyt ti byth yn ildio, nag wyt? Tasan ni wedi cyfarfod yn gynt yn ein bywydau, byddem wedi bod yn ffrindiau da.'

Dyna'r sgwrs olaf a gefais gyda hi. O fewn wythnos, roedd Monica wedi marw.

Pennod 32

Wedi marwolaeth Monica, fedrwn i ddim byw yn fy nghroen. Ro'n i mor awyddus i adael Rhydderch. Cefais fy ysgwyd i'm seiliau, a fedrwn i ddim peidio â meddwl amdani. Effeithiodd i'r fath raddau arnaf fel 'mod i'n ofni y byddai'r iselder yn dychwelyd, ac y byddwn yn ôl yn y gwaelod eto. Yn fwy na dim, roeddwn eisiau gwybod i ble yr aeth hi? Oedd hi'n wynebu rhyw ddrychiolaethau mawr yn awr, neu ai hi oedd yn iawn yn y diwedd – nad oedd marwolaeth yn golygu dim ond darfod? I'w gwely hi, a gwely Heledd bellach, daeth cleifion newydd, ond ddeuthum i ddim yn gyfeillgar â hwy. Doeddwn i ddim am drafferthu gan na fyddwn yn aros.

Ond mi gofiaf un diwrnod cyn colli Monica pan ddigwyddodd rhywbeth gwahanol inni. Mae o'n ddiwrnod sy'n aros yn y cof fel darlun lliwgar byw. Wedi'r diwrnod hwnnw, doedd dim troi'n ôl.

Cael ein brecwast oeddem ni, Mrs Prichard a minnau. Roedd criw ohonom ddaeth yn ffrindiau yn awr yn cael brecwast efo'n gilydd, ac roedd hynny gymaint yn brafiach. Ni'n dwy oedd ar ein traed gyntaf fel rheol, a byddwn innau'n helpu Mrs Prichard efo'i phowlenaid o uwd. Roedd ganddi archwaeth harti, a chawn yr argraff ei bod yn gwerthfawrogi fod bwyd yn cael ei baratoi ar ei chyfer.

Roedd gan Bet ei threfn ei hun amser brecwast.

Rywsut rywsut fyddai'r rhan fwyaf yn cael eu brecwast, ond byddai Bet yn ei baratoi fel un yn cyflawni defod sanctaidd. Deuai â phopeth yr oedd ei angen ar y bwrdd, a bwyta popeth yn ei dro, yn dwt a bodlon. Bwyta mewn tawelwch a fyddem, pawb â'i feddyliau ei hun, meddwl am adre yn aml, sut oedd pethau yno, a mor rhyfedd ydoedd ein bod ni yma ymhell oddi wrthynt, a hwythau'n gorfod dal ati i fyw heb ein cwmni. Yn y diwedd, ymunodd Gwladys efo ni, ac roedden ni'n gyflawn.

'Mae hi'n fore ddigon o ryfeddod,' meddai Bet, 'bore sych a'r haul yn tywynnu. Taswn i adre rŵan, mi fyddwn yn mynd o gwmpas yr ardd i gyfarch y dydd.'

'Rydw i'n colli mynd i'r ardd hefyd,' meddai Gwladys yn hiraethus.

Edrychais drwy'r ffenest. Roedd hi'n rhyfeddol o glir tu allan, a phopeth fel petai wedi'i olchi'n lân. Yn sydyn, cefais syniad.

'Pam nad awn ni allan, 'ta?' meddwn, 'y pedair ohonom . . . pam nad awn ni allan am dro?'

'Heddiw?' gofynnodd Gwladys.

'Ia. Rŵan hyn. Gwisgo'n cotia, a mynd.'

'Dydw i ddim wedi bod allan ers i mi ddod yma. Faswn i'n cael annwyd, beryg,' meddai Mrs Prichard.

'Dwi'n fodlon mentro . . . ' meddwn. 'Tasan ni'n lapio'n iawn a chymryd gofal . . . dwi'n siŵr fasan ni'n ôl yn fyw erbyn amser cinio.' Edrychais ar Gwladys, a sylwi nad oedd hynny'n ddoniol iawn yn ei hachos hi.

'I lle fasan ni'n mynd?' gofynnodd Bet.

'Wn i ddim.'

'Mae Braich Melyn yn braf . . . ' meddai Mrs Prichard.

'Ella fasa o gwmpas fan hyn yn ddigon,' meddwn. 'Rhyw hanner awr o daith i fyny'r lôn, does dim rhaid inni fod yn rhy uchelgeisiol y tro cyntaf. Ond dwi'n ysu am gael gwneud rhywbeth gwahanol.'

Cytunodd Bet a Gwladys, ac wedi peth perswâd a chanfod sgarff a phâr o fenig i Mrs Prichard, cytunodd hithau. Teimlad rhyfedd oedd cerdded trwy ddrysau Rhydderch, ac allan o dir yr ysbyty. Roeddem yn gwneud llawer mwy na mynd am dro. Roedden ni'n mentro mewn modd na ddaru ni ers misoedd; roedden ni'n cymryd penderfyniad, yn cymryd rheolaeth o'n bywydau ein hunain, ac yn rhannu profiad.

'Mae oglau tu allan mor ffres wedi bod fel cywion mewn cwt cyhyd,' meddai Bet. 'Dwi'n teimlo fel person newydd yn barod.'

'Digon hawdd i chi, betha ifanc, meddyliwch am hen begor fel fi,' meddai Mrs Prichard, 'er mi wranta i 'mod i wedi cerdded mwy yn f'oes na 'run ohonoch chi.'

'Hynny fawr o gamp o'i gymharu â mi. Anaml iawn y cawn i fynd allan,' meddai Gwladys.

'Pedair awr o gerdded dros y mynydd fydden ni'n ei wneud i fynd i dŷ Anti Elin yn Bwlch,' meddai Mrs Prichard, 'bob dydd Mercher.'

'Roedd o'n llesol iawn inni gerdded cymaint erstalwm. Toedd pobl ddim yn pesgi fel maen nhw heddiw,' meddai Bet.

'Mi fyddwn i wedi lecio cael y dewis,' medda Mrs Prichard, 'i besgi neu beidio. Fedra i ddim dychmygu beth ydi o i beidio teimlo ar eich cythlwng drwy'r amser. Fel'na ydw i'n cofio bod erioed – tan rŵan. Mi fydda rhywun yn gwneud heb er mwyn i'r plantos gael digon.'

Rhyfeddwn at wytnwch Mrs Prichard, a'r modd y daliodd ati – fel y gwnaethai cannoedd o famau o'i blaen. Rhyw arwriaeth a merthyrdod tawel, a neb yn rhoi cydnabyddiaeth iddynt am hynny.

'Mae cael tir dan draed yn brofiad dieithr, yn lle coridorau diddiwedd,' meddai Gwladys.

'Dydi rhywun ddim yn cael ymarfer corff i mewn yn fan'na,' meddai Bet. 'Faint gerddwn ni mewn diwrnod? Dim ond 'nôl ac ymlaen i'r lle chwech, rhwng y Lle Eistedd a'r gwely, ac i'r Cantîn. Mae hyn fel cael teithio i wlad newydd.'

Wedi croesi'r ffordd ar ben y bryn, daethom o hyd i lecyn glas a dilyn llwybr cyhoeddus. Roedd o'n teimlo mwy fel byd newydd na gwlad newydd. Doeddwn i ddim wedi profi'r haul yn mwytho fy wyneb erstalwm, ddim wedi teimlo'r gwynt yn cribo 'ngwallt, neu wair yn cosi fy fferau. Felly'r teimlai'r merched eraill i gyd hefyd, a dyma ambell un yn rhoi ei braich ym mraich y llall wrth fynd dros ddarnau mwdlyd.

"Tydi o'n dda?' meddwn wrth Gwladys.

'Ydi,' meddai, 'mae cymaint o gynhesrwydd i'w deimlo mewn cwmni.'

Dim ond 'radeg honno y trawodd fi mor unig fu bywyd Gwladys. Go brin y cafodd hi deimlo chwaeroliaeth fel hon, fe'i hamddifadwyd o gymaint. Falle na ddioddefodd hi gymaint â Mrs Prichard o ran diffyg bwyd a moethau bywyd, ond bu raid iddi fyw efo llawer llai o gariad a chwmnïaeth.

'Pawb i ddewis darlun yn ei bywyd sy'n gwneud iddi deimlo'n hapus,' meddwn. 'Gan ddechrau efo . . . Bet. Pryd wyt ti hapusaf?'

'Mae gen i ddefod fechan adref,' meddai Bet, 'pan gaf amser i mi fy hun, ac rwy'n ei threfnu efo'r gofal mwyaf . . . rhaid i'r tŷ fod yn gwbl wag, y lle yn weddol dwt, a'r llestri wedi eu golchi . . . ' Tynnodd ei menig yn dynnach am ei dwylo. Fydda i'n ymbincio dipyn, rhoi dillad glân amdanaf, ac yn estyn un o'r llieiniau gorau a'i roi ar y bwrdd.'

'Mi fedra i dy weld di rŵan,' pryfociais, 'yn ei osod o yn y canol ac yn gwneud yn siŵr fod pob cornel yn ei le – yn berffaith.'

'Taw, 'nei di . . . yna dwi'n estyn fy llestri gorau, rhai efo ymyl aur ddisglair, ac yn cael pleser mawr o'u gweld ar liain gwyn glân . . . Yna, fydda i'n hwylio te.'

'Be newch chi i de?' gofynnodd Mrs Prichard.

'Bara menyn wedi ei dorri mor denau â les, dysgl fechan o jam mefus, a theisen felen efo siwgr mân drosti, newydd ddod o'r popty . . . a thebotiad mawr o de. Dyna sy'n fy ngwneud yn hapus . . . '

'Ar gyfer pwy wnewch chi hyn?' gofynnodd Gwladys.

'Fi fy hun, wrth gwrs. A mi fydda i'n bwyta pob cegiad yn araf gan fwynhau pob tamaid . . . a falle y gwna i fwynhau sigarét wedyn.'

Edrychodd pawb arni yn rhyfedd.

'Te felly oedd i'w gael yn Ficrej erstalwm, 'blaw fydden ni byth yn ei gael o,' medda Mrs Prichard.

'Pam wyt ti'n ei gael o ar dy ben dy hun, Bet?'

'I gael llonydd, yn lle 'mod i'n tendiad byth a hefyd ar bobl. Fydda i ddim yn ei gael o'n aml, ond mae o'n rhoi pleser i mi.'

'Ddylan ni i gyd fwynhau moethusrwydd felly ambell waith. Beth fydd eich darlun chi o hapusrwydd, Mrs Prichard?' gofynnais.

'Gweld llond lein o ddillad gwyn glân yn chwythu yn y gwynt.'

'Fedrwch chi feddwl am rywbeth sy'n rhoi mwy o bleser i chi na hynny, siawns,' meddai Bet.

'Chi ofynnodd,' medda Mrs Prichard, 'ac i mi yn aml, dyna oedd bodlonrwydd – ar ddiwrnod braf wrth gwrs. Neu gweld fy hogiau bach i'n bwyta llond platiad o fwyd, a bron iawn yn gallu blasu eu hapusrwydd . . . '

'Ond triwch chi feddwl am rywbath sy'n rhoi pleser i chi eich hun,' meddwn.

'Mae gweld eraill yn hapus yn rhoi pleser i fi'n hun,

siŵr iawn,' medda Mrs Prichard yn bigog.

Gadewais bethau i fod. Doedd Mrs Prichard yn amlwg ddim wedi dod ar draws y cysyniad o gael amser iddi ei hun, gr'adures.

'Dy dro di rŵan, Gwladys,' meddai Bet. Roedd hithau bellach yn dweud 'ti' wrthi.

'Does 'nelo fy narlun bach i o hapusrwydd ddim oll â gwaith tŷ,' meddai Gwladys, a direidi yn sgleinio yn ei llygad. 'Mae gas gen i waith tŷ. Dydi fy narlun bach i ddim yn cael ei leoli adref chwaith, ond yn hytrach yn Rhydderch . . . '

Stopiodd pawb yn stond ac edrych arni.

'Fy mhictiwr bach i o hapusrwydd ydi bod efo chi yn y Lle Eistedd, cyfrol o gerddi Parry-Williams o'm blaen, a chael siawns i drafod. Mae o wedi agor fy meddwl i.'

Ailddechreuais gerdded, a dilynodd y lleill fi. Cefais deimlad annisgwyl, deigryn yn cronni yn fy llygaid, ond nid tristwch oedd wedi ei achosi. 'Mond rhyw gariad mawr at ddynoliaeth, yn gymysg â thosturi a balchder tuag at Gwladys a Bet – a Mrs Prichard. Daeth Gwladys tuag ataf, gan gerdded yn gynt i geisio fy nal.

'Eich tro chi rŵan – dydych chi ddim wedi rhannu eich darlun chi . . . ' medda hi.

'Twt, does gen i ddim syniad,' meddwn, gan sychu fy llygad yn frysiog. 'Dim ond rhywbeth i basio'r amser oedd o.'

'Tyrd 'laen!' protestiodd Bet, 'rydan ni wedi rhannu, a rŵan mae'n rhaid i ti. Mae o'n beth reit anodd i'w wneud, wyddost ti – er ei bod yn haws deud wrth ffrindiau fel hyn nag wrth Dr Keswick.'

'A mae gynnon ni ddiddordeb go iawn,' ychwanegodd Gwladys, oedd yn datblygu i fod yn dipyn o gomic.

Doedd gen i ddim syniad sut i ateb y cwestiwn. Beth

oedd yn fy ngwneud i'n hapus? Doeddwn i ddim wedi meddwl am y cwestiwn ers cyhyd . . .

'Hyn,' meddwn ar ôl dipyn, 'Dwi'n hapus rŵan. 'Mond yn cael bod allan o Rhydderch efo chi, yn cerdded yn yr awyr iach . . . '

'Mae pawb yn mwynhau hyn,' meddai Bet, 'dydi o ddim yn cyfrif. Meddylia am un darlun wyt ti'n gallu ei roi inni o hapusrwydd yn dy fywyd.'

Meddyliais yn galed, gan edrych yn frysiog drwy'r holl ddarluniau yn albwm fy nghof. Roedd 'na luniau o rai yn gwenu, ond roedd un wên benodol yn mynnu ymwthio i'r wyneb.

'Falle fod hyn yn swnio'n rhyfedd,' cyfaddefais, 'ond dwi newydd sylweddoli ei fod yn wir . . . mae hi'n ddiwrnod o haf . . . rydan ni adref, ac mae Lora fach yn dod ataf ac yn gwenu fel giât arnaf. Mae hi'n baglu, a rydw innau'n dychryn am eiliad, ond mae'n eistedd lle mae hi ac yn chwerthin dros y lle. Mae meddwl am hynny yn fy ngwneud i'n hapus,' meddwn, ac wrth gwrs daeth y dagrau'n lli.

Rhoddodd Gwladys ei braich amdanaf a'm gwasgu.

'Dyna'n union ro'n i'n ei ddweud,' medda Mrs Prichard, 'fod gweld eraill yn hapus yn rhoi pleser i chi . . . '

'Well i ni droi am adref rŵan,' meddwn, 'neu bydd Heddlu Gogledd Cymru wedi cael eu hanfon i chwilio amdanom.'

'Diolch yn fawr i ti am gael y syniad,' medda Bet. 'Heblaw amdanat ti, mi fydden ni'n dal yn y Lle Eistedd, fel ieir yn gori.'

'Daeth ein cyfle i ddianc . . . ' meddwn innau. 'Oes yna iâr arall yn ein mysg sydd ffansi hedfan?'

'Mae'r dydd yn dod yn nes, 'tydi?' medda Bet yn siriol. 'Ddyliais i na fydde fo byth yn dod . . . '

Ddaru ni aros am dipyn ac edrych ar y ddinas oddi tanom a chadwyn o fynyddoedd Dyffryn Ogwen yn y cefndir. Doedd dim golygfa debyg iddi.

'Dydw i ddim eisiau mynd adre,' meddai Gwladys, mwya sydyn.

Trodd Bet a minnau i edrych arni. Roedd Mrs Prichard fel petai wedi ei swyno ormod gan yr olygfa o'r Carneddau i gymryd sylw ohonom.

'Dydych chi rioed eisiau aros yn yr ysbyty?' gofynnodd Bet.

'Nac ydw, ond dydw i ddim am fynd yn ôl at fy rhieni chwaith. Fedrwn i ddim ar ôl y profiad yma.'

'Does dim rhaid i ti,' meddwn, 'mi ffendiwn ni beth sydd ar gael i ti . . . ' er nad oedd gen i fawr o glem lle roedd merched fel Gwladys i fod i fynd.

'Mae croeso i ti ddod i aros efo Gruff a minnau am gyfnod,' meddai Bet, 'nes doi di o hyd i rywle. Fedra i ddim meddwl am fynd a dy adael di ar ôl.'

'Diolch i chi, diolch o waelod calon i chi,' meddai Gwladys, a theimlais fel rhoi coflaid fawr i Bet.

'Mrs Prichard . . . ydych chi wedi meddwl pryd ydych chi'n gadael?'

Roedd hi a'i chefn atom, yn rhythu i gyfeiriad Bethesda. Toedd hi'n cymryd dim sylw ohonof. Euthum ati,

'Mrs Prichard . . . ydych chi'n iawn?'

Rhoddodd ochenaid o waelod ei chalon, ac yna trodd tuag atom, er na ddaru hi edrych arnom. Gwylio ei cham oedd hi, fel petai ofn baglu.

'Dwi'n iawn lle rydw i, wyddoch chi . . . ' meddai.

'Ond fedrwch chi ddim aros yn fan'na!' meddwn, 'rydan ni'n wragedd rhydd bellach. Wnawn nhw ddim gadael i chi aros yna beth bynnag, mae peryg iddyn nhw eich rhoi mewn cartref . . . '

Dim ond wrth weld Bet yn edrych arnaf y gwawriodd arnaf.

'I lle 'raethwn i?' gofynnodd Mrs Prichard.

Doedd gen i ddim ateb. Os na wyddwn lle roedd y byd yn cadw pobl fel Gwladys, ro'n i'n fwy yn y niwl byth lle roedd cadw rhai fel Mrs Prichard. Doedd hi rioed wedi bod yn berchen tŷ. Doedd ei phlant ddim o gwmpas i roi noddfa iddi.

'Mi wnawn ni yn siŵr eich bod chi'n setlo yn lle bynnag fyddwch chi, ac mi ddown i'ch gweld,' addewais.

'Wna i ddim llwgu, beth bynnag fydd fy hanes i,' medda Mrs Prichard. 'Dyna fu fy ofn mawr i erioed, ond dydi pobl ddim yn llwgu fel roeddan nhw.'

Wrth droi tua thref, gafaelodd Bet am fy mraich. Gafaelodd Gwladys am fraich Mrs Prichard.

Tawel oeddan ni gyd ar y ffordd yn ôl. Pob un ohonom fel petaem yn myfyrio ar y newidiadau mawr oedd ar fin digwydd ac wedi digwydd ym mywydau pob un ohonom. Wedi bod trwy gymaint efo'n gilydd, ni fyddai'r cwlwm cyfeillgarwch oedd yn ein clymu ynghyd fyth yn cael ei dorri. Er gwaetha'r ffaith na fyddai Heledd fyth yn torri drwy'r muriau, roedd y gweddill ohonom wedi cael gwellhad rhyfeddol. Ysgafn oedd fy mhroblemau i o'u cymharu â rhai Mrs Prichard, a doeddwn i ddim am anghofio hynny. Blodeuodd Bet, goresgyn ei nerfusrwydd ac ailddarganfod ei hen bersonoliaeth gynnes, garedig. Ond y person flodeuodd o flaen ein llygaid oedd Gwladys. Gyda'r gwrtaith cywir, roedd wedi datblygu tu hwnt i bob disgwyl, a'r gobaith yn awr oedd y byddai'n cael noddfa oddi wrth ei rhieni ac yn tyfu'n wraig hyderus annibynnol. Yn eu canol, roeddwn innau wedi gallu ailafael mewn bywyd ac yn ysu am gael dychwelyd at Dafydd a Lora. Efallai i'r cyffuriau fod yn help, ond y cymorth mwyaf fu cael cyfarfod y merched hyn, a byddwn yn dragwyddol ddiolchgar am y fraint.

Pennod 33

Aeth chwe mis heibio ers dydd fy rhyddhau. Wyddwn i ddim a fyddai'n rhaid cael prawf cyn gadael Rhydderch – prawf i weld a oeddwn yn ffit i gael fy ngollwng yn rhydd i gymdeithas. Fydda fo ddim wedi fy synnu. Ond yn fy nghyfweliad olaf gyda Dr Keswick, rhaid 'mod i wedi gwneud argraff ddigon ffafriol arno ac wedi dangos graddfa weddus o hapusrwydd, achos fe ddywedodd ei bod yn amser i mi fynd adref. Rwy'n dal ar y tabledi, ac mi fydda i'n gaeth iddynt am flwyddyn a mwy, debyg, ond y peth pwysig ydi 'mod i fy hun yn teimlo'n well.

Mae hi'n rhyfedd bod adref eto. Nid yr un adref ydi o, ac ni chredaf y bydd o byth yr un adref. Mae gormod wedi digwydd. Mae Dafydd a minnau fel petaem wedi bod ar daith hir lawn drysni a mieri, ac wedi dod o hyd i'n gilydd unwaith eto. Mae creithiau'r cweryla yn dal i frifo ac mae blinder a chwerwder yr ymladd wedi ein parlysu. Ond, trwy fwynhau gwres y naill a'r llall, rydan ni'n raddol doddi, a rydan ni'n gallu chwerthin efo'n gilydd unwaith eto. Roedden ni'n nerfus iawn ar y cychwyn, fel petaem yn cerdded ar wydr, a'r ddau ohonom ofn deud a gwneud y peth anghywir, ofn i'r cyfan ddymchwel drachefn. Ond rŵan 'dan ni'n fwy hyderus, ac mae ein ffydd yn y berthynas yn cryfhau bob dydd. Dwi'n rhyfeddu cymaint fûm i'n poeni yn ei chylch, mor gryf oedd yr awydd i ddianc weithiau. Ond fel dywedodd Bet, peth syml ydi o yn y pen draw. Rydw i'n ei garu, a dyna fo.

Wnaiff neb – oni bai am y rhai sydd wedi codi reit o'r gwaelodion – ddeall y wefr o deimlo'n well. Mae o fel byd newydd, fel cael fy aileni, fel symud o fyd fflat, du a gwyn i un lliw, tri dimensiwn. Mae o fel gallu cerdded wedi bod yn orweiddiog am flwyddyn, mae o fel gallu canu a pharablu wedi bod am flynyddoedd yn fud. Rydw i'n fi'n hun unwaith eto, a fedra i ddim deud mor braf ydi hynny. Y peth rhyfedd ydi ei fod o wedi digwydd heb i mi sylwi bron. Peidio crio oedd yr arwydd allanol cyntaf, debyg. Ond mae yna eiliadau bach sy'n berlau yn dod yn ôl i mi. Gallu agor llyfr, a theimlo'r awydd i'w ddarllen. Sgwrsio efo'r genod a chael blas ar y sgwrs. Deffro yn y bore, a theimlo fod diben i fyw a bod y cwmwl tywyll ddim yn fy mygu. Teimlo fel sgwennu llythyr. Camu allan i'r awyr iach a theimlo fod y greadigaeth mewn cytgord â mi. Cael blas ar fyw, ar ryw, a dotio at lawnder bywyd.

Ar un ystyr, mae o'n beth da 'mod i'n parhau i gymryd y tabledi. Y rheini ydi'r unig gysylltiad sydd gen i â Rhydderch. Heblaw amdanynt, mae perygl y byddwn yn amau a oedd yr holl beth wedi digwydd o gwbwl. Mae o'n ymddangos mor abswrd rŵan, mor bell oddi wrth realaeth. Ond bob bore, a bob nos, wrth gymryd y tabledi coch a gwyn ar gledr fy llaw, daw'r cyfan yn ôl i mi. Rydw i yn y ward efo nhw drachefn, ac mae'r arogl a'r awyrgylch yn llifo'n ôl. Yna, wrth eu llyncu, gwasgaf fy llygaid, ac wrth eu hagor sylweddolaf mai adre ydw i. Weithiau, mewn breuddwydion, caf fy nhynnu yn ôl. Daw wyneb Sali i mi, yn chwerthin am fy mhen . . . eisteddaf ar wely Monica yn ceisio deall dirgelion ei henaid . . . rwy'n syrffedu yn y Lle Eistedd, a Mrs Prichard yn drysu'n llwyr, neu rwy'n dawnsio efo

Heledd yng ngolau'r lloer. Peth rhyfedd ydi deffro wedi'r breuddwydion hyn. Ond anaml ydw i'n crio rŵan. A phan fyddaf yn fy nagrau, gwn fod pen draw i'r gofid. Wnaiff o ddim para am byth.

Mae'r flwyddyn a hanner gyntaf honno wedi geni Lora yn un hunllef maith, a dwi'n dal yn ddig efo Duw am beri i hynny ddigwydd. Fi – oedd eisiau plentyn gymaint – dyna'r pris y bu raid i mi ei dalu. A gwn na wna i byth fentro beichiogi eto, rhag ofn i'r un peth ddigwydd. Fyddwn i byth bythoedd yn cymryd y siawns.

Eto, wrth fod yn ei chwmni nawr, gwn nad camgymeriad ydoedd. Daeth â dimensiwn arall i'm bywyd. Edrychaf ar y byd bellach efo llygaid gwahanol. Wrth folchi, mae'n rhyfeddu at drochion sebon. Gwirionaf wrth weld ei dwylo bach tew yn eu casglu oddi ar wyneb y dŵr a'u gweld yn diflannu. Dotiaf at ei phen llawn cyrls a siâp ei gwar. Toddaf wrth deimlo'r llaw fechan honno yn gwasgu f'un i. Mae popeth yn ei byd bach yn rhyfeddod, boed yn fwydyn neu'n aderyn yn yr ardd gefn, yn enfys, yn fflamau tân, yn falŵn. Rhaid iddi gael cyffwrdd a blasu popeth. Iddi hi, digon hawdd credu mai pêl fawr lachar yw'r byd, i'w chyffwrdd, i'w blasu a'i bownsio. Mi wnaf unrhyw beth er mwyn peri i'r llygaid mawr yna befrio mewn llawenydd, ac mae ei gweld mewn dagrau yn fy llorio yn llwyr. Rwy'n teimlo i'r byw drosti. Mi awn drwy ddŵr a thân i'w harbed rhag siom a dioddefaint. Ac eto, gwn y daw.

Wrth geisio cael rhywun i'w mabwysiadu, dyna oedd yng nghefn fy meddwl. Nid gwallgof oeddwn i. Awydd angerddol ydoedd i atal fy hun rhag gorfod teimlo fel hyn dros rhywun arall. Yswn am gael rhywun arall i gymryd y baich. Nid y cyfrifoldeb yn unig a'm dychrynai, ond eithafrwydd y teimladau. Mae ei dychmygu hi'n cael loes neu gam yn fy arswydo. Byddwn yn lladd y sawl a'i niweidiai. Hyd yn oed yn awr, mae pryder y gofal yn gallu fy llethu. Wrth weld ei phen bach ar glustog, a'i llygaid ynghau, sylweddolaf mor ddiamddiffyn ydyw. Wrth roi cusan nos da iddi, mae anferthedd y dasg o'i gwarchod yn fy nharo, a gwn na allaf ei wneud ar fy mhen fy hun. Mae ystyr i weddi ac i bader unwaith eto.

Wrth dorri fy hun, wrth geisio difa'r hunan, ddaru mi rioed gredu y byddwn yn gofyn unrhyw beth i Dduw eto – roedd wedi fy siomi tu hwnt i bob rheswm. Ond deuthum i sylweddoli mai bach iawn oedd fy loes i o'i cymharu â gweddill dynoliaeth, a'r hyn ddioddefodd Duw ei hun. 'Byr ysgafn gystudd' ydoedd, fel y byddai Gwladys wastad yn f'atgoffa. Agorodd fy llygaid i gynifer o bethau. Hi ddysgodd yr adnod sydd yma uwchben fy nesg yn y Llyfrgell, yn ei llawysgrif gain,

'Digon i ti fy ngras i; canys fy nerth a berffeithir mewn gwendid'.

Bydd pobl yn ei weld yn od 'mod i wedi gosod adnod wrth fy nesg, ond waeth gen i. Gawn nhw feddwl 'mod i wedi cael troedigaeth am hynny o ots sydd gen i. Ar un olwg, rydw i wedi cael troedigaeth, rydw i wedi dod i adnabod fy hun, wedi dod i nabod Duw, wedi dod i nabod fy hun fel merch yn well. Edrychaf yn ôl ar fy nghyfnod yn Rhydderch fel rhyw fath o gwrs dwys ym Mhrifysgol Gwendid.

Dod i nabod eraill yn eu gwendid ddaru mi, a does dim cywilydd yn perthyn i hynny. Gwn 'mod innau bellach mor frau ag unrhyw un arall. Wna i byth ymffrostio eto mewn cryfder. Dyna ydi ystyr yr adnod, hyd y gwelaf i. Un o'r cwestiynau cyntaf a ofynnais i Bet yn yr ysbyty oedd pam y mae pobl yn lladd? Roedd hynny yn fy mhoeni gymaint ar y pryd. Wedi deall y boen a'r gwewyr oedd ynghlwm wrth roi genedigaeth, roedd y syniad o ladd – o gymryd bywyd – yn gwneud sbort o'r cyfan. Roedd gweld dynion yn rhyfela, yn lladd ac yn dwyn bywydau ei gilydd yn wrthbwynt llwyr i holl ymdrech gwragedd i roi bywyd.

Bellach, dwi'n gweld mai ymgais i brofi goruchafiaeth ydyw, ymgais i ddangos nerth. Yr un sy'n gallu trechu mewn brwydr ydi'r gorchfygwr. 'Trechaf treisied' yw hi, a bydd dynion yn dal i ladd i brofi eu nerth tra pery dynoliaeth. Yr ymgais i brofi nerth yw sail y rhan fwyaf o drais yn y byd.

Wrth drafod a chyd-fyw efo Bet, Gwladys, a Mrs Prichard, deuthum i weld bod yna ystyr i Dduw, ac mai Cariad ydi o yn ei hanfod. Eu cariad hwy a'm hachubodd rhag disberod, cariad Dafydd a Lora ydi'r rhodd fwyaf gefais i.

Eto, bydd yn benbleth barhaol i mi pam ganiataodd Duw i ddynion wneud ffasiwn lanast o grefydd efo'u cyfundrefnau gormesol sy'n ein llethu ag euogrwydd, yn enwedig merched. Pam mae Duw yn gadael i ferched gael eu gormesu i'r fath raddau? Gan dadau, gan wŷr, gan bob math o ddynion? Hyd y byddaf byw, bydd gwewyr Monica yn aros gyda mi. Pam na chafodd hi brofi gwres ei Gariad? Ai ei thynged hi, fel tynged Jiwdas, oedd bod yn wers i eraill? Fedra i ddim teimlo ym mêr fy esgyrn ei bod yn gorwedd yn dawel. Pe na bai dim byd tu hwnt i'r bedd, ni fyddai'n aflonyddu cymaint arnaf. Brwydr ydi bywyd rhag cyrraedd anobaith Monica, brwydr rhwng trais a chariad.

Dyna pam dwi'n lecio llyfrau cymaint. Yma, wedi cael fy amgylchynu ganddynt, mae gen i fy seintwar fach fy hun. Yma, rhwng yr holl gyfrolau, teimlaf fod yna amddiffyniad rhyngof a'r byd. Ymgais i egluro bywyd ydi nofelau a storïau, ymdrech i ddehongli'r frwydr rhwng da a drwg. Roedd gen i hiraeth am y noddfa hon yn Rhydderch. Dwi'n digwydd credu, tra bydd pobl yn mynychu llyfrgelloedd, yn rhannu llyfrau ac yn darllen, mae yna obaith i wareiddiad. Mae pawb ddaw i mewn drwy'r drws yna yn chwilio am ryw fath o drysor. Mae rhai yn ceisio gwybodaeth, eraill ddoethineb, eraill ddifyrrwch neu ddoniolwch neu ddihangfa.

Mi ddaru'r cwsmeriaid fy ngholli pan euthum i'r ysbyty. Daeth sawl un ataf i ddweud hynny pan ddeuthum yn ôl. Wydden nhw ddim beth oedd yn bod arnaf – wyddai llawer ddim mai mewn ysbyty oeddwn i, a ddaru minnau ddim dweud. Cymryd fod mam efo babi bach newydd yn diflannu oddi ar wyneb y ddaear am gyfnod ddaru nhw. Ond os digwydd i rywun sôn wrthyf am iselder neu salwch meddwl, gobeithio y caf y dewrder i gyfaddef imi fod yn Rhydderch. Dydw i ddim yn meddwl yr af i byth yn ôl yno, ond taswn i'n mynd yno, mi garwn roi rhodd iddynt. Mi garwn roi tri chwpled iddynt gan Parry-Williams; byddwn yn eu fframio a'u gosod yn y Lle Eistedd, er mwyn i'r rhai sy'n nychu yno fyfyrio arnynt,

Gwae ni ein dodi ar dipyn byd
Ynghrog mewn ehangder sy'n gam i gyd,

A'n gosod i gerdded ar lwybrau nad yw
Yn bosib eu cerdded – a cheisio byw;

A'n gadael i hercian i gam o gam
Rhwng pechod ac angau heb wybod paham.

Syndod na landiodd Parry-Williams ei hun mewn Seilam ar ôl sgwennu petha felly. Tase raid iddo lenwi'r holiadur ddaru mi, dwi'n siŵr y byddai'r dynion cotia gwyn wedi dod ar ei ôl, a defnyddio'r Mental Health Act i'w gaethiwo.

Cofiaf y seiat a gawsom ni'n pedair yn Rhydderch pan ddaeth Gwladys ar draws y llinellau hyn. Gwelaf ei llygaid llwyd yn awr yn edrych arnaf wrth ryfeddu at Parry-Williams yn meiddio awgrymu fod yna gam ar y Cread, a bod llwybrau bywyd yn amhosib eu cerdded. Cawsom ddadl danbaid, a Mrs Prichard yn sôn sut y gallai uniaethu efo'r cymal am hercian rhwng pechod ac angau. Dadl Gwladys a Bet oedd nad oedd diben ceisio cadw at y llwybr cul os cafodd ei ragluniaethu fel un cam, amhosib. Ond i mi, roedd fel petai'r cen wedi disgyn o'm llygaid. Ein diffyg ni oedd ceisio anelu at berffeithrwydd bydol. Oherwydd y diwylliant roedden ni'n byw ynddo, roedden ni'n trio cael y tŷ perffaith, y gŵr perffaith, y babi perffaith, a byw bywyd oedd yn dragwyddol hapus. Ond nid byd felly ydi o. Mae o'n fyd cam, mae yna ddioddef ac angau, ac mae tri chwarter pobl y byd yn gwybod hynny. Bywyd o ddioddefaint, o anhapusrwydd, o galedi ydi o i'r mwyafrif, 'blaw bod cariad rhwng pobl a'i gilydd a Chariad Duw yn digwydd gwenu arnom o bryd i'w gilydd gan wneud y baich yn haws i'w oddef.

Dim ond mewn cymdeithas sy'n disgwyl perffeithrwydd mae salwch meddwl yn warth. Dyna sydd wrth wraidd ofn nytars. Mewn byd perffaith, does dim lle i nytars, i bobl hyll, i bobl wedi torri, i bobl sydd ddim yn 'iawn'. Dydyn nhw ddim yn cyrraedd safon 'normalrwydd'. Ac os mai eich anlwc chi ydi methu stopio crio, neu siarad yn ddisynnwyr, neu bod yn abnormal o ddigalon, cewch eich gosod mewn ysbyty a'ch llenwi efo cyffuriau, nes eich bod yn ddigon normal i ddod allan. Byd o gelwydd ydi o, o hapusrwydd ar yr wyneb. Ond dan yr wyneb mae pawb yn crio'n achlysurol, pawb yn brifo, pawb yn torri o dro i dro.

Un o'r ychydig gyfryngau sydd yn dangos pobl yn eu cyflwr normal ydi storïau a llyfrau. Y rhain sy'n derbyn

pobl fel ag y maent, yn gymysgedd ryfeddol o gariad a
chasineb, o ddewrder ac ofn, o ddaioni a malais,
chwerthin a chrio. Hwn ydi'r byd go iawn.

Beth ydi normalrwydd felly ond llyfrau? Llên a
barddoniaeth, cerdd a chân. Dyma sut yr ydym yn
gwirioneddol gyfathrebu â'n gilydd. Dydi llyfrau ddim
yn gofyn dim gennych chi, dim ond rhannu maen nhw –
rhannu profiadau sy'n gyffredin tra ydan ni ar yr hen
ddaear. A does dim rhaid cynnig ateb neu ddogma, dim
ond dweud fel ag y mae, ac y mae'n wledd y cawn ni i
gyd gyfranogi ohoni os dymunwn.

Rydw i wedi dod i adnabod y bobl mwyaf lliwgar
trwy gyfrwng llyfrau. Rydw i wedi cwrdd â phob math o
gymeriadau, ac wedi mwynhau cwmni'r rhan fwyaf
ohonynt. Cefais deithio i fannau rhyfeddol, i wledydd
pell i ffwrdd ac i dir dychymyg. Eisteddais i lawr a chyd-
fwyta â hwy, arhosais ar fy nhraed am oriau yn clywed eu
hanesion. Clywais eu cyfrinachau dirgel, teimlais eu hofn
a'u hangerdd. Merched oedd y rhelyw ohonynt, a chefais
ffrindiau na wnaf fyth eu hanghofio. Y peth braf efo
llyfrau ydi nad ydyn nhw byth yn eich gadael. Does dim
gwahanu, does dim marw. Hyd yn oed os ydynt yn marw
yn y stori, cewch fynd yn ôl i'r dechau a'u hatgyfodi.

Maen nhw yma yn gwmni i mi. A phan fyddaf yn
teimlo yn unig, y cwbl sydd rhaid i mi ei wneud yw codi,
cyrchu'r silff, agor y clawr, a rydw i'n ôl yn eu cwmni. Os
bûm i'n amau iddynt fodoli o gwbl, mae cysur i'w gael o
ddarllen geiriau – du ar wyn, sydd yno i aros hyd yn oes
oesoedd.

A weithiau, does dim rhaid i mi agor clawr. Ers dod
adre, mi fydda i'n teimlo eu cwmni yma. Ar bnawn tawel,
pan nad oes neb yma ar wahân i mi, fe glywaf chwerthin
rhwng y silffoedd, a dydw i ddim yn dychryn. Fwy nag
unwaith, gwelais gysgod coban yn diflannu i fyny'r

grisiau. Ac ar nosweithiau gwlyb a thywyll rydw i hyd yn oed wedi gweld cysgodion yn taro ar y ffenestri, a sŵn traed yn dawnsio. Wrth gwrs, rydw i'n ddigon aeddfed erbyn hyn i wybod nad oes fiw i mi gyfaddef neu rannu hyn efo neb . . .

Rhag ofn . . .